Das Buch

Gegen Ende des 20. Jahrhunderts landen Ufos östlich von Paderborn. Die Außerirdischen benehmen sich wie alle Eroberer: rabiat. Wer sich ihnen nähert, wird von ihren tödlichen Strahlen enthauptet. Die Goldenen Heiligen, schillernde Riesenwesen mit undurchschaubarer Technik und infantiler Moral, nutzen die Stunde und machen sich die Erde untertan. Dabei sind sie gar nicht einmal auf Gold aus, sondern gieren eher nach Holzschuhen. Holzschuhe in der holländischen Manier geschnitzt ... Rosendorfers Satire endet im 21. Jahrhundert, mit einem Traum des Erzählers vom Weiterbestehen der Welt.

Der Autor

Herbert Rosendorfer wurde am 19. Februar 1934 in Bozen geboren, studierte an der Akademie der Bildenden Künste in München und später Jura. Er war Gerichtsassessor in Bayreuth, dann Staatsanwalt und ist seit 1967 Richter in München, seit 1993 in Naumburg. Einige Werke: ›Der Ruinenbaumeister‹ (1969), ›Deutsche Suite‹ (1972), ›Stephanie und das vorige Leben‹ (1977), ›Das Messingherz‹ (1979), ›Ballmanns Leiden‹ (1981), ›Briefe in die chinesische Vergangenheit‹ (1983), ›Vier Jahreszeiten im Yrwental‹ (1986), ›... ich geh zu Fuß nach Bozen‹ (1988), ›Die Nacht der Amazonen‹ (1989), ›Mitteilungen aus dem poetischen Chaos. Römische Geschichten‹ (1991), ›Die Erfindung des SommerWinters‹, ›Ein Liebhaber ungerader Zahlen‹ (1994).

Von Herbert Rosendorfer
sind im Deutschen Taschenbuch Verlag erschienen:
Das Zwergenschloß (10310)
Vorstadt-Miniaturen (10354)
Briefe in die chinesische Vergangenheit (10541;
auch als dtv großdruck 25044)
Stephanie und das vorige Leben (10895)
Königlich bayerisches Sportbrevier (10954)
Die Frau seines Lebens (10987;
auch als dtv großdruck 25068)
Ball bei Thod (11077)
Vier Jahreszeiten im Yrwental (11145)
Eichkatzelried (11247)
Das Messingherz (11292)
Bayreuth für Anfänger (11386)
Der Ruinenbaumeister (11391)
Der Prinz von Homburg (11448)
Ballmanns Leiden (11486)
Die Nacht der Amazonen (11544)
Herkulesbad/Skaumo (11616)
Über das Küssen der Erde (11649)
Mitteilungen aus dem poetischen Chaos (11689)
Die Erfindung des SommerWinters (11782)
... ich geh zu Fuß nach Bozen (11800)

Herbert Rosendorfer:
Die Goldenen Heiligen
oder
Columbus entdeckt Europa
Roman

Deutscher
Taschenbuch
Verlag

Ungekürzte Ausgabe
Januar 1995
Deutscher Taschenbuch Verlag GmbH & Co. KG,
München
© 1992 Verlag Kiepenheuer & Witsch, Köln
ISBN 3-462-02173-7
Umschlagtypographie: Celestino Piatti
Umschlagbild: Felix Weinold
Satz: IBV Satz- und Datentechnik, Berlin
Druck und Bindung: C. H. Beck'sche Buchdruckerei,
Nördlingen
Printed in Germany · ISBN 3-423-11967-5

Für Constantia, Laura und Olivia

1

Die Anweisung lautete: der Wurmfarn muß frisch gepflückt sein. Die Wirkung ist dann am stärksten, wenn auf den Blättern noch Tau liegt. Außerdem muß die Paste bei nüchternem Magen aufgetragen werden; also wohlgemerkt: nicht *auf* den (nüchternen) Magen. Die Paste ist auf den ganzen Körper gleichmäßig zu verteilen, nicht nur in der Magengegend, das alles aber bei nüchternem Magen.

Jessica – *Tante* Jessica von jener Nacht an – litt an... niemand wußte, woran sie litt. Hichter hieß sie: Fräulein Jessica Hichter. In ihrem Paß stand als Berufsbezeichnung: *Designerin*. Als sie sich vor Jahren für diesen Beruf entschieden hatte, hatte sie sich seine Ausübung ganz anders vorgestellt, *ganz* anders. Ihr Jogging-Anzug war von einer Farbe, die man als zwischen Wüstengelb und Erdbraun gelegen bezeichnen kann. Jessica bevorzugte diese Farbe neben Lößbeige und Kieselweiß. Äußerstenfalls munterte sie ihre Garderobe mit einem fahlen Torfgrün auf.

Da der Wurmfarn also in aller Früh gebrochen oder geerntet (oder wie man sagen will), und da die aus den Stengeln gewonnene Paste bei nüchternem Magen aufgetragen werden mußte und die Zubereitung der Paste eine Stunde in Anspruch nahm, verließ Jessica in jenen Wochen vor dem 12. Oktober 1992 immer schon um halb fünf Uhr das Haus. Karli Schwörer schlief um diese Zeit noch, selbstverständlich.

Jessica hatte die Wurmfarnkur am 12. September begonnen. Das Datum hatte, jedenfalls für Jessica, keine weitere Bedeutung, es war Zufall und kam daher, daß Frau Fäsold ihr am 11. September das Rezept für die Paste, die Anweisung für die Kur und das Geheime Pulver übergeben hatte. Jessica hatte viele Kuren hinter sich, Jessica war immer krank, aber niemand wußte, was Jessica Hichter fehlte. Es sei nicht verschwiegen, daß ihre Umgebung sich gelegentlich unschön über Jessicas Krankheiten äußerte. Ihre Schwester Cornelia – die in jener Nacht einen Knaben zur Welt brachte, der *Gorbi Ivan Evo Menelik* getauft wurde – sagte gelegentlich: »Jessica ist nur gesund, wenn sie krank ist«, und Onkel Emanuel Hichter, der literarisch gebildet war, zitierte Nestroy und bezeichnete Jessicas Krankheiten als »Entzündung mit Beklemmung«.

Es versteht sich, daß derartige Bemerkungen Jessicas ohnedies allgemein mißmutige Stimmung noch mehr trübten. Sie kniff den Mund zusammen, kehrte das Gesicht nach oben und ging hinunter in ihr Zimmer.

Aus dem Wurmfarn, und zwar aus den Stengeln, aus denen klebrige Milch rinnt, war ein Brei zu stampfen. Der Brei war aufzukochen, mit abgekochtem Wasser zu verdünnen (und vor allem zu strecken) und mit dem Geheimen Pulver von Frau Fäsold zu versetzen. Das dauerte alles in allem eine Stunde. Da Jessica im Ortsteil Obermenzing wohnte und eine größere Wiese in der Nähe war, die einigermaßen Jessicas strengen biologisch-dynamischen Anforderungen entsprach, nahm die Wurmfarn-Ernte nur zehn Minuten in Anspruch. Die Paste war also etwa um dreiviertel sechs fertig – aber noch heiß. Karli Schwörer schlief immer noch. Jessica entkleidete sich, wartete etwa zehn Minuten, bis die Wurmfarn-Paste abgekühlt war, und strich sie dann auf ihren Körper, selbst an intimste Stellen. Es sei an dieser Stelle vermerkt, daß dieser Körper eher dürr war; kein Wunder bei einer Frau, die seit ihrem vierzehnten Lebensjahr *litt*.

Nun trat die Schwierigkeit auf, daß Jessica Hichter, nackt, aber kalkweiß überzogen, sich weder legen noch setzen konnte, weil sonst die Paste abgeblättert wäre. Sie stand also leicht breitbeinig mit angewinkelten Armen in ihrer Küche (im Zimmer schlief Karli Schwörer), und zu ihrer Unterhaltung schaltete sie, vorsichtig mit einem spitzen Finger, das Radio ein.

Jessica hatte schon viel mitgemacht. (»Weniger durch ihr *Leiden*«, sagte Onkel Emanuel, »als durch die Behandlung.«) Eine Zeitlang hatte sie einem Zirkel angehört, der sich zum Ziel gesetzt hatte, die antike Eingeweideschau wiederzubeleben, und hielt sich neben ihrem Studium der Design-Kunst viel auf dem Schlachthof auf. Ob sie dort, wie sie gelegentlich erzählte, wirklich in Blut badete, mag dahingestellt bleiben. Wahrscheinlich war das eher symbolisch gemeint. Jedenfalls aber hatte Jessica damals immer blutunterlaufene Augen, die sie fürchterlich rollte, wenn sie bei Vollmond nackt und dürr durch den Garten rannte und knurrende Laute von sich gab. »Mystik macht uns frei« war der Titel eines beliebten Musicals, das damals um die Welt ging. In einer Laienaufführung in Haar bei München spielte Jessica eine tragende Rolle darin. Das war schon später. Zu der Zeit hatte sie sich von der Eingeweideschau abgewandt und einem Zirkel mit schamanischer Weltschau zugesellt, der die gängige Vorstellung von Himmel und Hölle umgekehrt sah: Gott wohne, glaubte Jessica zu der Zeit, *unten*, die bösen Dämonen wohnten *oben*. Jessica wurde ganz sanft, lief nie mehr nackt durch den Garten, nahm etwas zu, blieb aber leidend. Danach kam das Ägyptische (kann auch sein: das Tibetanische) Totenbuch. Jessica hauchte nur noch, nahm wieder ab und schlief in einem Sarg. In dieser Phase lernte sie Herrn Dr. Mahler kennen, der einen esoterischen Verlag betrieb. Der Verlag florierte, während – damals schon – die übrige Buchproduktion stagnierte. Die Leute lasen nichts mehr, man hatte das Gefühl, sie legten nur noch Karten, liefen mit Wünschelruten herum, rauchten bewußtseinserweiternden Tabak, standen Kopf, rechneten Horoskope aus und fürchteten sich vor düsteren Prophezeiungen.

Seit dem 12. September stand Jessica also jeden Tag wurmfarnpastenüberkrustet in der Küche und hörte das, was so gegen sechs Uhr bis nach sieben aus dem Radio perlt: Nachrichten und Verkehrsübersicht, ›Gedanken für den Alltag‹, das ›Musikjournal‹ mit Gustl Weishappel, den

›Heimatspiegel‹, ›Tu was für dich! – Die Frühgymnastik des Familienfunks‹ (an der sie sich natürlich nicht beteiligen konnte, weil sonst die Kruste abgesprungen wäre), die ›Welt von morgen mit Presseschau und Börsendienst‹ und das ›Divertimento musicale‹. Karli Schwörer schlief, da konnte Jessica das Radio so laut drehen, wie sie wollte. Nach genau vierzig Minuten – »nicht einundvierzig und nicht neununddreißig«, hatte Frau Fäsold, die Naturheilkundige, gesagt – sprang Jessica ins Bad und duschte die Wurmfarnpaste weg.

Schon in der Schamanenzeit hatte Jessica viele Ärzte konsultiert.

Diejenigen Ärzte waren ihr am liebsten, die ihre Krankheit als vollkommen rätselhaft bezeichneten. Ärzte, die ihr ins Gesicht sagten, ihr fehle nichts, beschimpfte sie als Scharlatane. Am allerliebsten waren ihr Ärzte, die ihre Krankheit sowohl für unerklärlich hielten, als auch sich außerstande erklärten, eine Therapie zu verschreiben.

Einmal geriet Jessica an einen Professor, der die Patientin schlichtweg als medizinisches Phänomen bezeichnete. Der Professor hieß Zwirnsteiner, und als er Jessica verkündete, daß er eine Arbeit über ihre rätselvolle Krankheit verfassen wolle und daß diese Krankheit dann in Zukunft *Morbus Zwirnsteiner* heißen würde, war Jessica nahe daran, sich in den äußerlich eher unschönen und außerdem verheirateten Professor zu verlieben. Nur die Tatsache, daß die Krankheit *Morbus Zwirnsteiner* und nicht *Morbus Hichter* benannt werden sollte, dämpfte die hohe Stimmung.

Ob der Professor ein Schlitzohr war und Jessica einen Streich spielte, oder ob er an seinen *Morbus Zwirnsteiner* wirklich glaubte, ist unklar. Er machte jedenfalls Jessica den, von ärztlicher, ja professoraler Autorität bis in die Höhe eines Befehls gehobenen Vorschlag, daß sie sich der Fakultät vorstellen müsse. Jessica willigte freudig ein. Als sie das nächste Mal den Professor konsultierte, sagte er, wie üblich: »Machen Sie sich frei!«, und Jessica legte ihre wildschweinfarbene und steppengelbe Umhüllung ab. »Gänzlich, bitte!« sagte Professor Zwirnsteiner, worauf Jessica sich auch der dunkel-seidenen Unterwäsche entledigte. »Bitte, treten Sie da hinein«, sagte der Professor, und als Jessica durch die Tür trat, stand sie nackt in einem hell erleuchteten Hörsaal unter den Augen von vierhundert Studenten. Sogleich begann der Professor, an Jessica seinen im Werden begriffenen *Morbus Zwirnsteiner* zu demonstrieren, und Jessica wagte es nicht, ihren dürren und langsam zu frieren beginnenden Leib der medizinischen Wissenschaft zu entziehen.

Als sie nach einer Stunde die Klinik im bekleideten Zustand wieder verließ, war sie nahe daran, gesund zu werden, allerdings nur nahe daran. Professor Zwirnsteiner konsultierte sie nicht mehr. Eine Zeitlang schwankte sie zwischen mehreren Homöopathen und Naturheilkundigen sowie Geistheilern und Biohypnotiseuren hin und her, zog sogar einen Veterinärmediziner in Betracht, da aber erfuhr sie von Dr. Dobler.

Dr. med. Alfred Cäsar Dobler bezeichnete sich als Facharzt für Magnet-Medizin, allerdings nur im privaten Kreis, denn die Magnet-Medizin war damals noch nicht als schulmedizinisches Fach anerkannt. (Rückständige Kollegen intrigierten, wie immer.) Die Gefahr der Entkleidung war gering, denn Dr. Dobler schaute die Patienten schon im angezogenen Zustand kaum an, geschweige denn, daß er das »Freimachen« verlangte. Er berührte seinen Patienten nicht. Meist saß er während der Behandlung (wenn man das so nennen kann) bei allerdings geöffneter Tür im Nebenzimmer, unsichtbar für den Patienten.

Sichtbar für den Patienten wurde nur eine Assistentin, die dem Patienten den Magneten einführte. Professor Dobler war der Ansicht, die er auch in Zeitschriften-Artikeln vertrat, daß der Mesmersche Magnetismus zu Unrecht vergessen worden sei. (Leider erschienen diese Artikel nie in medizinischen Fachzeitschriften; auch in den betreffenden Redaktionen intrigierten die bornierten Schulmediziner. Er war aber ständiger Kolumnist des ›Allgemeinen Mitteilungsblattes für den Rohkosthändler‹.) Dem Mesmerschen Magnetismus, argumentierte Dobler, ist es durch ungünstige Umstände in der Entwicklung der Naturwissenschaften versagt gewesen, sich, wie er es verdient hätte, voll zu entfalten. Mitten in der Blüte, so Dobler, sei der Mesmerismus rüde abgeschnitten worden. Niemand habe sich die Mühe gemacht zu untersuchen, was im Mesmerismus wirklich alles stecke. »Nein«, rief Dobler aus, »die Medizin wandte sich von den Naturkräften, von dem schon von Passavant, einem Mesmerschüler, entdeckten *Nervenäther* und vom *Od* des Barons Reichenbach ab und mit vollen Segeln zu Pillen und Tabletten hin. Die Pharmaindustrie war es, die den Mesmerismus erstickte.«

Mesmer, dem zum Beispiel schon das sonst so seriöse ›Meyersche Konversationslexikon‹ mit der scheinbar sachlichen Anmerkung »Franz Anton, nach anderen Friedrich« und »geboren in Iznang« an den Karren fahren will, lehrte und wirkte zunächst in Wien und München, später dann in Paris, wo er von 1778 ab großes Aufsehen erregte, was selbstverständlich sofort die Schulmediziner, die Pillenverordner, auf den Plan rief. Die Ärzte erwirkten, daß eine – angeblich neutrale – Regierungskommission Mesmers Methode untersuchen solle. Wer gehörte der Kommission an? Ärzte natürlich. Das Ergebnis kann man sich an fünf Fingern einer Hand abzählen. Mesmer mußte Paris verlassen und starb in Meersburg, verbittert, obwohl niemand Geringerer als Mozart in seiner Oper ›Così fan tutte‹ dem Mesmerismus ein musikalisches Denkmal gesetzt hat. Das mehr als fragwürdige Urteil der damaligen französischen Kommission, so Dobler, hätten Generationen bornierter Schulmediziner ungeprüft übernommen, und so sei der Mesmerismus, sei die Magnetkur in Vergessenheit, ja in den Ruf der Lächerlichkeit geraten, bis er, Dobler, ihm wieder zu seinem Recht verholfen habe.

Die Assistentin Doblers arbeitete mit einem winzigen

Magneten in einer Plastikkapsel. Der Patient mußte sich gut aufrecht hinsetzen und, den Kopf nach oben gereckt, den Mund aufreißen. Die Assistentin führte sodann den Magneten an einem Draht ein und schloß ihn an einen Computer an.

Mesmerismus und Computer: überhaupt scheint die Mischung aus esoterischer Gesamtstimmung und nüchternen Einzelheiten das medizinische Faszinosum gewesen zu sein, das nicht nur den Zulauf Doblers, sondern auch die unbestreitbaren Heilerfolge erklärte. Außerdem gab die klinische Nüchternheit inmitten oder am Rand der Esoterik den in Anbetracht des Neides nichtesoterischer Kollegen dringend notwendigen Anstrich von Seriosität. Wo Dobler seine Professur herhatte, ist nie aufgeklärt worden, an welcher Universität er lehrte, war dunkel, den Patienten wohl auch gleichgültig.

Ein so nüchternes und imponierendes Schaltpult vor einer Batterie von Computern, die alle bunte und flimmernde Zeichen von sich gaben, die klinische weiße Ölfarbe, mit der die Möbel lackiert waren, das Chrom der Instrumente und die Schautafeln mit Darstellungen abstoßender Hautkrankheiten, Knochenbrüche und Trinkerlebern vermittelten die seriös-medizinische, das in Signalfarben gehaltene hypnotische Idealportrait Franz Anton (»nach anderen Friedrich«!) Mesmers in buddhistischer Kleidung und der Geruch eines Räucherstäbchens, das die Assistentin entzündete, bewirkten die nicht minder seriöse esoterische Seite der Behandlung.

Nachdem der Magnet eine gewisse Zeit im Inneren des Patienten gewirkt hatte, begannen auf den Computern farblich ansprechende Graphiken zu erscheinen, Lautsprecher gaben Töne von sich. Der Magnet übertrug seine Diagnose »– sozusagen von innen heraus; was könnte genauer sein?« versicherte Dobler. Jessica war begeistert, obwohl die Magnet-Behandlung einen dicken Batzen Geld kostete. Die Krankenkasse übernahm die Kosten nicht; das Wassermann-Zeitalter war noch nicht bis zu ihr durchgedrungen. Der Magnet diagnostizierte bei Jessica unerhörte, nie gekannte Krankheiten von sozusagen astronomischer Exklusivität. Jessica war so krank, daß sie aufblühte und sich einen krapproten kurzen Lederrock und einen kanariengelben Hut kaufte.

Der tiefe Fall in die Enttäuschung ließ nicht lange auf sich warten. Eines Tages wühlte der Magnet so lustvoll in Jessicas Innerem, daß sie Zehenkrämpfe bekam, und zwar an beiden, wenn man so sagen kann, Zeigezehen. Sie japste und sprang, den Draht des Magneten hinter sich herziehend, ein wenig hin und her, dabei fiel ihr Blick ins Nebenzimmer, wobei sie sehen mußte, daß Dr. Dobler über der Lektüre einer Zeitschrift eingenickt war und eben tief im Traum aufseufzte und »– Astrid!« ächzte. Jessica heulte auf. Dr. Dobler rumpelte in die Höhe, die Zeitschrift entglitt ihm – wenn es wenigstens eine medizinische Zeitschrift gewesen wäre oder ›Esoteric Monthly‹, dann wäre die Sache noch zu reparieren gewesen. Aber es war das ›Tennis-Journal‹. Jessica war fast nicht in der Lage, so lange stillzuhalten, bis die Assistentin den Magneten wieder herausgezogen hatte (ein heikler Vorgang), dann aber warf sie dem Professor einen großen Packen alter Illustrierter, die fürs Wartezimmer dalagen, vor die Füße, schrie: »Behandeln Sie Ihre Astrid!« und entfernte sich. Wenig später erfuhr sie die Adresse von Frau Fäsold. Die Adresse wußte Michael.

Nach dem Duschen wickelte sich Jessica in ihren Morgenmantel aus lehmfarbenem Flausch-Stoff und legte sich zu Karli Schwörer ins Bett, der vielleicht ein Auge öffnete und murmelte: »Möchtest du?«

»Nein«, sagte Jessica streng, »ich habe doch eben die Kur gemacht.« Worauf Karli Schwörer wieder einschlief. Karli Schwörer war gut fünfzehn Jahre älter als Jessica, war lang und hatte entgegen der Mode (oder der Mode voraus, man wußte das nicht so genau) ganz kurze Haare, fast eine rasierte Glatze. Da er auch *Geheimratsecken* hatte, sah er aus, als habe er eine filzige Kappe auf in Form einer Mephistohaube, wie Eisschnelläufer sie tragen. Karli Schwörer war bis zur Waschlappigkeit gutmütig, schlief gerne lang, konnte kochen und kam nie zu irgend etwas, was er sich vornahm. Er war abgebrochener Student der Soziologie und verdiente seinen Lebensunterhalt in einer Autoausschlachterei, wo er – feinfühlig war er ja – die empfindlicheren Geräte, soweit sie unbeschädigt waren, aus den zerbeulten Autos ausbaute. Viel Geld erntete er damit nicht, vor allem auch, weil er immer zur Arbeit zu spät kam. Aber er hatte stets Freundinnen, die ihn miternährten.

Es gab aber auch Michael. Während Karli Schwörer bei Mutter, Schwester und Onkel Emanuel sozusagen offiziell vorgezeigt wurde, blieb Michael kryptisch. »Die Adresse von Frau Fäsold hat mir«, hatte Jessica mehr nebenbei gesagt, »ein gewisser Michael genannt.« Seitdem hieß der geheimnisvolle Mann, dessen Familiennamen Jessica nie verriet, *der gewisse Michael.*

Der gewisse Michael war das Gegenteil des Karli Schwörer, das war aber auch alles, was man von ihm wußte. Er schlüpfte zu Jessica herein, kurz nachdem sich Karli Schwörer seufzend endlich erhoben hatte, um zu seinem Autoausschlächter zu fahren. Entweder wußte dieser gewisse Michael kraft irgendwelcher übernatürlichen Kräfte, wann sich nach heftigen inneren Kämpfen Karli Schwörer aus dem Bett wälzen und aus dem Haus verschwinden würde, oder aber er hatte unbegrenzt Zeit zu lauern. Übernatürliche Kräfte im Zusammenhang mit Jessica wären nicht von der Hand zu weisen. Wahrscheinlich hat er aber doch eher gelauert.

Am 12. Oktober 1992 schlüpfte Jessica nicht mehr zu Karli Schwörer ins Bett. Sie war noch wurmfarnverkrustet, als ihre Mutter von oben herunterkam, an Jessicas Wohnungstür klopfte und schrie: »Es ist ein Bub! Jessica, hörst du? Du bist Tante! Eben ist aus der Klinik angerufen worden.«

»Ich kann nicht aufmachen«, schrie Jessica zurück, »ich bin noch in der Kur. – Wann?«

»Um halb vier«, rief die Mutter.

»Und wie heißt er?«

»Weiß noch nicht«, sagte die Mutter.

»Und kennt man jetzt den Vater?«

»Ach Gott, ach Gott«, murmelte die Mutter und schlurfte die Treppe wieder hinauf. Das war um fünf Uhr neunundfünfzig. Jessica hatte das Radio nicht nur zur Unterhaltung, sondern auch deswegen eingeschaltet, weil in diesen Morgenstunden so häufig die genaue Uhrzeit durchgegeben wird. Frau Fäsold hatte ja gesagt: nicht neununddreißig, nicht einundvierzig Minuten...

Um sechs Uhr kamen Nachrichten. Die Paste mußte noch drei Minuten an Jessicas Körper bleiben. Das reichte gerade bis zum Wetterbericht. Die letzte Meldung lautete:

»Paderborn. Nach noch unbestätigten Meldungen ist heute nacht in einem Waldstück östlich von Paderborn ein unbekanntes Flugobjekt gelandet. Erste Untersuchungen haben ergeben, daß es sich nicht um einen Scherz oder Unfug handelt. Die Behörden haben die Bevölkerung zu Besonnenheit und Ruhe aufgefordert. Polizei und Feuerwehr sind in Einsatzbereitschaft versetzt. Spezialeinheiten der Bundeswehr befinden sich auf dem Weg zur Landungsstelle, um den Vorgang zu untersuchen. Und nun das Wetter...«

2

Südlich von Bielefeld zieht sich der altberühmte Teutoburger Wald nach Südosten hin bis Detmold, alles ein Naturpark sowie für national denkende Deutsche, die es ja in großer Zahl wieder gibt, ein historischer, wenngleich langgestreckter Ort, an dem irgendwo, leider weiß man es nicht genau (jedenfalls nicht dort, wo das Denkmal steht) Hermann der Cherusker die Legionen des Varus schlug. Hätte er sie nicht geschlagen, hätten die Römer Germanien bis zur Oder kolonisiert, und die deutschen Altvorderen wären einige Jahrhunderte weniger Wildschweine gewesen. Aber das soll hier nicht die Frage sein. Der Naturpark Teutoburger Wald biegt bei Detmold nach Süden ab, heißt zwar immer noch so, das mäßig schöne, bewaldete Hügelland, das den Naturpark durchzieht, nennt sich aber das Eggegebirge. Dort, wo der ausgedehnte Staatsforst Altenbeken an den ebenfalls ausgedehnten Staatsforst Neuenheerse stößt, führt die Bundesstraße 64 durch den Nationalpark, die – östlich – Bad Driburg mit – westlich – Paderborn verbindet.

Am Fuße des nahe dieser Bundesstraße gelegenen, etwas hochstaplerisch *Brocks-Berg* genannten Hügels zweigt, wenn man von Bad Driburg kommt, eine Kreisstraße nach links ab, die in einen nicht weiter bedeutenden Ort namens *Schwaney* führt. Wenig neben dieser Abzweigung, hinter einem Gürtel von Bäumen verborgen, liegt eine Lichtung, auf der ein Haus stand, das dem Bürgermeister von Schwaney ein Dorn im Auge war. Das Haus, ein Holz- oder Blockhaus, rückte als Dorn in das Auge des Bürgermeisters erst etwa im Jahr 1970, obwohl es damals schon fast dreißig Jahre stand. Während des Krieges nämlich hatte eine Familie mit Namen Donner, ohne irgend jemanden zu fragen, dieses Haus auf der Lichtung errichtet und war eingezogen, weil ihre Wohnung in Paderborn durch einen Bombenangriff vernichtet worden war. Die Behörden drückten damals ein Auge zu, weil man froh war, daß die Leute ein Dach über dem Kopf hatten. Man achtete nur darauf, daß nicht andere dem Beispiel folgten und eine wilde Siedlung dort entstand. Das wäre nicht notwendig gewesen, denn die Familie Donner achtete selber wie die Schießhunde darauf, daß sich niemand anderer auf »ihrer« Lichtung festsetzte. Übrigens war das Ganze rechtlich natürlich nicht »ihre« Lichtung. Das betreffende Waldstück gehörte jemand anderem – man wußte nur nicht genau, wem. Seit mehr als zwei Generationen tobte ein Streit innerhalb einer überaus komplizierten und mit jedem Todesfall noch komplizierter werdenden Erbengemeinschaft, beschäftigte viele Gerichte und kam nie zu einem Ende. Das erleichterte die Situation der Familie Donner, die im übrigen zur damaligen Zeit mit Ausnahme eines Knaben namens Knut nur aus Frauen bestand, die – so erzählte man sich noch Jahrzehnte später in Schwaney – solche Furien gewesen wären, daß sich niemand auch nur auf hundert Meter dem Blockhaus zu nähern gewagt hätte. Nicht einmal die Engländer von den Besatzungstruppen nach 1945. Nach und nach kehrten diverse männliche Donners aus Krieg und Gefangenschaft zurück, die Verhältnisse normalisierten sich, die Wohnungen in Paderborn wurden wieder aufgebaut, ein Donner nach dem anderen verließ mit seiner Furie das Haus und siedelte wieder in der Stadt. Das Blockhaus übernahm – noch vor der Währungsreform – ein Rumäniendeutscher, ein Flüchtling namens Alt, der eine Zeitlang sehr einfache Holzbeine herstellte, für die damals, horribile dictu, unter den Heimkehrern ein gewisser Bedarf bestand, bis es wieder fachmännische Prothesen gab. Dann stellte Alt auf Strohhüte um, was kein geschäftlicher Erfolg war. Er verließ das Blockhaus um 1955 herum, und dann stand es leer. Die Gemeinde scheute zunächst die Kosten für den Abriß, dann wurde das Haus vergessen. Die Erbengemeinschaft bestand zu der Zeit bereits aus etwa dreihundert Personen, dazu achtzehn diverse Körperschaften, die von tückischen Erblassern testamentarisch bedacht worden waren, dem Tierschutzverein, zwei Klöstern und einem Hamster namens *Baldur*, der allerdings wenig später ohne Hinterlassung von Leibeserben und Testament durch Ableben aus der Erbengemeinschaft wieder ausschied. Insgesamt waren 21 Anwälte, 2 Amts–, 6 Land- und 3 Oberlandesgerichte, seit 1958 auch das Bundesgericht, mit den Prozessen beschäftigt. Im Blockhaus machten sich Ratten und Mäuse breit.

Die Ratten und Mäuse blieben fast zwanzig Jahre lang ungestört. Dann lernte, was nicht unmittelbar mit dem

Ende der Ratten und Mäuse zu tun hat, Knut Donner, der damals knapp das vierzigste Lebensjahr erreicht hatte, Fräulein Swanhild Neufferding kennen. Fräulein Swanhild Neufferding war nicht nur Absolventin einer Waldorf-Schule, sie war sogar Tochter eines Lehrers der Eurhythmie und Enkelin eines evangelischen Pastors, der im Krieg auf einem U-Boot gedient hatte. Wer die Zusammenhänge kennt, weiß alles. Swanhild Neufferding trug dunkelbraune Socken, wadenlange Röcke und sehr oft eine selbstgestrickte Mütze in der Farbe einer Raucherlunge. Sie – Swanhild – rauchte natürlich nicht. Sie gehörte der Friedensbewegung an, war Vegetarierin und studierte Arabistik. Sie schenkte Knut Donner zu Weihnachten 1976 eine Schrotmühle. Im Herbst 1977 bereits trug Knut Donner – inzwischen geschieden und aus seinem Arbeitsverhältnis als Chemograph entlassen – eine selbstgestrickte furunkelfarbene Mütze und erinnerte sich an seine Jugend im Blockhaus draußen auf der Lichtung an der Abzweigung der Straße nach Bad Driburg. Knut und Swanhild fuhren mit ihrem Second-hand-Tandem hinaus, stapften durch das kniehohe Unkraut und fanden den Bau zu ihrem Erstaunen bewohnbar, sofern man an Komfort nicht zu hohe Ansprüche stellte.

»Das ist praktisch alles total alternativ«, sagte Swanhild, »man muß nur vielleicht ein paar Dachziegel ersetzen.«

»Und die Spinnweben abkehren«, sagte Knut.

»Bist du wahnsinni-i-i-i…«

»Was ist denn?« fragte Knut.

»Eine Maus!« schrie Swanhild.

»Mäuse sind ziemlich am Ende der Nahrungskette, glaube ich jedenfalls. Sie sind total wichtige Indikatoren.«

»Wenn ich eine Mausefalle aufstellen darf – selbstverständlich eine aus Holz, ungebeizt, dann darfst du die Spinnweben abkehren.«

»Kommt überhaupt nicht in Frage«, sagte Knut. »Die äußerste Konzession: eine Katze.«

»Ich bin allergisch gegen Katzenhaare.«

»Das bringt man mit linksdrehendem Besenginster weg.«

Linksdrehender Besenginster ist selten. Der Besenginster, der auf der Wiese unter dem Unkraut wuchs, war alles rechtsdrehender. Die Katze – sie hieß Mohamed – lief davon, die Mäuse und Ratten allerdings auch, nachdem eine andere Arabistikstudentin (Claudia) zu Knut und Swanhild gestoßen war. Claudia ernährte sich so gut wie ausschließlich von Knoblauch. Knut schimpfte zunächst und sagte, er halte es nicht aus, er kehre zu seiner geschiedenen Frau zurück und werde lieber wieder Chemograph, aber dann war es Swanhild, die auszog, nachdem sie Knut und Claudia erwischt hatte.

»Ja – und?« fragte Knut.

»Was: ja – und?« fragte Swanhild.

»Da macht dir der Knoblauchgestank nichts aus?«

»Ich geb' dir gleich Knoblauchge*stank*!« fauchte Claudia.

»Du hast doch wohl nicht noch Reste bourgeoiser Moralvorstellungen?« sagte Knut und band sich seinen Zopf.

»Sie oder ich?!« schrie Swanhild.

»Du bist so schön in deinem Zorn«, sagte Knut.

Da warf Swanhild die Glasbatterie mit angesetztem Kefir nach Knut, packte ihre Jutetasche, setzte die raucherlungenfarbene Mütze auf und ging, wobei sie noch versuchte, die Tür zuzuschlagen, was nicht gelang, weil sie klemmte. Sie riß die Tür nochmals auf und schrie herein:

»Vielleicht bringt *die Hure* dich dazu, die Tür unten abzuhobeln. *Ich* habe es ja nicht geschafft.«

Die Tür hobelte aber erst etwa zwei Jahre später ein nicht ausgelernter Gärtner ab, der mit Claudia irgendwie verwandt war und sich vor seinem Bewährungshelfer versteckte. Er hieß Helmuth und war rothaarig. Claudia behandelte seine Haare, die zu Helmuths Kummer nie länger als bis über die Ohren wuchsen, mit Mäuseknochenasche. Helmuth sehnte sich danach, einen Zopf zu haben wie Knut. Er blieb nicht lange genug im Blockhaus, daß man den Erfolg der Behandlung hätte sehen können. Er hinterließ, als er in die DDR übersiedelte, eine Freundin namens Elke, die so dick war wie ein kleiner Walfisch, wobei sie immer Molke trank. Elke zog einen sehr kleinen, außerordentlich haarigen Tonio nach sich, der nicht sehr gut Deutsch sprach, aber Schnaps brennen konnte.

Um diese Zeit ging die Abfindungssumme zur Neige, die Knut im Arbeitsgerichtsprozeß gegen seinen ehemaligen Arbeitgeber gewonnen hatte, und die Kommune mußte sich nach Einnahmequellen umsehen. Elke begann Schafe zu züchten. Das heißt: sie kaufte vom letzten Geld der Abfindungssumme ein Lämmchen bei einem Bauern in Buke, band es an einen Pflock und wartete darauf, daß es sich vermehrte. Leben konnte man davon nicht.

»Vorerst!« sagte Elke.

Claudia begann ökologische Blockflöten zu schnitzen, die sie einem Dritte-Welt-Laden in Paderborn unterjubelte, das Stück für zwei Mark. Auch damit konnte man keine großen Sprünge machen.

Knut erfand die *Kältebakterien.* Er glaubte an ein Heilmittel gegen Aids. Aber die Ausarbeitung der Therapie war noch nicht soweit. Einzig Tonios Schnaps brachte Geld ein, aber man mußte beim Vertrieb so höllisch aufpassen. Auch wurden anfälligere Naturen nicht selten blind davon.

Die finanzielle Lage führte in letzter Zeit oft zu unschönen Auseinandersetzungen.

»Wie bourgeois, über Geld zu reden«, schrie Knut.

»Davon, daß man nicht davon redet, wird es auch nicht mehr«, keifte Yvonne Ybelacker.

Yvonne Ybelacker war von Tonio eingebracht worden. Sie legte Wert darauf, daß sie erstens wirklich Yvonne Ybelacker hieß, und zweitens, daß ihren Eltern Xaver Ybelacker und Walburga geborene Siebzehnrübel erst nach der Taufe bewußt geworden war, daß die Tochter wohl als einzige Person im deutschen Sprachbereich die Initialen *Y. Y.* aufweisen konnte. Yvonne war Schauspielerin. »Bei *dem* Namen«, pflegte sie zu sagen, »kommt nichts anderes in Frage.« Ein Engagement allerdings hatte sie, trotz der Initialen, noch nicht.

Auch am Abend des 12. Oktober 1992, als außer einem Laib Sechskornbrot (schon recht trocken), einem Glas Vierfruchtmarmelade und einer Scheibe Dreimilch-Käse (Kuh, Schaf, Ziege) nichts mehr zu essen und vor allem kein Ein-Alkohol-Whisky für Tonio da war, gerieten sich die Kommune-Mitglieder in die Haare. Knut zertrümmerte das Glas Vierfruchtmarmelade, kratzte dann zwar reumütig die Marmelade zwischen den Scherben vom Boden heraus auf einen Teller, man ging aber dennoch unversöhnt schlafen.

Kurz vor vier Uhr erwachte Yvonne Ybelacker und ging aus dem Haus, um sich hinter einen Busch zu begeben. (So waren die Entsorgungsverhältnisse in dem Blockhaus. »Außerdem«, sagte Elke immer, »ist das ökologisch, sofern ihr euch richtig ernährt.«) Als Yvonne wieder hinter dem Busch hervortrat, sah sie, daß ein starker Lichtschein sich von oben auf die Lichtung und direkt auf das Haus senkte.

Yvonne schrie auf.

Das Schaf, das seitlich auf der Lichtung an einem etwa armdünnen Baum angebunden war, blökte (das letzte Mal in seinem Schafsleben).

Der Lichtschein senkte sich weiter, das Haus knirschte, heißer Wind erhob sich. Yvonne lief, nackt wie sie war, in Richtung der Bundesstraße davon.

3

Im Staatsforst Neuenheerse liegen verstreut einige Forsthäuser, darunter, direkt am Elbe-Bach, das Forsthaus Urenberg. Der Oberförster Dietmar Klein hatte am Abend des 12. Oktober, bevor er sich bereits nach der *Ta-*

gesschau zu Bett begab, den Wecker auf halb drei Uhr gestellt. Am Tag zuvor hatten Schulkinder aus Schwaney einen toten Hasen gebracht, der, so glaubte Klein jedenfalls zu diagnostizieren, von einem Fuchs gerissen worden war.

»Warum hat der Fuchs dann den Hasen nicht aufgefressen?« fragten die Schulkinder.

»Wahrscheinlich«, sagte der Förster, »weil er gestört worden ist. Der Fuchs muß weg. Peng.«

»Der arme Fuchs«, schrie das eine der Kinder.

»Füchse haben überhaupt alle die Tollwut«, sagte der Förster. Deutsche Förster sehen bekanntlich ihre Hauptaufgabe darin, die Füchse auszurotten. Daß Füchse die Tollwut gar nicht haben können (eine veterinärmedizinische Tatsache), stört sie nicht.

»Den Hasen müßt ihr dalassen«, sagte Klein. Er gab ihn seiner Frau in die Küche, nachdem er daran gerochen hatte.

Die Schulkinder hatten den toten Hasen in der Nähe einer Lichtung gefunden, und da in Schwaney und Umgebung alles Unschöne, Unangenehme und vor allem Unlegale mit jenem Blockhaus in Verbindung gebracht wurde, nahm Oberförster Klein ohne nähere Nachfrage an, daß der Fuchs nirgendwo anders als auf jener Lichtung sein Unwesen treibe. Womöglich – das hatte Klein schon mehrfach geäußert – hält das »asoziale Gesindel« sich sogar einen Fuchs.

»*Alternative* Bande«, sagte der Apotheker in der Nebenstube (altdeutsch getäfelt) des Dorfkruges *Bismarckeiche*.

»Vegetarier«, sagte der Schuldirektor.

»Wer Vegetarier ist, endet nicht selten als Antialkoholiker«, sagte der Bürgermeister und bestellte eine neue Lage Doppelkorn.

»Kann man denn nichts dagegen tun? Ich meine, gegen die Bande? Ist ja wohl die reinste Unzucht.«

»Tu was bei diesen sozialistischen Mietgerichten.«

»Am besten wäre es«, sagte der Bürgermeister, »am besten wäre es – versteht ihr? –, am besten wäre es, die Bude würde eines Tages abbrennen. *Wiederaufbauen – das* würde kein Mensch genehmigen.«

»Abbrennen?« sagte der Oberförster.

»Darf man natürlich nicht laut sagen«, sagte der Apotheker.

Der Oberförster ging nicht ungern bei seinen Dienstgängen über jene Lichtung. Dabei tat er, am Tag jedenfalls, ganz jovial. Im Sommer saßen oder lagen die Mädchen immer nackt im Gras. So alternativ kann keine sein, daß sie nackt nicht auch einem Oberförster gefällt. Daß auch Knut und – solange er da war – Helmuth nackt herumlagen, störte den Oberförster nicht, weil er da nicht hinschaute. Tonio allerdings trug immer eine Badehose.

In der Nacht, wenn Oberförster Klein vorbeikam, war er weniger jovial. (In der Nacht: das hieß am ganz frühen Morgen.) Dann schoß er gern ein–, zweimal in die Luft und freute sich an dem Gedanken, wie das antiautoritäre Gesindel in dem Blockhaus entweder aus dem Schlaf oder aus dem Gruppensex aufschreckte.

Um halb drei also läutete der Wecker. Um drei Uhr war Klein rasiert. Er ging nochmals ins Schlafzimmer, hob die Decke und Frau Anne-Gudula Kleins Flanellnachthemd in die Höhe und klatschte mit seiner nervigen Jägerhand auf eine jetzt eher fahle Rundung. »Es kommt kalt rein«, knurrte Frau Anne-Gudula. Er ließ die Decke wieder fallen und gab seiner Frau einen Kuß. »Putzt du dir nicht die Zähne?« fragte sie müde.

»Wieso? Für den Fuchs? Den erschieß ich ohnedies«, sagte Oberförster Klein, wandte sich zur Tür, nahm im Flur eine Ferlacher aus dem Gewehrschrank, pfiff dem reinrassigen Deutschen Schäferhund *Rambo* (nach Stammbaum: Bellerophon von der Heidehöhe) und schrie in das stets unaufgeräumte Gehilfenzimmer hinein: »Günther, biste fertich?«, worauf der Forstgehilfe z. A. Bronkhorst Günther verschlafen in seine Stiefel fuhr und hinter seinem Chef aus dem Haus tappte.

Als sich Rambo, Oberförster und Forstgehilfe (in dieser

Reihenfolge) nach etwa einer Stunde der bewußten Lichtung näherten, zeigte der Hund, wie Klein später zu Protokoll gab, sichtliche Merkmale von Erregung. Er lief auf die Lichtung voraus, während Klein und Bronkhorst durch das Unterholz stapften, und kehrte ängstlich winselnd zurück. Als Oberförster Klein an der Lichtung war, sah er anstelle des anstößigen Blockhauses einen rötlich glühenden, großen Gegenstand. »Wie ein riesiges Kohlestück oder besser Brikett, was du eben aus dem Ofen nimmst.« Zunächst habe er, Oberförster Klein, geglaubt, die alternative Hütte sei endlich abgebrannt, dann aber habe er gesehen, daß sich ein rätselhaftes Ding, ein ziemlich großes, rätselhaftes Ding auf das »nunmehr ehemalige« (so Klein) Blockhaus gesetzt habe. »Ein Ufo von der Farbe – das ist eigentlich gar keine Farbe, eher so wie sehr helle Bonbons, wenn man sie ausspuckt.« Das Blockhaus sei »praktisch zusammengefaltet« gewesen. »So, wie wenn Se auf 'ne leere Coladose treten. Wie wenn 'n Elefant auf eine leere Coladose tritt, besser gesagt. War praktisch nur noch Folien, wenn Sie verstehen, was ich meine.«

Klein kehrte rasch um; der Forstgehilfe selbstverständlich auch. Rambo war schon vorausgelaufen. Am Rand der Lichtung fand Klein ein geröstetes Schaf. Er ließ es liegen.

Der Fuchs war für dieses Mal gerettet.

4

Der Regular-Kanoniker des Paderborner Domkapitels, Monsignore Liborius Maria Altmögen, erwachte, wie schon seit einigen Jahren öfters, durch ein, wie er zu sagen pflegte, panisches Durstgefühl. Er ging in die Küche seines schönen, mit gepflegten Möbeln ausgestatteten Zweizimmer-Appartements und nahm eine Flasche Zitronenlimonade aus dem Kühlschrank. Wenn es vor Mitternacht gewesen wäre, hätte er zur Flasche *Jever Pils* gegriffen, die neben der Limonade stand, aber da es, wie er sich durch einen blinzelnden Blick überzeugte, bereits fast vier Uhr morgens war, nahm er die Limonade. (Er wollte um acht Uhr die Messe lesen und gehörte noch zur traditionellen Sorte von Geistlichen.)

Er goß die Limonade in ein Glas und trank sie in kleinen Schlucken, weil sie eiskalt war und weil es so außerdem gesünder ist.

Dabei schaute er ohne jeden Gedanken aus dem Fenster. Über den östlich von Paderborn beginnenden Erhebungen des Naturschutzparkes *Südlicher Teutoburger Wald* gewahrte er dabei einen schwefelgelben Lichtschein bei sonst völliger Dunkelheit der wolkenverhangenen Nacht. Auch den schwefelgelben Schein registrierte das Bewußtsein des schlaftrunkenen Monsignore nur unterschwellig, bis nach vielleicht zwei, drei Minuten die Seltsamkeit des Phänomens an die Bewußtseinsoberfläche stieg und die Frage »Nanu?« im plötzlich hellwachen Gehirn des Geistlichen aufzucken ließ.

Der Schein pulsierte, wurde dann ganz hell (»– goldfarben, fast sonnenartig –«, erzählte Monsignore am Nachmittag seinem Bischof), worauf er dann langsam, aber stetig an Helligkeit abnahm. »Wenn es ein Brand ist«, dachte Altmögen, »dann ein gigantischer.«

Der Monsignore zog sich rasch an (schwarzes Leder), ging in den Hof des Domkanonikats und schob seine *Guzzi California* mit Beiwagen aus der Garage. Um die anderen, die hier wohnten, nicht zu wecken, startete er die Maschine erst vor dem Haus. Er fuhr nach Osten. Die Straßen waren leer um diese Zeit, wie nicht anders zu erwarten. Der schwefelgelbe Schein sei, erzählte er dem Bischof, von der Straße aus zunächst nicht mehr zu sehen gewesen, aber dank seines relativ gut ausgebildeten Ortssinns habe er ziemlich genau ausmachen können, wo die betreffende Stelle zu finden sei.

Am Stadtrand von Paderborn tauchte im Lichtkegel des Motorrades ein Gegenstand auf, den Monsignore Altmögen im ersten Augenblick für einen sehr großen Pilz hielt. Es stellte sich dann aber heraus, daß es sich um einen sehr kleinen Mann mit einem Pfadfinderhut handelte. Der Mann war verfilzt und stark bärtig. Der Alte winkte. »Nicht nur aus Nächstenliebe«, räumte Monsignore Altmögen in einem der vielen Fernsehinterviews ein, die er bald geben mußte, »sondern auch, weil sich die Fahreigenschaften eines Beiwagengespanns verbessern, wenn der Beiwagen belastet ist, hielt ich an. Der Alte holte einen Rucksack, zwei Plastiktüten und einen stark nach Salmiak riechenden Pappkoffer, der mit mindestens vier Riemen verschiedener Farbe verschnürt war, aus dem Straßengraben, außerdem vier oder fünf große, verbeulte, an den Henkeln mit Spagat zusammengebundene Kochtöpfe. Die Kochtöpfe verursachten einen Heidenlärm, der fast das Motorengeräusch übertönte, was, wie jeder weiß, der je mit einer Guzzi gefahren ist, einiges heißt. Ich kann Ihnen, wenn Sie wollen, die Kochtöpfe zeigen.«

Monsignore Altmögen kam also auf der Bundesstraße 64 gut, den Beiwagen ausgelastet, wenngleich von Scheppern begleitet, voran, bog, seinem Augenmaß folgend, nach circa 6 km in die Kreisstraße nach Schwaney ein, nahm einen scharfen Geruch war (vermutete, er rühre vom Koffer des Alten her), hielt an, weil er kurz überlegte, ob er in einen für Motorradfahrer verlockend holprigen Feldweg nach links einbiegen sollte. Nahezu gleichzeitig sprang in diesem Moment der Alte mit dem Ruf: »Da ist was!« aus dem Beiwagen, und eine junge Frau, mit nichts als sandgelben *Birkenstock*-Sandalen bekleidet, brach durch das Gebüsch auf die Straße und lief, schrecklich klappernd, in Richtung Paderborn.

Monsignore Altmögen glaubte zunächst an eine zölibatäre Zwangsvision (früher hätte man für so etwas andere Ausdrücke gehabt), aber als auch der Alte im Pfadfinderhut verdutzt stehenblieb und dem hinter der nächsten Biegung verschwindenden weiblichen Popo nachstarrte, zweifelte der Geistliche nicht mehr an der Realität des

Vorkommnisses. Alles dauerte nur Sekunden. Der Alte schlüpfte durch die Büsche, kam sofort danach aber wieder zurück, starrte den Monsignore mit weit aufgerissenen Augen an, wedelte mit den Armen windmühlengleich, versuchte irgend etwas zu sagen, was er aber nicht herausbrachte, und flüchtete nach wenigen Augenblicken unter Hinterlassung seiner Habseligkeiten in die Richtung, in der das *Birkenstock*-Mädchen verschwunden war.

Der Monsignore stieg vom Motorrad und stellte den Motor ab. Hinter den Bäumen leuchtete es schwefelgelb. Altmögen zog den Reißverschluß der Ledermontur über der Brust auf und faßte sein Kanonikerkreuz mit beiden Händen. Dann stapfte er durch das Unterholz, wo das Mädchen und dann der Alte herausgekommen waren. Er kam auf die Lichtung...

Trotz aller Bemühungen, trotz einer nicht unbeträchtlichen Summe, die die Fernsehstation RTL aussetzte, fand man den Alten mit dem Pfadfinderhut nicht mehr. Das Mädchen schon.

5

Jessica Hichter bewohnte das Parterre des kleinen Einfamilienhauses in Obermenzing. Im ersten Stock und in der Mansarde lebten Jessicas Mutter und die ältere Tochter Cornelia. Noch Jessicas Vater, der städtische Amtmann a. D. Hichter, hatte die beiden Wohneinheiten trennen und unten ein eigenes Bad einbauen lassen. Jessica lebte also in einer abgeschlossenen Wohnung. Im übrigen war das Verhältnis zwischen Mutter, Schwester und Jessica sehr gut, getrübt nur gelegentlich, und dann auch nur kurzzeitig, durch mehr gutmütige Sticheleien über Karli Schwörers mangelnde Fähigkeit, den Bettzipfel loszulassen, und über die kryptische Existenz des »gewissen Michael«.

Als Jessica, obwohl elektrisiert von der Meldung in den

Sechs-Uhr-Nachrichten, pünktlich – nicht nach neununddreißig und nicht nach einundvierzig, sondern nach vierzig Minuten – die weiße Paste mit dem Schaber aus Zedernholz abschabte (was ihr zeitweilig lustvollere Gänsehaut verschaffte als die Berührungen seitens des gewissen Michael, von denen Karli Schwörers ganz zu schweigen), war sie bereits entschlossen. Sie wußte, um ein großes Wort zu gebrauchen, was sie zu tun hatte. Aber zunächst duschte sie sich noch rasch, packte ihre wildkaninchenfarbene Reisetasche, verabschiedete sich von Karli Schwörer, was dieser nicht bemerkte, und fuhr zum Bahnhof.

Die Sieben-Uhr-Nachrichten hörte Jessica noch zu Hause, grade noch, die späteren aus den Transistor-Geräten ihrer Mitreisenden, die von Stunde zu Stunde aufgeregter wurden wie alle Welt. Schon in den Acht-Uhr-Nachrichten war die bewußte Meldung etwas nach vorn gerückt, rückte dann immer weiter vor, und die Elf-Uhr-Nachrichten begannen bereits mit ihr. Um ein Uhr sprach der Bundeskanzler. Um diese Zeit erhob sich Karli Schwörer ächzend, sagte: »Ist es schon neun Uhr?«, aber Jessica war schon seit drei Stunden unterwegs.

Jessica fuhr nach Norden: sie erwischte grade noch – ohne sich vorher erkundigt zu haben – einen Intercity nach Köln, stieg dort um, war kurz vor siebzehn Uhr in Münster und nach nochmaligem Umsteigen gegen neunzehn Uhr in Paderborn. Auf dem Bahnhofplatz winkte sie einem Taxi.

»Zum Ufo?« fragte der Taxifahrer.

»Wohin?« fragte Jessica.

«Na ja, wohin heute jeder will«, sagte der Taxifahrer, »zum Ufo, zu den Außerirdischen. Sie sind schon die achtzehnte Fuhre für mich heute. Ich fahr' Sie gern, Fräulein, zweiunddreißig Mark, kann ich inzwischen auswendig. Aber ich sage Ihnen gleich: zu sehen ist gar nichts. Jedenfalls nicht für einen gewöhnlichen Sterblichen.«

»Trotzdem«, sagte Jessica und setzte sich neben den Fahrer. Der fuhr los.

»Sie waren schon dort?« fragte Jessica.

»Wie gesagt: achtzehnmal, summa summarum. Aber Sie kommen nicht näher als auf, sagen wir, fünfhundert Meter heran. Die Bundeswehr hat weitläufig abgesperrt. Sind auch schon jede Menge Minister da und Generäle und so. *Der Bundeskanzler läßt sich laufend informieren*, hat das Radio gemeldet. Finde ich großartig. Den wähle ich wieder. *Läßt sich laufend informieren.* Da bin ich beruhigt. Wenn nur der Bundeskanzler laufend informiert ist.«

»Wer sind sie?«

»Wer? Die den Bundeskanzler informieren?«

»Nein. *Sie.* Die gelandet sind.«

»Da müssen Sie den Bundeskanzler fragen. Der ist laufend informiert. Ich nicht. Ich weiß nur, was sie in den Nachrichten gesagt haben.«

»Ich bin den ganzen Tag im Zug gefahren, da habe ich nicht immer Nachrichten gehört.«

»Ach so. Ja, dann. Dann sind Sie also nicht laufend informiert worden. Also: ein Oberförster und ein Geistlicher, ich habe mir die Namen nicht gemerkt, haben das Ding gesehen. Es hat geleuchtet und gestunken. Dann ist die Feuerwehr gekommen, aber da war nichts mehr zu machen. Das Haus war zerquetscht.«

»Was für ein Haus?«

»Das auf der Lichtung gestanden hat. Ein schwarz gebautes Haus, Sie verstehen. Ein illegales Haus. Mit Ausländern drin und so fort. Ich habe auch gewußt, daß dort ein Haus ist, habe aber nicht gewußt, daß es sozusagen illegal gebaut war. Eine *Kommune* hat dort gelebt, wie man früher gesagt hätte.« Der Taxifahrer grinste. »Mit Gruppensex et cetera. Das Haus war zerquetscht.«

»Wieso?«

»Ja, nun: von dem Ding. Ist auf das Haus drauf, hat es zerquetscht.«

»Und die Bewohner?«

»Die werden das«, sagte der Taxifahrer nicht ohne Genugtuung, »vermutlich nicht überlebt haben. Bis auf ein

Schaf. Das war nicht zerquetscht, weil seitlich, aber gebraten, sozusagen.«

»*Und die Botschaft?*« fragte Jessica.

»Die Botschaft? Die Feuerwehr hat überhaupt keine Botschaft... wie sagt man: ausgegeben, verkündet. Die Feuerwehr nicht. Die hat nur festgestellt, daß sich das Ding direkt auf das Blockhaus gesetzt hat und daß für das Blockhaus nichts mehr zu retten war. Das Schaf auch nicht mehr. Dann ist die Bundeswehr gekommen. Die hat abgeriegelt, werden Sie gleich sehen. Dort vorn stehen sie schon.«

»Aber die Botschaft?«

»Die Botschaft vom Bundeskanzler? Der hat gesagt, vorhin im Radio, hat er gesagt: er ist sicher, daß die Besucher aus dem All in friedlicher Absicht kommen, hat er gesagt, und daß er voll Vertrauen ist, hat er gesagt, und daß er sie *heute und hier in diesem unserem Lande begrüßt*, hat er gesagt.«

»Ich meine die Botschaft von den Außerirdischen?«

»Davon habe ich nichts gehört«, sagte der Taxifahrer.

Ein Feldgendarm hielt eine rote Kelle hoch, der Taxifahrer drehte bei und sagte zum Feldgendarm: »Da ist wieder eine, die das sehen möchte«, und zu Jessica gewandt sagte er und zeigte auf den Tachometer: »Zwounddreißig, hab' ich's nicht exakt gesagt?«

Der Feldgendarm ließ nicht mit sich reden. Im übrigen war es klar, daß man nicht näher kam. Hunderte von Leuten standen herum, wurden von Soldaten an Absperrungen zurückgehalten. Fernsehteams hatten ihre Kameras aufgestellt. Man sah nichts.

Jessica nahm ihre Tasche und ging außen im großen, im sehr großen Kreis um die Absperrung herum. Sie stolperte durch den Wald. Überall standen Wachtposten, an den zugänglichen Stellen Trauben von Neugierigen. Ab und zu blieb Jessica stehen, und wenn sie einen sah, von dem sie glaubte, daß er auch tiefere Einsichten habe, fragte sie ihn nach der *Botschaft*, aber keiner wußte etwas.

Keim-Berg heißt der Hügel nördlich der Bundesstraße (was Jessica natürlich nicht geläufig war). Jessica stapfte also bergauf. Aber es war alles bewaldet. Man sah nicht hinunter auf die Straße und die Lichtung. Ein etwas besserer Weg, ein befestigter Fahrweg, führte bergab, nach eineinhalb, zwei Kilometern wieder auf die Straße. Ein Dorf lag in der Senke. Jessica war todmüde. Es war finster geworden. Weiter unten auf der Bundesstraße patrouillierten Schützenpanzer. Scheinwerfer waren aufgefahren. Jessica wandte sich ins Dorf. In den zwei Gasthäusern lachte man nur, als sie nach einem Zimmer fragte. »Ich gebe Ihnen hundert Mark«, sagte der zweite Wirt, »wenn Sie mir verraten, wo im Umkreis von zehn Kilometern noch ein Strohsack frei ist.«

Ein älterer Mann in einer braunen Lederjacke hörte das und sagte: »Ich bin aus Herste, ich fahre eben dorthin zurück mit mei'm Auto. Wenn Sie wollen?« Die Fahrt wurde lang. Der ältere Mann, der keine Anstalten machte, die Gelegenheit unziemlich auszunutzen, war überaus geduldig. Er fuhr Jessica zunächst in Bad Driburg zu allen Hotels, aber überall hingen schon große Zettel an den Türen: »Besetzt« oder »Komplett«, an einem lapidar: »Voll«. In Herste – es war schon zehn Uhr vorbei – diskutierte der Mann über einen sogenannten Deutschen Jägerzaun hinweg mit einem anderen Mann, einem Dicken mit einer ins Grünliche schillernden Perücke, der dann ins Haus ging.

»Momang«, sagte der Mann in der Lederjacke, »mein Kumpel telefoniert.«

In *Erwitzen* war eine Bäuerin bereit, ein Quartier abzugeben. Der freundliche Lederjackenträger chauffierte Jessica dann sogar noch durch die Nacht dorthin.

»Die was?« fragte er.

»Die Botschaft. Sie müssen doch irgend etwas gesagt haben. Sie haben doch irgendeinen Grund gehabt zu kommen.«

»Also«, sagte der Mann, »von einer Botschaft habe ich

nichts gehört. Würde ja auch schwer halten. Ich meine: die Verständigung, wenn Sie wissen, was ich meine. Die können doch nicht Deutsch, oder? Nicht einmal Englisch. Ob die überhaupt eine Sprache haben? Das weiß doch kein Mensch.« Er lachte. »Womöglich reden die durch die Ohren. Oder so. Und überhaupt.«

»Was überhaupt?«

»Wenn es nicht überhaupt Schwindel ist.«

»Schwindel? Und alle Leute, und die ganze Bundeswehr?«

»Das wär' nicht das erste Mal, daß das Militär auf was hereinfällt. Wenn ich mir so vorstelle, wer alles General wird! *Ich* glaube, wenn Sie mich fragen, daß der Bürgermeister von Schwaney dahintersteckt. Dem war die Bude dort auf der Lichtung seit Jahren ein Dorn im Auge. Und angeblich schwarzen Schnaps haben die dort auch gebrannt. Es ist noch nicht lang her, da hat mein Kumpel vom Apotheker von Schwaney höchstpersönlich gehört, daß der Bürgermeister, wenn Sie verstehen, was ich meine, gesagt hat: die Bude gehört angezündet. Wenn Sie mich fragen, dann steckt der Bürgermeister von Schwaney dahinter. Wir sind da.«

Das Zimmer in Erwitzen hatte nur den einen einzigen, in vorliegender Situation allerdings goldwerten Komfort: es war frei. Im übrigen sank Jessica ins Bett und schlief sofort ein.

6

Am nächsten Tag, einem Donnerstag, verzichtete Jessica Hichter naheliegenderweise auf ihre Wurmfarnkur, schon weil sie erst um halb elf Uhr – mit einem Muskelkater – aufwachte. Die Bäuerin, eine knochige, wortkarge Person, machte ihr ein Frühstück. Jessica aß nicht viel, im ganzen Haus stank es jetzt nach säuerlichem Naßfutter. Jessica zahlte, die Bäuerin wäre bereit gewesen, nach Bad Driburg nach einem Taxi zu telephonieren, murmelte aber, daß die Fuhre alles in allem um die hundert Mark kosten würde. Um halb eins ging ein Omnibus. Den nahm Jessica. Die Haltestelle war vor dem Haus.

Der Omnibus war voll. Es war nicht zu verkennen, daß die meisten Passagiere nicht aus der Gegend hier stammten, sondern wie Jessica Neugierige waren. Einer, ein ältlicher mit gefärbten roten Haaren und einem seltsamen Kreuz an einer Kette auf seinem Pullover aus dämonenbannender Wolle, hielt einen ungebetenen Vortrag:

»...Nostradamus! Ich sag' bloß: Nostradamus! Mr braucht bloß an die Quartaine neundreiundachtzig denke: Sol vingt de taurus si fort terre trembler. Le grand théâtre rempli ruinera, L'air, ciel et terre obscurir et troubler, Lors l'infidelle Dieu et sainctz voguera. Des heißt uff deutsch –«

»Alles Schwindel«, sagte ein kleiner, stark kurzsichtiger Mensch in Eisenbahneruniform.

»Wie kennet Sie so ebbes sage!« schrie der gefärbte Rothaarige, »des heißt uff deutsch – in *meiner* Übersetzung: wenn die Sonn' im zwanzigschte Grad des Stieres steht – was, notabene! gestern der Fall gewesen ist, dann wird –«

»Das interessiert doch keinen Menschen«, sagte der Eisenbahner.

»Doch«, sagte ein junger, hagerer Mann mit Madonnenfrisur, aber mehreren starken Warzen auf den Backen, »lassen Sie ihn doch ausreden.«

»– dann wird das gefüllte Theater«, dozierte der Rothaarige weiter, »– gemeint ist nadürlich das *über*füllte Welttheater, zugrunde gehen –«

»Welttheater«, höhnte der Eisenbahner, »Sie sind ein Kasperltheater.«

»Wenn Sie noch ein Wort sagen!« brüllte der Rothaarige, »dann vergreife ich mich an Ihnen!«

»Seid einmal still«, sagte ein Halbwüchsiger, sichtlich ein Gymnasiast, der ganz hinten saß, seine Mappe auf den

Knien hielt und sich mit stumpf-innerem Blick aus seinem *Walkman* berieseln ließ. »Jetzt kommen Nachrichten.«

Sofort waren alle ruhig.

»Was ist? Wer sind sie?« fragte Nostradamus-Zwo.

»Die Botschaft?« hauchte Jessica.

Der Gymnasiast machte eine flache gebietende Handbewegung und horchte in seinen Kopfhörer hinein. Nach ein paar Sekunden nahm er ihn ab und sagte: »Sie sind weg!«

»Wie? Was?« fragte der Eisenbahner.

»Eben haben sie durchgegeben: das Flugobjekt ist vor einer halben Stunde gestartet, hat sich zunächst etwa zwei Meter vom Boden erhoben und ist dann mit affenartiger Geschwindigkeit davongeflogen.«

»Affenartig?« fragte eine mitfahrende Nonne.

»Na ja«, sagte der Gymnasiast, »hat er nicht gesagt. Nicht: affenartig. Das habe nur ich gesagt. Die Geschwindigkeit«, sagte der Gymnasiast mit betont deutlicher Stimme, »war eben total enorm. Und dann ist das Ding verschwunden. Eine Verständigung mit den Insassen war nicht mehr möglich – hat der Sprecher dann noch gesagt.«

»So, so«, sagte der Rothaarige dumpf und sank ein wenig zusammen.

Jessica wollte eigentlich mit dem Omnibus bis Bad Driburg fahren und dort in den Zug einsteigen, um nach München zurückzukehren. Der Omnibus hielt am Bahnhofsvorplatz: Endstation. Jessica stieg aus, wie alle anderen auch, und stand dann unschlüssig neben ihrer Tasche. Nach einiger Zeit bemerkte sie, daß der Rothaarige wenige Meter weiter weg auch unschlüssig dastand und ebenfalls eine Tasche neben sich stehen hatte.

Als der Rothaarige sah, daß Jessica zu ihm herüberschaute, nahm er seine Tasche und trat auf Jessica zu.

»Sie denken das gleiche wie ich«, sagte der Rothaarige, »ich bin Hellseher.«

»Und was denke ich?« fragte Jessica.

»Daß jetzt die Absperrung aufgehoben ist und man die Lichtung untersuchen könnte.«

»Da gehört nicht viel Hellsehen dazu«, sagte Jessica, »abgesehen davon habe ich eher gedacht: ich bräuchte jetzt einen Kaffee.«

»Ausgezeichnete Idee«, sagte der Rothaarige, »ich lade Sie ein. Ich darf mich vorstellen: ich bin Nostradamus-Zwo, Sie können aber Eugen zu mir sagen. Und wie ist Ihr Name?«

»Wenn Sie Hellseher sind, müßten Sie das auch so wissen.«

»So eine sind Sie«, sagte Nostradamus-Zwo und kniff den ohnedies schmalen Mund zusammen.

»Ich will nicht ekelhaft sein«, sagte Jessica. »Jessica Hichter.«

»Ein schöner Name«, sagte Nostradamus-Zwo.

Nostradamus-Zwo trank einen doppelten Cognac, Jessica einen großen Espresso. Sie kamen überein, daß sie versuchen wollten, irgendeine Fahrgelegenheit zu suchen, die sie in die Nähe der Lichtung bringen würde.

»Vielleicht geht ein Bahnbus«, sagte Nostradamus-Zwo.

»Was heißt: vielleicht?« sagte Jessica. »Sind Sie Hellseher, oder sind Sie's nicht?«

»Fangen Sie schon wieder an! Ich werde Ihnen etwas Grundsätzliches sagen –«

»Verzeihung«, sagte Jessica versöhnlich, »ich will ja wirklich nicht ekelhaft sein.«

»– etwas Grundsätzliches: ich verschwende meine Fähigkeiten nicht an alltäglichen Kruscht. Man schießt nicht mit Kanonen auf Spatzen. Ich halte es einfach für unvernünftig, zum Beispiel eine Telephonnummer durch einen telepathischen Prozeß rauszubringen, wenn ich im Telephonbuch nachschauen kann.«

»Ich weiß nicht: das ewige Blättern, und wenn Sie zum Beispiel einen suchen, der Maier heißt und wissen nicht, ob er sich mit ai schreibt oder ei oder y oder Mair oder wie. Und Sie brauchen bloß hellzusehen …«

»Sie machen ja auch keine Wallfahrt nach Lourdes, bloß

wenn der Wasserhahn tropft«, sagte Nostradamus-Zwo kategorisch und ging, um sich drüben am Bahnhof nach den Omnibussen zu erkundigen.

Es fuhr keiner, heute nicht.

Jessica schaute dem Mann durch die Scheibe des Cafés nach. Die roten gefärbten Haare störten sie nicht, eher störte sie der zwar hörbar unterdrückte, aber ebenso hörbar nicht ganz auszumerzende schwäbische Tonfall.

Nostradamus-Zwo kam drüben aus dem Bahnhof wieder heraus, sah, daß Jessica herüberschaute, und schüttelte den Kopf, zuckte mit den Schultern. Dann fragte ihn ein Mann etwas. Es war ein ganz langer, älterer Mensch, schlank, aber mit Bauch, bleich wie ein Engerling, der eine zu kurze ziegelrote Windjacke und sogenannte bodenscheue (oder Hochwasser-) Hosen sowie einen hellgrauen, gefleckten Trenkerhut trug. Nostradamus-Zwo redete eine Zeitlang mit dem Ziegelroten, dann winkte er aufgeregt zu Jessica, die zahlte (auch Nostradamus' Zeche), die beiden Taschen nahm und hinüberging.

Sei es durch paranormale Fähigkeiten, sei es durch puren Zufall: Nostradamus-Zwo hatte eine Fahrgelegenheit gefunden. Der Ziegelrote hatte Nostradamus gefragt, ob er ein Zimmer zum Übernachten brauche. Nostradamus hatte gesagt: nein, aber eine Fahrgelegenheit. Ein Freund des Ziegelroten war Kohlenhändler. Sein Lastwagen stand seitlich hinter dem Bahnhof: er hatte eben Kohlen aufgeladen und wollte im Moment nach Schwaney fahren.

»Wir dürfen mit«, sagte Nostradamus-Zwo.

»Aber hoffentlich nicht auf der Ladefläche?« entsetzte sich Jessica.

»Im Führerhaus ist Platz für drei«, sagte der Ziegelrote. Der Kohlenhändler war schwärzlich und wortkarg. Dafür redete Nostradamus um so mehr.

»Die Weissagung des Malachias, zum Beispiel. Kennen Sie die Weissagungen des Malachias, Fräulein Jessica?«

»Ich habe nicht gern, wenn man mich Fräulein nennt. Die Weissagungen des Malachias kenne ich nicht, aber ich habe gehört, daß es sich um eine Fälschung handelt.«

Nostradamus-Zwo seufzte ostentativ. »Fälschung! Was heißt Fälschung? *Was ist Wahrheit?* Ist schon das kaum zu beantworten. Und erst Fälschung! Ist ein ägyptischer Obelisk, der zur Zeit des Augustus in Rom gefälscht wurde, nicht antik? Die Weissagungen des Malachias sind meinetwegen eine Fälschung, aber eine vom Ende des sechzehnten Jahrhunderts. 1585 hat sie ein Benedictiner-Mönch namens Arnold Wion veröffentlicht, zugeschrieben dem heiligen irischen Erzbischof Malachias von Armagh aus dem zwölften Jahrhundert. Ob dieser Pater Arnold Wion selber der Fälscher war oder nur die Fälschung – gutgläubig oder nicht – verbreitet hat, spielt keine Rolle. Seitdem! liebes Fräu… – Verzeihung, liebe Frau Jessica…«

»*Frau* Jessica finde ich noch alberner. Das klingt wie *Frau Luna.*«

»Wie soll ich dann sagen?«

»Entweder sagen Sie Jessica oder Frau Hichter. Ist doch ganz einfach.«

»Nun gut«, fuhr Nostradamus-Zwo fort, »*seitdem!* seit dem Jahr 1595 gibt es die Malachias-Weissagungen. Und *seitdem* sind sie keine Fälschung mehr.«

»Das verstehe ich nicht.«

(Der Kohlenhändler pfiff »Schlösser, die im Monde liegen«. Er war nämlich ein alter Mann und kannte solche Lieder noch.)

»Ich bin nicht katholisch«, sagte Nostradamus-Zwo, »als Reutlinger bin ich natürlich evangelisch. Die Päpste interessieren mich als solche nicht, verstehet Sie? Nur die Prophezeiung! Also: die Weissagungen des Malachias sind ganz kurz, immer nur zwei oder drei charakterisierende lateinische Wörter für jeden Papst, angefangen von Cölestin II., der 1143 und 44 nur ein paar Monate regierte, bis zu einem *Petrus Romanus.* Interessant sind also die Prophezeiungen *nach* 1585, also *nach* der Veröffentlichung dessen, was Sie als Fälschung zu bezeichnen belieben.«

(Jetzt pfiff der Kohlenhändler »Glühwürmchen, Glühwürmchen glimmre, glimmre«.)

»*Pastor angelicus* für Pius XII.! Wenn das nicht zugetroffen ist! Das hat dieser betreffende Papst sogar quasi selber als Leitspruch angenommen.«

»Pastor *was?*«

»Pastor angelicus: engelsgleicher Hirte.«

»Naja! Was man aber nachträglich so alles von diesem Papst gehört hat. Hochhuths ›Stellvertreter‹ und so weiter.«

»Hochhuth«, sagte Nostradamus-Zwo, »ist ein Geistesketzer. Ein Vernunftfetischist. Der glaubt nicht einmal an das Horoskop. Ich habe ihm seins gestellt. Gratis! Man muß ja Reklame machen, auch als Hellseher. Pe-Er. Ich habe es ihm zugeschickt. Gratis! Und wissen Sie, wie er reagiert hat? Er hat es zurückgehen lassen... Mein Zodiakus ist ein Vordruck, müssen Sie wissen, und drüber steht, das ist quasi mein Firmen-Logo: *Die Sterne lügen nicht.* Wie unser Schiller gesagt hat. Er hat darunter geschrieben: ›Ich habe auch eher die Astrologen in Verdacht. Hochhuth.‹ Über so einen Menschen«, die roten Haare sträubten sich etwas, »rede ich doch gar nicht mehr. – Aber – *pastor angelicus* für Pius XII. – klar. Dann kam Johannes XXIII. Dafür gilt das Malachias-Epitheton: *pastor et nauta:* Hirte und Schiffer. Und tatsächlich – Johannes XXIII. war vorher Patriarch von Venedig. Venedig – Hafen – Meer – Schiffe – alles klar. Dann der zerbrechliche, melancholische Paul VI.: flos florum – blühende Zierde...«

»Das ist doch der, der gegen die Pille gewettert hat?«

»Das hat immerhin den Vorteil gehabt, daß auch fromme Katholikinnen erfahren haben, so was gibt's. Danach kam Johannes Paul I.«

»Den haben doch seine eigenen Cardinäle umgebracht?«

»Eben. Das ist die Erklärung. Das Malachias-Zitat heißt: *de medietate lunae* – des Mondes Mittelalter, eh?

Getscheckt? Nicht? Des Mondes Mittelalter! Johannes Paul I. ist der einzige Papst der Neuzeit, der, wie es im *Mittelalter* üblich war, vergiftet worden ist.«

»Vom Mond?«

»Nein: er hat nur *einen Mond* lang regiert. Am Tag vor seiner Wahl war Halbmond, vier Tage nach dem nächsten Halbmond war er tot.«

»Und was hat der jetzige Papst für einen Vers?«

»Vers ist zuviel gesagt, wie schon erwähnt. Immer nur zwei oder drei Wörter. Der jetzige Papst? *De labore solis.*«

»Was heißt das?«

»Da gibt's überhaupt keinen Zweifel, daß damit die Ankunft der Außerirdischen gemeint ist. Labor heißt an sich Arbeit, im übertragenen Sinn aber auch Drangsal und Not, *De* mit Ablativ, heißt: während. *Sol – Solis:* die Sonne.«

»Während der Sonnen-Drangsal ...?«

»Genau«, sagte Nostradamus-Zwo.

»Aber was hat das mit den Außerirdischen zu tun?«

»Sie kommen aus dem All! Wie die Sonnenstrahlen. Und die Drangsal ... da wird er nicht mehr lang drauf warten müssen, der Papst.«

Der Kohlenhändler pfiff den Sportpalast-Walzer. Dann hielt er. Er zeigte hinaus in das Gebüsch. »Dort is' es«, sagte er. »Besser gesagt: war es.«

7

Jessica wachte auf. Sie wußte zunächst nicht, wo sie war. Ein blauer Plafond spannte sich über ihrem Bett oder vielmehr: über dem Bett, in dem sie lag. Sie hatte Kopfschmerzen. Sie litt. Dennoch fühlte sie sich nicht wohl. Sie war nackt.

Vorsichtig hob sie den Kopf: offenbar war draußen heller Tag. – Paderborn fiel ihr ein. – Richtig: Paderborn. Der Wein in der Weinstube, die eher ein etwas vergrößerter

Stehausschank war. Der Wein dürfte nicht von den allerersten Creszenzen gewesen sein. Die Gulasch-Suppe rumorte im Magen. – Besser nicht daran denken.

Jessica wandte den Kopf. – Wer ist denn das? Richtig: Nostradamus-Zwo. Eugen. Auch Eugen war nackt. Ein bleiches, zu dünnes, haariges Bein ragte aus dem Federbett. – Igitt, dachte Jessica, und mit dem habe ich... Sie stieg leise aus dem Bett, zog vorsichtig eins der Leintücher zu sich und wickelte sich hinein.

Eugen schnarchte auf.

Jessica runzelte die Stirn: der Kohlenhändler – die Lichtung... zusammengetretenes Gras, verkohlte Balken. Die Blätter, Zweige und Äste der Bäume gegen die Innenseite der Lichtung zu waren verbrannt. Nostradamus-Zwo hatte im Gras gesucht, aber nicht er, der Hellseher, sondern sie, Jessica, hatte den Gegenstand gefunden.

Der Gegenstand!

Jessica sprang vom Stuhl auf und wühlte in ihrer Tasche: vier blaue Glaskugeln, zu einem – wie soll man es nennen? – *Vierpaß* zusammengeschweißt: drei blaue Glaskugeln als Basis, die vierte in der Mitte drauf. Man konnte den blauen *Vierpaß* so oder so oder so hinstellen... oder anders ausgedrückt, mathematischer gedacht: eine dreiseitige und gleichseitige Pyramide, in die vier gleiche Kugeln eingepaßt sind. Blaues Glas, aber leichter, als der Gegenstand wäre, wenn aus irdischem Glas. Ganz klar und blau und durchsichtig, alle vier Kugeln exakt gleich, nur die winzigen eingesprengten schwarzen Flusen waren verschieden, auch verschieden angeordnet. Winzig kleine schwarze Läusebeine oder Fragmente davon. Hunderte.

Eugen hatte sich grün und so blau wie der Vierpaß geärgert, daß nicht er ihn gefunden hatte. Er ließ sich aber möglichst wenig anmerken.

Abends dann, in der Weinstube, in die Nostradamus-Zwo eingeladen hatte, versuchte er zu argumentieren: das sei die Botschaft, die die Außerirdischen an *ihn* gerichtet hätten, an ihn, Nostradamus-Zwo, und an keinen anderen.

Jessica hielt den Gegenstand fest.

Er habe das vorausgesehen. Schließlich sei er Hellseher. Schon vor Jahren habe er einen blauen, gläsernen Gegenstand gesehen, der sei vor ihm geschwebt...

»Wenn es eine Botschaft für Sie gewesen wäre, hätten Sie sie gefunden.«

Nostradamus-Zwo sprach dem Wein zu. Allmählich verlagerte sich sein Interesse vom blau-gläsernen Vierpaß auf Jessica. Er rückte näher. Jessica rückte weg; aber auch sie trank. Als sie aufbrachen, war es schon nach Mitternacht. Nostradamus-Zwo hatte gesagt, es fahre noch ein Zug, der Nachtzug nach Köln. Diesmal habe er ausnahmsweise seine kostbare Fähigkeit auf diese Feststellung angewandt.

Es fuhr aber kein Zug mehr. Jessica war es nicht mehr danach zu höhnen. Die Gulasch-Suppe! Die Deutsche Gulasch-Suppe, das weiß man, wurde im Ersten Weltkrieg von englischen Saboteuren erfunden, als die Giftgasangriffe in Flandern nicht die vom Generalstab erhoffte Wirkung zeigten. Nostradamus-Zwo hatte zwei Eßlöffel Senf in seine Gulasch-Suppe gerührt. »Das ist ein Rezept von meinem Freund Henscheid«, sagte Eugen.

Danach suchten sie zwei Zimmer. Nachdem die Außerirdischen heute vormittag wieder abgezogen waren, hatten auch die meisten Fernsehteams und Journalisten den Ort verlassen. Es gab wieder Zimmer, sie waren aber zu teuer. In einer *Familienpension mit persönlicher Atmosphäre* bekamen sie – gegen sofortige Vorkasse – noch ein billiges Zimmer.

»Eins?« rief Jessica.

»Sie werden doch nicht so g'späßig sein?« rülpste Nostradamus-Zwo.

»Aber nur, wenn *Sie* es zahlen.«

– Hatte sie mit ihm geschlafen oder nicht? Sie zermarterte sich den Kopf. Nostradamus-Zwo richtete sich nun auf, blinzelte zu Jessica hinüber.

– Das reinste Gerippe, dachte Jessica. Ich habe wohl

doch nicht… sonst hätte ich blaue Flecken. Sie schätzte eher füllige Männer, weil sie selber so dürr war.

»Ja Heimatland?!« sagte Nostradamus-Zwo, »wie spät isch denn? Gute Morge.«

»Guten Morgen«, sagte Jessica.

»Guten Morgen, Jessica, mein Schatz«, schrie Nostradamus-Zwo, fröhlicher werdend, »ein Gutes hat's: jetzt tu' ich mich leichter mit der A'red.«

»Eine Dusche hat das Zimmer nicht?« fragte Jessica.

»Die ist auf dem Gang.«

Jessica raffte ihre kompostfarbenen Kleider zusammen und schlüpfte hinaus. Draußen stand die Inhaberin der Familienpension mit persönlicher Atmosphäre und sagte: »Das eine sage ich Ihnen aber: an und für sich stehen meine Gäste spätestens um neun Uhr auf. Und um zwölf ist das Zimmer zu räumen.«

»Wie spät ist es?« hauchte Jessica.

»Halb zwölf«, sagte die Wirtin.

Als Jessica, angekleidet, wieder ins Zimmer zurückkam, saß Eugen (dankenswerterweise wenigstens in Unterwäsche) auf dem Bett und frisierte sich. Besser gesagt: er behandelte sein vorn schütteres, dafür im Nacken ausladend gehaltenes Haar mit einem Spezialkamm. Der Kamm war wie ein normaler Kamm gearbeitet, hatte aber am Griffteil über den Zähnen einen Wulst, eine kleine längliche Tonne mit Schraubverschluß. In dieses Tönnchen konnte Haarfärbeflüssigkeit eingefüllt werden, die durch sehr feine Öffnungen in den Kammzähnen beim Kämmen austrat und die Haare färbte.

»– nun, wenn Sie schon…« (Jessica schluckte, entschloß sich dann doch zu verbessern; wahrscheinlich, dachte sie, habe ich doch mit ihm geschlafen) »…wenn du schon deine Haare färbst: warum in aller Welt *rot?*«

»Dieser Farbton war im Sonderangebot«, sagte der schwäbische Nostradamus-Zwo.

8

Als Jessica am Freitag spätabends zurückkehrte, lag Karli
Schwörer, der Mann mit dem geschorenen Haar in Form
einer Mephistomütze, im Bett und schlief. (Er hatte, was
Mutter – jetzt, seit Dienstag, Großmutter Hichter – gar
nicht recht war, einen Hausschlüssel und einen Schlüssel
für Jessicas Wohnung. Er hatte auch eine eigene Zahnbürste. Die hatte Jessica gekauft, nachdem Karli mehrmals
ihre benutzt hatte. Der gewisse Michael hatte *nur* eine
Zahnbürste, keinen Schlüssel. Diese Zahnbürste ver-
wahrte Jessica in einem Schränkchen, zu dem Karli
Schwörer keinen Schlüssel hatte.)

Jessica legte sich schlafen, Karli wachte kurz auf, fragte:
»Möchtest du?«, aber Jessica sagte: »Wenn du wüßtest,
was ich erlebt habe, würdest du verstehen, daß ich nicht
möchte«, worauf Karli Schwörer wieder einschlief.

Am Samstag besuchte sie ihre Schwester im Kranken-
haus und ließ sich den jungen Neffen zeigen.

»So«, sagte Cornelia, »kommst du auch?«

»Entschuldige«, sagte Jessica, »aber ich war verreist.«

»Na ja«, sagte Cornelia.

»Und der Vater?« fragte Jessica, vorwärtsverteidigend,
»war er auch schon da? Hat ihn seine Frau fortgehen lassen?«

»Wenn du so anfängst«, sagte Cornelia, »kannst du
gleich wieder gehen. Und den Blumenstrauß mitnehmen.«

»Jetzt sei nicht so«, sagte Jessica, »aber ich war doch
wirklich verreist. Wenn du wüßtest, was ich alles erlebt
habe. Ich habe *sie* fast gesehen.«

»*Fast* gesehen ist so gut wie nicht gesehen.«

»Aber es bedeutet doch etwas, daß sie genau an einem
meiner freien Tage gelandet sind.« (Jessica war, wie erwähnt, Designerin. Was ist eine Designerin? Das weiß niemand. Jedenfalls aber hatte Jessica eine Ausbildung auf einer Designer-Schule in Ulm, kann auch sein in Passau,
durchlaufen und war nahtlos vom Ausbildungsstatus in

die Arbeitslosigkeit geglitten. Das Arbeitsamt hatte ihr dann – »zumutbar« war auf dem Wisch gestanden – eine Halbtagsstelle in einem Laden vermittelt, der sehr krumme Stühle, Futon-Betten und Bestecke, die bis zur Unkenntlichkeit *gestylt* waren, anbot. Halbtagsstelle ist ungenau: Jessica ging drei Tage hin, von Montag bis Mittwoch.) »Angenommen, die wären an einem Montag gelandet, dann wäre es mir nicht möglich gewesen hinzufahren.«

»Dafür hättest du mich besuchen können.«

Jessica überhörte das und sagte raunend: »Ich habe die Botschaft erhalten.«

»Welche Botschaft?«

»*Ihre* Botschaft.«

»Und wie lautet die Botschaft?«

»Ich kann sie nicht lesen. Noch nicht.«

Das Kind wurde nicht getauft. Cornelia Hichter war Agnostikerin. Sie war auch Feministin und trauerte dem Sozialismus nach. *Gorbi Ivan Evo Menelik* ließ sie als Vornamen eintragen. Tobias Seelewig war etwas enttäuscht, daß nicht einmal ganz hinten ein *Tobias* angehängt wurde.

»Daß er von mir auch was hat«, sagte er.

»Wenn du gewollt hättest«, sagte Cornelia, »dann hätte er den Familiennamen von dir.«

Seelewig stellte den geflochtenen Stubenwagen hin und verschwand.

»Second-hand«, sagte Jessica und betrachtete den Stubenwagen von allen Seiten, »wenn nicht schlimmer!«

»Wieso schlimmer?« fragte Cornelia, Gorbi Ivan Evo Menelik auf dem Arm.

»Klaro – Überbleibsel von seinen ehelichen.«

Cornelia schluckte. Der Name *Evo* sei, sagte Cornelia, als ein männliches Derivat eines originär weiblichen Namens zu erklären. Es gäbe ja unzählige weibliche Derivate männlicher Namen: ihr eigener, zum Beispiel, *Cornelia* von Cornelius, dann etwa: Daniela von Daniel, Petra von

Peter, Ludavica von Ludwig und so fort. Sie, Cornelia Hichter, wolle ein Zeichen setzen: *Evo* von *Eva*.

»Ob das nicht seelische Schäden mit sich bringt? À la longue?« fragte Jessica.

Anfang November läutete es, und Nostradamus-Zwo stand vor der Tür. Es war am Abend eines trüben Tages, Gorbi oben schrie, und Karli Schwörer saß in der kleinen Küche und löffelte eine Spargelcreme-Suppe.

»Herr Schwörer, mein Freund«, stellte Jessica vor.

»Ja so?« sagte Nostradamus-Zwo.

»'n Abend«, sagte Karli Schwörer.

Nostradamus-Zwo erzählte. Er sei grad in München. Eine gewisse Firma liefere ihm die Kreuze. »Welche Kreuze?« Diese Kreuze da, Nostradamus-Zwo zeigte das eigenartige, irgendwie geschwollen oder gequollen wirkende Kreuz (das obere Ende umgebogen), das er auf der Brust trug. Das Stück 200 Mark, so an die zehn, zwölf setze er ab im Monat. Die Herstellungskosten beliefen sich auf knapp 50 Mark. Die Glasur sei so teuer. Dann natürlich der Segen. Das sei das Wichtigste, selbstverständlich, wenngleich der kalkulationsmäßig nicht ins Gewicht falle.

»Es hilft gegen negative Einflüsse«, sagte Nostradamus-Zwo, »das ist erwiesen. Ich habe Dankschreiben! Eins sogar von einem Professor.«

Bisher habe er die Rohlinge der Kreuze in einer Werkstätte in Backnang herstellen lassen, aber nun habe er ein Angebot in München zu prüfen, das eventuell finanziell interessanter sei. Deswegen sei er hier.

»Ich habe gedacht«, sagte er, »daß du vielleicht eine Couch für mich übrig hast.«

»Es gibt Hotels«, maulte Karli Schwörer, »die bereit sind, gegen eine geringe Gebühr Zimmer mit Betten abzugeben.«

»Ja, no, wissen Sie: Ich fühle mich in Hotels nicht wohl. Diese unpersönliche Atmosphäre. Ich habe mich nie wohlgefühlt in Hotels.«

»Hast du das blaue Ding noch?« fragte er Jessica dann.

»Selbstredend«, sagte Jessica. »Ich fühle mich viel besser, seit es bei mir ist. Körperlich, meine ich, also: gesundheitlich. Ich brauche die Wurmfarnkur nur noch jeden zweiten Tag anzuwenden.«

Die Aufregung über die Landung der Außerirdischen hatte sich in den vier Wochen naturgemäß gelegt. Selbst über solche Nachrichten wälzen sich andere, selbst solche Nachrichten werden aus der Neugier des Fernsehzuschauers verdrängt, durch andere Neuigkeiten ersetzt. Dies, zumal die Bundeswehr alle Informationen über die Vorgänge damals zurückhielt. Sogar die Regierung wurde, so verlautete, von der Bundeswehr nur äußerst lückenhaft unterrichtet. Aber natürlich sickerte etwas durch. Zu viele Soldaten waren im Einsatz gewesen, als daß nicht der eine oder andere hinter vorgehaltener Hand geplaudert hätte. Außerdem waren die Feuerwehrleute vorher dort gewesen, waren zwar von Generälen vergattert worden, aber da sie nicht der Bundeswehr unterstanden, bewirkte das weniger. Und dann der Oberförster Klein und sein Forstgehilfe und die – selbstverständlich inzwischen wieder bekleidete – Yvonne Ybelacker. Die erzählten alles mögliche, bevor man sie zum Schweigen verpflichtete.

Nur über Monsignore Altmögens Lippen kam kein Wort mehr, nachdem er seinem Bischof berichtet hatte.

Was sickerte aber durch? Das Durchsickern ist so eine Sache. Die Auswahl trifft der Zufall. Welches Detail seinen Weg durch die Kieselsteine des verordneten Schweigewalles bricht, ist ungelenkt. Wichtige Informationen bleiben vielleicht hängen, unwichtige fließen. Die Summe wird vom Ende her gezogen, das heißt: die Information, das Durchgesickerte ordnet sich im Blickpunkt des Betrachters nicht nach Großem und Kleinem, sondern nach dem, was eben da ist. Unwesentliche Nebenaspekte blusten sich dadurch zu Wichtigkeiten ersten Ranges auf. Das Wirkliche bleibt vielleicht verborgen. Dazu kommt noch die Verschmutzung. Die vorgehaltenen Hände, hinter denen das Durchzusickernde, das eigentlich nicht durchsickern soll, durchsickert, sind in den seltensten Fällen sauber, von den Ohren, in das es sickert, ganz zu schweigen. Die Theken, unter denen die vertraulichen Mitteilungen gehandelt werden, beflecken eingetrocknete Bierlachen, in denen womöglich ertrunkene Läuse liegen. Das alles färbt auf das Durchgesickerte (neues Wort: der Durchsicker) ab. Eigentlich ist also das Informationskonglomerat, dieser Knödel aus Raunen und Flüstern, unbrauchbar, dennoch stürzt sich jeder darauf.

Der Durchsicker im Fall der Landung der Außerirdischen war, wie nicht anders zu erwarten, widersprüchlich.

»Ein Vetter«, sagte Nostradamus-Zwo dumpf, »oder besser und genauer gesagt: der Mann einer Cousine von mir, er heißt Kalbsknie, ist Oberstleutnant. Er ist einer der besten Freunde vom Chef der Einheit, die ganz zuerst am Ort war. Kalbsknie hat mir anvertraut... er selber weiß viel mehr, sein Freund, ein General, hat ihm beinah die gesamten Sachverhalte anvertraut, aber die gesamten Sachverhalte darf mein Vetter Kalbsknie naturgemäß nicht preisgeben. Das verträgt's Schnaufen nicht. Einen Teil des gesamten Sachverhalts hat er mir preisgegeben, unter dem Siegel der Verschwiegenheit – aber dir, Jessica, kann ich es ja sagen. Du bist auch an Ort und Stelle gewesen. Du hast den blauen Stein gefunden.«

»Was für einen blauen Stein?« fragte Karli. Die beiden achteten nicht auf seine Frage.

»Ich habe naturgemäß kein Wort von dem blauen Stein meinem Vetter gegenüber verlauten lassen. Ich hätte ihn übrigens gern nochmals gesehen, nachher. Den blauen Stein meine ich. Also, alles kann ich dir nicht verraten, was mein Vetter mir preisgegeben hat, einen Teil muß ich für mich behalten, der fällt unter das Siegel der strengsten Verschwiegenheit, aber was nur unter das Siegel einer nicht ganz so strengen Verschwiegenheit fällt, das kann ich dir sagen: sie sind sehr groß.«

»Wer?« fragte Karli.

»Und sie glänzen wie die Sonne.«

»Wie groß?« fragte Jessica.

»Mein Vetter hat gesagt: unsereins kommt sich denen gegenüber wie eine Maus vor, wenn die Katz' vor ihr steht. *Außer der Dimension.*«

»Haben sie eine Botschaft verkündet?«

»Es würde mich wirklich interessieren«, sagte Karli, »wovon die Rede ist.«

»Nein. Das heißt: man weiß es nicht.«

»Haben sie nichts zurückgelassen?«

»Nein. Im Gegenteil. Sie haben einiges mitgenommen: mehrere Steine, einen von den verbrannten Balken von dem Haus, das auf der Lichtung gestanden war, circa einen halben Kubikmeter Erde, einen Baum, den – notabene, aber das gehört schon fast zu dem, was das Schnaufen nicht verträgt – einer von denen *abgebissen* hat, und das tote Schaf.«

»Wahrscheinlich«, sagte Jessica, »haben wir die Botschaft nur nicht verstanden.«

»Könnte sein«, sagte Nostradamus-Zwo.

»Möglicherweise ist die Zusammensetzung dessen, was sie mitgenommen haben, die geheime Botschaft. Was war es? Steine, Balken, Erde, Baum, Schaf… hm.«

»S – B – E – B – S…?«

»Sbebs… gibt keinen Sinn.«

»Vielleicht in *ihrer* Sprache?«

»Könnte sein.«

»Zeigst du mir den blauen Stein?«

Jessica ging zu dem Schränkchen, in dem unter anderem die Zahnbürste des gewissen Michael aufbewahrt wurde, schloß es auf und nahm den gläsernen Vierpaß heraus. Nostradamus-Zwo drehte ihn hin und her, hielt ihn gegen das Licht.

»Vielleicht ist das die Botschaft.«

»Was ist das?« fragte Karli, »warum hast du mir das nie gezeigt?«

»Darf ich es für kurze Zeit mitnehmen?« fragte Nostradamus-Zwo, »nur leihweise«, fügte er schnell hinzu.

»Bist du wahnsinnig?« sagte Jessica und versperrte den Vierpaß schnell wieder.

Nostradamus-Zwo ging, nachdem auch sein zweiter Vorstoß wegen eines Nachtquartiers bei Jessica erfolglos geblieben war.

»Wie kommt das?« fragte Karli Schwörer, »daß du zu dem Kerl *du* sagst?«

»Willst du es genau wissen?« fragte Jessica.

»N...nein«, sagte Karli nach einigem Nachdenken und machte sich fertig, um schlafen zu gehen.

Die Version, die auf dem Weg über den angeheirateten Vetter Eugen Nostradamus-Zwo durchgesickert war, war nicht die einzige. Der Oberförster hatte, bevor er vergattert wurde, von »leicht durchsichtigen Wesen« gesprochen, »irgendwie flatternd« und »eher ziemlich gewaltig«, »so wie ein sehr großes Damennachthemd aus Nylon, das auf der Wäscheleine hängt«. Einer der Feuerwehrleute hatte »bösartiges Grinsen«, ein anderer eher »beruhigend verklärte Antlitze« erwähnt. Das, was allgemein als *Raumschiff* bezeichnet wurde, beschrieben die genannten Sickerquellen teils als Pyramide, als »Art längliche Suppenschüssel«, der Forstgehilfe sagte, es habe ihn in der Form stark an einen sehr dicken Dackel erinnert, nur größer.

Die Regierung hätte am liebsten den Vorfall geleugnet. Der Bundeskanzler bemühte sich krampfhaft zu vergessen, daß er eine Begrüßungsrede gehalten hatte. »Wieder einmal voreilig«, sagten die Minister. »Er kann sein Gelabere nicht lassen«, sagten die Staatssekretäre. »Wie immer: verbaler Durchfall«, hieß es auf Referentenebene.

9

Im Dezember kam Nostradamus-Zwo wieder nach München. Jessica hatte ihre Wurmfarnkur unterbrochen und nicht wieder aufgenommen. »Irgendwie ist es beunruhigend«, piepste Cornelia mit ihrer hohen Stimme, »daß sie jetzt gar nichts tut, ich meine: keine Pillen, keine Kur und gar nichts. Kein Magnetismus, keine Naturkost. Ob sie krank ist?«

Karli Schwörer war in den ersten Dezembertagen verreist. Es war das erste Mal, daß Karli Schwörer verreist war, seit Jessica ihn kannte. Ein paarmal hatte Jessica Karli dazu überredet, gemeinsam in Urlaub zu fahren. Jessica hätte sogar den Hauptanteil der Reisekosten übernommen. Was Karli beizusteuern in der Lage gewesen wäre, fiel ja kaum ins Gewicht. Der Autoausschlächter zahlte mies. Karli hatte zu allen Urlaubsplänen (zum Beispiel: Mykonos in den Pfingstwochen) ja gesagt, aber im letzten Moment ächzte er dann: »Ich fürchte, das war doch die falsche Entscheidung«, und blieb da, das heißt hauptsächlich im Bett. Jessica war allein nach Mykonos geflogen. (Cornelia hielt es nicht für ausgeschlossen, daß sie dort den gewissen Michael »aufgegabelt« hatte.)

Diesmal aber fuhr Karli Schwörer tatsächlich fort. Es war, etwas hoch gegriffen gesagt, eine Geschäftsreise. Der Autoausschlächter hatte einen kompletten Autofriedhof in Südspanien übernommen. Sehr günstig, der dortige Autoausschlächter mußte aus undurchsichtigen Gründen die Branche wechseln (er wurde Zahnarzt) und stieß den Schrott ab. Es seien, hieß es in der Offerte, zahlreiche Urlauberautos unter den Wracks, was den Wert erhöhe. Der deutsche Autoausschlächter, Karlis Chef, war hingefahren nach Malaga, hatte kalkuliert und herausgefunden, daß es billiger war, seine »Spezialisten« (also Karli Schwörer und ein paar andere Elendsfiguren) nach Andalusien einfliegen zu lassen, als den Schrott nach München zu karren.

Also flog Karli Schwörer für sechs Wochen nach Malaga. Aber auch der gewisse Michael war nicht da. Er hatte in London zu tun. »Irgendwie mit Informatik, natürlich«, sagte Jessica zu ihrer Mutter, »wir unterhalten uns über so Zeug nicht.«

So hatte Eugen – wie man ihn im Zusammenhang mit Jessica hinfort wohl wird nennen müssen – leichtes Spiel.

Er brachte Bücher mit, eins davon hatte er selber geschrieben: »Die Grundlagen des Wassermann-Zeitalters«. Das interessierte auch Cornelia.

Das Haus war klein, hatte eigentlich nur ein Zimmer und ein halbes in jedem Stockwerk und die winzige ausgebaute Mansarde, dazu einen handtuchschmalen Garten hinten hinaus, der ein Durcheinander an ausgeblichenen und nicht zurückgegebenen Brauereitischen, Liegestühlen, Wassertonnen und pflanzlichen Zufälligkeiten war. Cornelia nannte ihn »ein Idyll«. Wie immer kommt es auf die Definition des Begriffes an.

Cornelia gehörte nicht mehr zur legendären Generation der *Achtundsechziger*, schon deswegen, weil sie dem Jahrgang der Neunundsechziger angehörte. Aber alle die Ansichten, die damals im Jahr 1968 und in den folgenden Jahren vertreten wurden, verzwirnten sich auf die seltsamste und oft unerklärliche Weise zu einem Zopf von Weltanschauung, der sich noch mehr als zwanzig Jahre fortschlängelte. Der Zopf setzte sich aus Strähnen zusammen, die Naturkost, dialektischer Materialismus und alternatives Langhaar hießen. *Antiautoritär* hieß noch ein Strang, die Politologie und die Soziologie waren der Kaffeesatz, aus dem gelesen wurde. Manche der Parka-Träger drifteten im Lauf der Zeit in den Buddhismus ab, ließen sich eine Glatze scheren und schlugen orangegekleidet eine Handtrommel, andere wurden ökologisch, die Wildesten terrorisierten eine Zeitlang das Land und spielten Bürgerkrieg, allerdings mit echten Waffen, die sie aber handhaben, als stünden sie vor einem Flipperkasten – *Superman*. Intellektuellere wurden Publizisten und gründeten eine Schriftsteller-Gewerkschaft. Im Krieg der Araber gegen Israel stellte sich dann – aber das ist eine ganz andere Sache – der latente Antisemitismus der Richtung heraus.

Die Schwierigkeiten, in die selbst die Ernsthaften unter den Parka- und Turnschuhträgern gerieten, sollen nicht mehr diskutiert werden, denn sie sind obsolet geworden. (Die Schwierigkeiten: daß sie sich gleichzeitig als proletarisch und elitär fühlten, daß sie für die Arbeiter schwärmten, aber sich mit dem Aufstehen schwertaten, daß sie die Lust am Sozialismus predigten, dessen damals »real existierende« Formen aber entschieden lustfeindlich wirkten und dergleichen.) Als gegen Ende der achtziger Jahre der Marxismus zu Schrott und Rost zerfiel, den Sozialismus mit in die Verwesung zog und von der linken Gesinnung nur ein Luftballon übrigblieb, der dazu noch platzte, standen die *Achtundsechziger*, um einen ihrer eigenen Ausdrücke zu gebrauchen, im Regen da. Der Golfkrieg des Jahres 1991, der, wie nicht anders zu erwarten, blutig im Sand versickerte, ließ für einige Wochen Hoffnung bei den Alt-Achtundsechzigern aufkommen. Man demonstrierte wieder (»Kein Blut für Öl«), man fühlte sich wie in alten Zeiten, aber das war dann bald vorbei. (Cornelia hatte bei so einer Demonstration Tobias Seelewig, den kernigen Antiautoritären, kennengelernt. Gorbi Ivan Evo Menelik verdankte also indirekt jenem Golfkrieg seine Existenz.)

Schon vorher, schon in den Zeiten des *Frustes*, hatte sich ein Teil der nun wirklich und in einem ganz anderen Sinn heimatlos gewordenen Linken (»Ich bin wie ein Blinder, dessen Blindenhund auch blind geworden ist«, hatte einer gesagt, einer der wenigen, die es zugaben) dem Übersinnlichen zugewandt. Das Ventil Jenseits. Es kam nicht unbedingt aus der *Hare-Krishna*-Ecke, es war wohl eine allgemeine Flucht. Humbug überzog die Welt wie ein Grind. Yogi und Sechspunkte-Brüder, Astrologen, Theosophen, Kartenleger, Verkäufer von Kupferdrähten galten als Leute des kommenden Jahrhunderts. Das »Wassermannzeitalter« als Begriff war keine Erfindung Eugens, das kam auch schon in den sechziger Jahren auf. Da gab es ein Musical, das hartnäckig um die Welt ging, dessen Kern-Song lautete: »Mystik macht mich frei.« »Fühlen ist angesagt«, verkündete Karli Schwörer gerne. Das erzählte Jessica eines Tages dem gewissen Michael. »Ja«, sagte der, »weil: denken tut weh.«

Cornelia, die immer ganz enge, sogenannte *knallenge* buntschillernde Hosen trug, die ihre Beine, die zugegebenermaßen sehenswert waren, gut zur Geltung brachten, auch wenn die Hosen noch enger als eng waren, selbst gewisse Vertiefungen speziell weiblicher Art und entsprechende Rundungen und Wölbungen hervortreten ließen, war daher selbstverständlich wie elektrisiert, als sie von Jessica – die das mehr nebenher sagte – erfuhr, daß Nostradamus-Zwo unten sitze.

Jessica war nach oben zu ihrer Schwester gegangen, um Zucker auszuleihen. Eugen liebte den Kaffee süß.

»Eugen?« piepste Cornelia.

»Ja, Eugen«, sagte Jessica.

»Wer ist Eugen? Ist das auch ein *gewisser Eugen?*«

»Jetzt rede nicht blöd«, sagte Jessica, »er ist ein interessanter Mann. Er nennt sich Nostradamus-Zwo.«

Cornelia ließ fast die Zuckerdose fallen.

»Nostradamus-Zwo? Bei dir? Ist das wahr?«

»Kennst du ihn?«

»Ich habe ihn einmal im Fernsehen gesehen. Bei einer Diskussion über Esoterik. Sie haben ihn ziemlich fertiggemacht. Besonders so ein gefühlloser Pfarrer.«

»Wenn du willst, kannst du ja mitkommen.«

Cornelia schlüpfte rasch in ihre engste (himbeerrote) Hose und lief mit.

»Aber«, sagte Jessica, »ich mache dich darauf aufmerksam: er wirkt...«, sie schluckte, »...auf den ersten Blick, wie soll ich sagen, er wirkt auf den ersten Blick nicht günstig. Wenn du verstehst, was ich meine.«

Diesmal war Eugen in München, weil er von einer esoterischen Literaturgesellschaft zu einer Lesung eingeladen war. Durch die Ereignisse am 13. Oktober hatten solche

Veranstaltungen an Zulauf gewonnen. Auch Eugens Honorar war passabel. Die Lesung fand in einer Buchhandlung in der Gewürzmühl-Straße statt, einer Buchhandlung mit angeschlossenem Naturkost-Laden. Der Andrang war außerordentlich schmeichelhaft für Eugen. Die Zwischentür mußte geöffnet werden, und viele Besucher saßen zwischen den Steigen mit biologisch-dynamischen Kartoffeln und Bohnen.

Eugen las aus den ›Grundlagen des Wassermann-Zeitalters‹. Er sprach über die neue Gnostik, über die Reintegration des Menschen, über mystische Annäherung an Gott, über Rosencruzianismus, über die Geheimnisse des Tarot. Sein Trick war, daß jede Feststellung oder Behauptung endete wie: »...aber dann treffen wir auf eine Grenze, die wir nicht überschreiten sollten«, oder »...hier erreichen wir die Sphäre des Unerreichbaren«, oder »...von hier ab sollten wir nur noch staunend vor dem Geheimnisvollen stehen«, oder – bündig –: »...ein Rest bleibt ungesagt.« Danach gab es Diskussion. Der etwas erdige biologisch-dynamische Buch- und Gemüsehändler dankte zunächst Eugen, bat dann um Fragen. Wie immer meldete sich zunächst niemand. Verlegenheit machte sich breit. Eugen wetzte am Stuhl.

»Ich kann mir nicht vorstellen«, sagte der erdige Buchhändler, »daß nach so einem erregenden Vortrag nicht noch Fragen offengeblieben sein sollten.«

Weiter hinten meldete sich einer. Erleichterung leuchtete im Gesicht des Buchhändlers. »Bitte!« rief er. »Und bitte laut, daß alle Ihre Frage verstehen.«

Der Mensch hinten stand auf: »Warum«, fragte er Eugen, »haben Sie so rote Haare?«

»Das hätte der gewisse Michael auch fragen können«, kicherte Jessica leise.

»Aber das ist doch völlig uninteressant«, schnaubte der Buchhändler.

»Mich interessiert es«, sagte der Mensch hinten.

»Wenn Sie es genau wisse wollet«, schwäbelte Eugen

ärgerlich: »Nostradamus-Eins hat au' rote Haar' g'habt.«

»Woher wissen Sie das?« fragte eine Dame seitlich einer Kiste leicht weicher Tomaten.

»Durch Rückführung«, sagte Eugen.

»Ich glaube«, wandte sich der Buchhändler an Eugen, »Sie müssen das erklären.«

»Eine ganz einfache Sache, quasi eine Routine für jeden Hellseher. Ich führe mein Bewußtsein zu einem beliebigen Punkt in der Vergangenheit zurück und lasse das Ereignis, das ich beobachten will, nochmals ablaufen. Das habe ich im Fall Nostradamus' getan, und dabei habe ich festgestellt, daß er rothaarig war.«

»Gefärbt oder echt?« fragte der hintere Mensch.

»Jetzt gleitet die Diskussion aber ab«, rief Jessica laut, »fragen Sie doch etwas Vernünftiges.«

»Wieso *Vernünftiges?*« motzte der Mensch hinten, »wo er doch die ganze Zeit gegen die Vernunft gewettert hat!«

Eine andere Dame kam ihr zu Hilfe. »Es gibt«, sagte diese Dame – sie war sehr dick und trug hellblaue Schuhe, die vorn nach oben zipfelten – »nehme ich an, verschiedene Arten von Vernunft.«

»So ist es«, sagte Eugen erleichtert, und es entwickelte sich endlich die esoterische Diskussion. Immerhin das hatte der offenbar ungesund nüchterne Mensch hinten bewirkt, der im übrigen ziemlich bald ging.

Die Diskussion kam selbstverständlich sehr bald auch auf die Landung der Außerirdischen bei Paderborn am 13. Oktober.

»Daß die Führung der Bundeswehr und gewisse interessierte Kreise die Devise vertreten, es handle sich um *irdische* feindliche Flugobjekte, ist nicht haltbar. Es besteht kein Zweifel, daß es sich um außerirdische Wesen gehandelt hat, daß es also außerirdische Wesen gibt, was wir *Denkenden* längst schon erwartet haben.« (Beifall.) »Und von *feindlich* kann schon überhaupt keine Rede sein. Ich selber bin – in Begleitung dieser Dame hier, Sie können sie fragen, ob es wahr ist –, ich selber bin unverzüglich hingeeilt und habe den Wesen in ihr strahlend-goldenes Gesicht geschaut.«

»Ist das wahr?« flüsterte Cornelia.

»Indirekt«, sagte Jessica.

»Ich versichere Ihnen: nur Güte und Freundschaft leuchtete aus ihren Augen, aus den Augen, die das Universum geschaut haben.«

Beifall.

Der Buchhändler hatte zu der Zeit schon mehrfach auf die Uhr geschaut und stand jetzt schnell auf. »Das ist«, sagte er, nachdem der Beifall verebbt war, »wohl ein würdiger und geeigneter Abschluß. Ich danke Herrn Nostradamus-Zwo nochmals, und ich weise darauf hin, daß Herr Nostradamus-Zwo bereit ist, sein Buch zu signieren, falls Sie es erwerben wollen. Und falls Sie sich mit biologisch-dynamischem Gemüse eindecken wollen, wenden Sie sich bitte an meine Kollegin Karin im anderen Laden.«

Nach dem Schluß der Diskussion hatte der Buchhändler Eugen in einem verschlossenen Kuvert das passable Honorar übergeben und dann die Zuhörerschaft zu zwanglosem Beisammensein bei einem Glas Tomatensaft eingeladen.

Eugen nippte höflichkeitshalber an einem Glas, sagte dann, daß er begreiflicherweise von Reise und Vortrag erschöpft sei und sich zurückziehen wolle. Eine Dame vorgerückten Alters in einem ihre hüftausladende Figur straff umspannenden rostroten Jerseykleid (dazu ein farblich passender Folklore-Hut mit leichtem Gamsbart) begann neckisch zu betteln, daß der Meister doch noch bleiben solle, wurde rasch von mehreren anderen ähnlichen Damen unterstützt, die sich ihm gefährlich näherten.

Da drängte sich Cornelia vor – die Situation, wie man sagt, voll im Griff – und verkündete mit lauter, wenngleich hoher Stimme: »Herr Nostradamus-Zwo spürt, daß in naher Zeit eine Vision bevorsteht. Er muß sich konzentrieren.«

Da entrang sich ein lustvolles »Ah« den etwas zu stark

geschminkten Lippen der Gamsbart-Trägerinnen, und Cornelia faßte Eugen und zog ihn hinaus zu ihrem Auto.

»Nehmt ihr mich mit?« fragte Jessica, nacheilend, spitz.

So saß man also in Jessicas Wohnung, wo nun Eugen schon deutlich seine Füße unterm messingbeschlagenen Beistelltisch aus Mahagoni ausstreckte. Eugen erzählte von verschiedenen Propheten, die alle die Ankunft der Außerirdischen für Oktober 1991 vorausgesagt hatten: die Therese von Konnersreuth, die Waldpropheten, der Mühlhiasl, der Stanniolheiler Gröning, Hanussen, die Seherin von Prevorst und Graf Louis Hamon gen. Chiro; dann der überdeutliche Hinweis, den die sogenannten Seltsamen Runden Zeichen in südenglischen Kornfeldern seit 1983 gaben. Und vor allem: Nostradamus-Zwo.

»Ich habe«, sagte Eugen, »genau in der Nacht vom 12. auf den 13. Oktober 1991 die Vision niedergeschrieben: hier ist sie.«

Er las aus einem Computerausdruck eine ziemlich genaue Beschreibung der Stadt Paderborn und des Waldes bei Schwaney sowie der Absperrungen durch die Bundeswehr vor, dann eine mehr visionäre Darstellung der Landung der Außerirdischen, die er »die Goldenen Heiligen« nannte.

»Weil«, sagte Eugen, ließ das Manuskript sinken und nickte mehrmals stumm, »weil«, sagte er mit gesenkter Stimme, »weil, sie sind Heilige, und ihr Blick strahlt in Gold.«

Cornelia schluckte, Jessica goß Rotwein nach.

»Sie werden uns erlösen«, sagte Eugen, »das sage ich auch voraus. Hier in dem Text. Seite acht bis elf.«

»Wann –«, fragte Cornelia, nachdem sie sich gefaßt hatte, »hattest du diese Vision?«

»Vor einem Jahr, habe ich doch gesagt. Hier. Man kann ja nicht vorsichtig genug sein. Ich habe es mir von einem Notar bestätigen lassen.«

Eugen zeigte den beiden Schwestern den Computerausdruck. Rechts unten fand sich die Beglaubigung seitens eines Notars Dr. Friedrich Schnepf in Backnang mit Datum vom 28. Oktober 199–. »Blöderweise ist das Eck abgerissen«, sagte Eugen. »Heißt natürlich 1991.«

Es war schon weit nach Mitternacht, als Eugen mit Cornelia nach oben ging. Er hatte zunächst, etwas angeheitert schon, andere, für einen Visionär nach Ansicht der Damen unangemessene Vorstellungen vom Verlauf des »angebrochenen Nachmittags« (so Eugen) gehabt, hatte mehrfach, wenngleich leise etwas von einem »klingenden Triangel« gesagt, hatte die Frage aufgeworfen, ob man in Jessicas Badewanne wohl zu dritt Platz habe, aber Jessica hatte gesagt: »Man kann jetzt nicht mehr baden. Das Wasser läuft so stark ab, da würden Mama und das Baby aufwachen.« So nahm Cornelia Eugen mit sich. Letzten Endes war Jessica erleichtert.

10

Noch bevor Gorbi Hichter (der später diesen Vornamen unterdrückte, sogar leugnete und sich Menelik nannte) den ersten Zahn bekam, was im April 1993 der Fall war, hatte Cornelia geschafft, daß Eugen Nostradamus-Zwo den Rest der roten Sonderangebotsfarbe wegschüttete – ein schwerer Schritt für einen Schwaben – und sich die Haare dunkelbraun färbte. Das war aber nicht die bedeutendste Veränderung, die Cornelia in der Welt vornahm. Ob das allerdings überhaupt eine Veränderung im eigentlichen Sinn war, was Cornelia durch ihren, wie sie selber recht oft betonte, rastlosen Einsatz bewirkte, ist die Frage. Es ist die Frage, ob nicht Cornelia eher eine in und mit der Welt schon stattgehabte Veränderung nur allgemein sichtbar machte, und zwar in einer Weise sichtbar machte, daß sie, die Veränderung, die man auch besser als *Erwartung* bezeichnen muß, von niemandem mehr übersehen werden konnte, der auch nur einigermaßen auf dem laufenden der weltweiten Informationen war.

Cornelia Hichter, abwechselnd in türkisgrüne, rostrote, eisblaue oder weiße stretch-enge Hosen geschweißt, eilte von einer Fernsehstation zur anderen, beteiligte sich an Diskussionen, redete auf Versammlungen, schrieb sich die Finger wund. Der braunhaarig gewordene Nostradamus-Zwo wirkte in ihrem Anhang bald nur noch wie ein Maskottchen. Cornelias Buch über die ›Erlösung durch die Goldenen Heiligen‹, fußend auf Eugens Visionen, hatte bald nach seinem Erscheinen die Aufmerksamkeit der Fernsehastrologen und -mystagogen erweckt, und da die seinerzeitige Landung außerirdischer Wesen eine zwar umhüllte, aber allgemein nicht mehr zu leugnende Tatsache war, mußten selbst ernsthafte Intendanten gute Sendezeiten der Diskussion dieses Problems zur Verfügung stellen. Cornelia Hichter wurde im Lauf einiger Monate bekannter als die Nachrichtensprecher. Tobias Seelewig – Gorbis Vater, wie man sich vielleicht erinnert – brachte für Gorbi ein Paar zu kleine Sandalen und ein zu großes T-Shirt in Hellgrün mit der Aufschrift: »Mei Hemd is my Castle!«, gratulierte zu den Erfolgen, sagte, daß auch er an die Erlösung durch die Goldenen Heiligen glaube, und erklärte, daß er nunmehr bereit sei, sich scheiden zu lassen, um dann Cornelia zu heiraten.

Eugen warf ihn hinaus.

Ab und zu tauchte in den zahllosen Diskussionen, die Cornelia Hichter (Frau Prof. Cornelia Hichter) im Lauf dieser Monate durchstand und genoß, die Frage auf: »*Wovon* erlösen uns die Goldenen Heiligen?«

Frau Prof. Hichter pflegte darauf mit hoher Stimme zu antworten: »Erlösung ist autonom. Nur der Erlöste weiß, wovon er erlöst worden ist. Oft weiß es nicht einmal der Erlöser. Woher soll der Erlöser auch wissen, wovon er erlösen soll? Wo doch die Schuld oft in solcher Tiefe der Seele ruht, daß sie selbst für die wollende Erkenntnis nicht zu erfassen ist. Fühlen Sie: fühlen Sie Ihre Schuld, und Sie wissen, wovon die Goldenen Heiligen uns erlösen werden. Das Wichtigste aber ist, daß wir *ahnen:* die Goldenen Heiligen erlösen uns. Dieses Ahnen trägt heute, trägt seit dem 13. Oktober 1992 die Welt. Das Wissen beruht auf meinem Fühlen. Mißtrauen Sie dem Wissen, mißtrauen Sie *allem,* was Sie sehen, hören, riechen – die äußeren Sinne sind trügerisch. Aber dafür ist Ihnen doch ein *innerer Sinn* gegeben, ahnungsvolle Philosophen haben ihn schon früher den sechsten Sinn genannt, dem Sie, wenn Sie ihn recht fühlen, vertrauen können. Mißtrauen Sie den äußeren Sinnen, dem Wissen. Die Ankunft der Goldenen Heiligen hat uns recht gegeben: wir müssen dem Fühlen vertrauen. Ich weiß, daß die Goldenen Heiligen wiederkommen werden, weil ich es fühle. Ich weiß, daß sie uns erlösen werden, weil ich es fühle.«

Manchmal fragte dann einer: »Was sagt Herr Nostradamus-Zwo dazu?«

Eugen saß, von Cornelia geehrt, in einem goldenen Wams auf einem Stuhl neben dem Rednerpult. Wenn einer so fragte, stand er kurz auf, nein, er stand eigentlich nicht auf, er lüpfte ein wenig sein Gesäß und sagte: »Ja. Schon.«

Das goldene Wams hatte die alte Frau Hichter, jetzt Oma Hichter, nach einem Entwurf von Cornelia genäht. Im übrigen war Oma Hichter damit beschäftigt, Klein-Gorbi zu versorgen.

Manchmal fragte einer: »Welche Schuld?«

»Was meinen Sie?« piepste Cornelia.

»Ich meine: was das für eine Schuld ist, von der wir erlöst werden sollen?«

»Die Urschuld«, sagte dann Cornelia knapp.

Meist war die Frage damit beantwortet, selten wagte es einer weiterzufragen: »Und was ist, bitte, die Urschuld?«

»Denken Sie an alles, was mit Schuld zusammenhängt. An alles, was mit schuldig, Schuld, Sünde, Sündigem zusammenhängt. Vergegenwärtigen Sie das, verinnerlichen Sie das, und Sie wissen oder besser: Sie fühlen dann, was die Urschuld ist. Ganz einfach.«

Worauf niemand anders als mit »Aha« antworten konnte. Ab und zu gab es einen Blödel, oder einen Böswilligen, der fragte dann noch: »Verzeihen Sie, ich befinde mich in schlechter finanzieller Lage. Werden wir von den Goldenen Heiligen auch von unseren *Schulden* erlöst?«

Darauf antwortete Cornelia überhaupt nicht.

Gefährliche Böswillige fragten aber womöglich: »Wer waren die von Ihnen genannten ahnungsvollen Philosophen? Nietzsche? Oder Cartesius? Oder Frohschammer?«

Diese Frage konnte Cornelia nicht umgehen. Sie sagte: »Alle die von Ihnen genannten.« Oder: »Ich bin nicht hier, um einen Abriß der Philosophie zu geben.« Oder: »Suchen Sie. Lassen Sie Ihre Hand sich allein an der Reihe der Bücher entlangführen. Schlagen Sie das Buch auf, wo Ihre Hand stehenbleibt. Sie werden es finden.«

Seit Herbst 1993, seit noch zwei weitere Bücher erschienen waren (Cornelia Hichter/Eugen Nostradamus II: ›Was sagen uns die Goldenen Heiligen?‹ und – nur Cornelia Hichter: ›Urvertrauen und Urschuld‹), war Cornelia Hichter nicht mehr wegzudenken. Sie war eine Institution geworden. Sie predigte mit hoher Stimme. Der Zulauf war enorm. Das Musical ›Mystik macht uns frei‹ wurde umgeschrieben und auf die Goldenen Heiligen gemünzt. In der Schlußszene kam – ein Koloratur-Sopran – die Prophetin Hichter vor. Als das mit neuem Schwung angekurbelte Musical dann verfilmt wurde, spielte Cornelia sich selber, die Gesangsnummer allerdings nur play-back. Die Universität Regensburg ernannte Cornelia zum Dr. h. c. Die Universität Innsbruck zum Honorar-Professor. Die Flut der Bücher sprang in Übersetzungen weit über Grenzen und Meere. Es gab schon Sekundärliteratur. Ein gewisser Klaus Rimpel aus Fürstenfeldbruck, ein ehemaliger Friseur-Lehrling, schrieb zur Frage der Erlösung ein Buch, in dem er die These vertrat, daß damit die Erlösung vom *Galileiismus* (eine Wortfindung Rimpels) gemeint sei, eine Erlösung aus dem Korsett der Naturwissenschaften.

Cornelia, daraufhin angesprochen, sagte, sie könne

nicht alles lesen, was über sie geschrieben werde. Gorbi lernte um diese Zeit das Gehen.

11

Cornelia und Eugen waren nur deswegen nicht längst aus dem kleinen Haus in Obermenzing ausgezogen, weil sie ohnedies so gut wie nie da waren. Sie waren ständig unterwegs; die Honorare und Tantiemen waren beträchtlich. Eugen mußte keine Kreuze mehr verkaufen. Man wohnte in den teuersten Hotels, im Winter 93/94 fuhr das Paar das erste Mal auf eine Amerika-Tournee, und Eugen konnte es sich leisten, seine Haare vom Friseur färben zu lassen. Er wählte seit neuestem den Ton: *Umbrischer Flieder*. Das war ein leicht ins Lila gehendes Braun, aber Cornelia fand, es stehe ihm.

Jessica sank ins Leiden zurück. Seit längerer Zeit wandte sie eine Ton-Kur an. Das galt als das Neueste: nicht Ton im Sinn von Erde, Lehm, Fango-Packungen (das hatte Jessica längst hinter sich), sondern im akustischen Sinn. Der betreffende Arzt (Dr. Kurzöhrl) hatte ihr ein Tonband verschrieben, das sie dreimal täglich eine Stunde lang abspielen mußte. Auf dem Tonband war nur ein einziger Ton zu hören, ein kurzer, eher hoher Ton auf einer Harfe oder Gitarre gespielt, der im Abstand von fünfzehn Sekunden erklang.

»Legen Sie sich hin«, sagte Dr. Kurzöhrl, »schließen Sie die Augen, schalten Sie das Tonbandgerät ein – konzentrieren Sie sich auf den Ton. Er wirkt wie eine Operation mit einem Laserstrahl. Ich habe schon Krebs damit geheilt.«

Ein normaler Mensch, der nicht die ungeheuren therapeutischen Erfahrungen Jessica Hichters hat, wäre schon nach einer Viertelstunde wahnsinnig geworden. Nicht so Jessica. Sie ließ den tropfenden Ton, quasi die akustische

Version der chinesischen Folter, mit geschlossenen Augen auf sich wirken und gesundete, das heißt: litt. Aber Karli wurde es zuviel. Es ist nicht zu glauben, aber in Karli Schwörer bäumte sich Widerspruch auf. Nie hatte Karli Schwörer gefragt, von wem – etwa – die Rosen seien (sie stammten natürlich vom gewissen Michael) oder die plötzlichen Strumpfhosen in Hexenschwarz mit goldenen Quasteln an den Fersen (auch vom gewissen Michael) oder der schon leicht anrüchige Photoband mit stark verschwommenen Teenager-Knospen von – wenn man so sagen kann – der Hand David Hamiltons. Den Band hatte der gewisse Michael mitgebracht, um zart anzudeuten, daß er Jessica, die brüstemäßig nicht viel mehr aufzuweisen hatte als David Hamiltons Vor-Pubertärdirnen, photographieren wolle. Nackt, natürlich. Jessica überhörte den Wink. Später, als der gewisse Michael in diesem Punkt deutlicher wurde, sagte sie, ihre Haut vertrage das Blitzlicht nicht. Da konnte Gorbi schon reden, da waren die Goldenen Heiligen schon wiedergekommen.

Karli Schwörer fragte nicht einmal, wenn, was ab und zu vorkam, der gewisse Michael irrtümlich zu einer Zeit anrief, in der Karli da war. »Gehst du mal raus, Karli, und schaust, ob das Wasser schon kocht?« Karli ging brav hinaus in die Küche. Jessica kroch ins Telephon und zischelte. Karli kam wieder herein: »Aber da steht ja gar kein Wasser auf?!« »Dann *stell* eins auf! Stell dich doch nicht gar so ungeschickt an.« Dann zischelte sie weiter. Nicht einmal da fragte Karli Schwörer. Aber die Ton-Kur war ihm zuviel.

Er sagte nicht: »Hör auf, du Gans!« (Vielleicht wäre Jessica auf einen Schlag wirklich genesen.) Er sagte nicht: »Entweder die Ton-Kur oder ich!« Er duldete nur still vor sich hin, versuchte, trotz des Tropf-Tones zu schlafen, was aber nicht ging, schlüpfte in seine Turnschuhe und verließ die Wohnung. Jessica, mit geschlossenen Augen nur auf den Ton konzentriert, bemerkte es nicht einmal.

Karli Schwörer ging nicht für immer. Es drehte sich nachher nur das Verhältnis um: der gewisse Michael brauchte nicht mehr zu lauern, konnte kommen und anrufen, wann er wollte, übernachtete gelegentlich bei Jessica, was bisher mit Rücksicht auf Karli nie sein durfte.

»Wo ist meine Zahnbürste?« fragte er, als er das erste Mal hier übernachtete.

»Einen Moment«, sagte Jessica. Sie holte ihr Handtäschchen, nahm den Schlüssel heraus und sperrte das Kästchen hinter der Tür auf.

»Wieso hast du meine Zahnbürste eingesperrt?«

»Die war immer eingesperrt. Das hast du nur nie gemerkt. Wegen Karli.«

»Und was ist das?« Der gewisse Michael nahm den blauen Vierpaß aus dem Kästchen.

»Das habe ich damals gefunden. Dort im Wald bei Paderborn, wo sie gelandet sind.«

Der gewisse Michael hielt in der linken Hand seine Zahnbürste und drehte mit der rechten den gläsernen blauen Gegenstand im Licht hin und her.

»Ich habe damals immer auf die Botschaft gewartet«, sagte Jessica. »Aber ich habe nur das da gefunden.«

»Inzwischen macht ja deine Schwester genug Wind um die Sache.« Der gewisse Michael drehte immer noch das Ding im Licht.

»Das kannst du laut sagen.«

»Vielleicht«, sagte der gewisse Michael, »ist *das da* die Botschaft?«

Jessica trat zu Michael und schaute das Ding an. »Du meinst, diese Läusebeine sind Buchstaben?«

»Wer weiß.«

»Dann hätten sie es absichtlich zurückgelassen?«

»Wenn *sie* überhaupt da waren«, sagte der gewisse Michael, »wenn nicht alles miteinander Schwindel war.«

»Schwindel? Dazu haben es *zu* viele gesehen.«

»So viele können etwas gar nicht gesehen haben, daß es nicht doch Schwindel gewesen sein könnte. Aber gehen wir davon aus, daß sie da waren: dann halte ich es nicht für ausgeschlossen, daß sie das absichtlich zurückgelassen haben.«

»Und wir verstehen es nicht?«

»Vielleicht verstehen wir es eines Tages.«

»Wie?«

»Vielleicht liefern sie uns die Übersetzung nach.«

»Du meinst, sie kommen wieder?«

»Deine Schwester predigt das jeden Tag der ganzen Welt.«

»Mich interessiert nicht, was meine Schwester predigt. Meinst *du,* daß sie wiederkommen?«

Der gewisse Michael schaute nochmals durch den blauen, gläsernen Gegenstand ins Licht, drehte ihn zweimal hin und her, ging dann zum Kästchen, legte den Vierpaß zurück, ging ins Bad, putzte sich die Zähne, gurgelte, kam wieder ins Zimmer und sagte:

»Ich *fürchte,* daß sie zurückkommen.«

Im übrigen war bei dem gewissen Michael alles ganz anders. Die Ton-Kur störte ihn nicht, weil er sich verbat, daß Jessica sie während seiner Anwesenheit anwandte. Jessica zeigte sich gefügig. Auch Karli, der nun ab und zu in die Wohnung schlich, störte den gewissen Michael nicht. »So einer nicht«, sagte er. Und der gewisse Michael merkte alles. Er merkte vor allem, wenn Karli dagewesen war, ob Jessica mit ihm geschlafen hatte oder nicht, ja sogar, ob Karli nur angerufen hatte.

»Aber solange er dir kein Kind macht oder Aids hat, soll es mir recht sein«, hatte der gewisse Michael gesagt. Eifersucht verstoße gegen sein Prinzip von der Betrachtung der *Zeit,* sagte er.

Später kam der gewisse Michael noch einmal auf die Frage zurück, ob die – wie sie seit Cornelias Predigten oft genannt wurden – Goldenen Heiligen wiederkehren würden oder nicht, und daß er, der gewisse Michael, das *befürchte.*

»Auch *ich* kenne Prophezeiungen«, sagte der gewisse Michael, »auch wenn ich mich weigere, das Wassermann-Zeitalter anzuerkennen.« Er hatte ein Buch dabei und las daraus vor:

»DEr HERR wird ein Volck über dich schicken, von ferne von der Welt ende, wie ein Adeler fleugt, des sprache du nicht verstehest, ein frech Volck, das nicht ansihet die person des alten, noch schonet der Jünglingen. Und wird verzehren die frucht deines Viehs, und die frucht deines Landes, bis du vertilget werdest, Und wird dir nichts überlassen an Korn, most, öle, an Früchten der ochsen und schafen, bis das dichs umbbringe.«

»Bibel?« fragte Jessica.

»Deuteronomium – Achtzehn – Neunundvierzig«, sagte der gewisse Michael, gab das Buch, in das er an der betreffenden Stelle einen Zettel gelegt hatte, Jessica in die Hand, »es geht noch schauerlicher weiter.«

12

Im Herbst 1994 hieß Gorbi Hichter schon nur noch Menelik. Man will ja nicht moralisierend sein, und es geht im Grunde genommen niemanden etwas an, außer den unmittelbar Beteiligten, und die werden wissen, was und warum sie dies oder jenes tun, und selbst wenn sie das nicht wissen, ist es unangebracht, wenn sich Außenstehende den, wie man so sagt, Schnabel zerreißen, aber man ist doch ab und zu gezwungen, namentlich, wenn man darüber schreibt oder redet, gewisse Termini zu suchen, die, wenn man sie gefunden hat, den Eindruck erwecken könnten, sie seien moralisierend gemeint. Wenn für den Kranz von Menschen, der sich um die drei Damen Hichter wand – Mutter und Oma sowie Cornelia mit der hohen Stimme und die leidende Jessica –, die Bezeichnung *Familie* benutzt oder aber abgelehnt wird, so möchte man das vielleicht als wertend verstehen. Das wäre dem im weiteren Sinn wassermännischen Zeitalter unangemessen. Wie soll man aber sonst diese zufällige Versammlung Anfang Februar 1994 in dem kleinen Einfamilienhaus nennen, wenn nicht Familie? Vielleicht: eine, milde ausgedrückt, in etwas verworrener Ordnung befindliche familienartige Versammlung. Wobei unter *verworrener Ordnung*, eine an sich und in sich contradictorische Begriffsverbindung, ein Durcheinander gemeint ist, in dem nur der Eingeweihte sich auskennt, dieser aber gut. Die Versammlung fand am 10. Februar statt, Jessica Hichters Geburtstag. (Es war ungefähr der dreißigste.) Cornelia und Eugen Nostradamus-Zwo waren zwischen zwei Predigt-Reisen zufällig in München. Geld spielte für sie keine Rolle mehr. Sie hätten auch im Palais Montgelas eine Suite mieten können, aber sie zogen es vor, bei Mutter Hichter zu wohnen. Die Journalisten fanden sie dort nicht, weil sie sie dort nicht vermuteten. Jessica hatte ihr Zimmer geschmückt, Champagner kaltgestellt und gesagt, daß sie um vier Uhr zu sich bitte. Es kam die Oma Hichter von oben, Klein-Gorbi an der Hand, der wiederum einen Bären im Arm trug, der auch Gorbi hieß. Es kamen Cornelia und der frisch gefärbte Nostradamus-Zwo; sie brachten einen *Home-Trainer* als Geschenk mit, ein Gerät, das aussah wie ein Fahrrad, nur ohne Räder, weiß lackiert und mit allen möglichen Armaturen ausgestattet, die von der fiktiven Geschwindigkeit bis zum realen Blutdruck alles anzeigten, was denkbar ist. Das Gerät hatte fast soviel gekostet wie ein schon nicht mehr ganz kleines Auto, aber, wie gesagt, Geld spielte keine Rolle, und gegenüber Jessica wollte sich Cornelia nicht lumpen lassen, da schon gar nicht.

Und es kamen sowohl Karli Schwörer als auch der gewisse Michael. Der gewisse Michael betrachtete Karli mit einer Miene leichten Abscheus, so wie man ein ungefährliches, aber unappetitliches Insekt betrachtet, sich aber gleichzeitig sagt: sich selber und seinesgleichen gefällt das Insekt, was heißt also *unappetitlich*. Karli Schwörer wirkte lediglich, wie immer, etwas schläfrig.

Die Rede kam auf Gorbi, und man stellte fest, daß es eigentlich nicht mehr so recht opportun sei, ein Kind Gorbi zu nennen.

»Es ist überhaupt ein Wunder«, sagte der gewisse Michael, »daß der Standesbeamte den Namen damals hat durchgehen lassen.«

»Es gibt solche und solche Standesbeamte«, sagte Cornelia mit hoher Stimme. Sie hatte vom Champagner getrunken. Ihre Stimme wurde dadurch noch höher. Es kam kaum noch mehr als ein Zwitschern.

»Vielleicht hätte man ihn Nostradamus nennen sollen«, sagte Nostradamus-Zwo. Er bekam, wenn er Champagner getrunken hatte, eine eher tiefere, jedenfalls noch stärker schwäbische Stimme.

»Damals habe ich dich noch nicht gekannt«, pfiff Cornelia.

»Jedenfalls ist Gorbi nicht mehr möglich«, sagte Jessica.

»Bärli heißt Gorbi«, sagte Gorbi.

»Ja, ja«, sagte die Oma.

»*Ivan* ist im Grunde genommen auch nicht mehr möglich«, sagte der gewisse Michael.

»Und wie heißt er noch?« fragte Jessica.

»*Evo*«, seufzte die Großmutter, »und *Menelik.*«

Jessica lachte: »*Evo*, von *Eva*; kommt aus deiner Emanzenzeit. Ach, wie lang ist das her.«

»Das war damals, wie du die Wurmfarnkur gemacht hast«, zischte in hoher Lage Cornelia.

»Bleibt im Grunde genommen nur Menelik«, sagte der gewisse Michael, »wogegen aber nichts einzuwenden ist. Menelik Hichter. Zwei äthiopische Kaiser haben Menelik, richtiger Menilek geheißen. Menelik II. hat den garibaldisch-savoyardischen Imperialisten 1892 bei Adua eins aufs Haupt gegeben. Nicht unsympathisch.«

»Gibt es einen heiligen Menelik?« fragte Oma Hichter.

»In Äthiopien, vielleicht«, sagte Jessica.

»Besser als gar nichts«, sagte Nostradamus-Zwo. Karli Schwörer hatte keine Meinung, er war eingeschlafen.

So hieß von da ab Cornelias kleiner Sohn Menelik. Der Bär behielt den Namen Gorbi.

Als Gorbi also schon über ein halbes Jahr Menelik hieß

und die Fernbedienung des Fernsehapparates bereits handhaben konnte, kamen die Goldenen Heiligen das zweite Mal. Es war fast genau zwei Jahre nach der ersten Ankunft. Aber diesmal kamen zwei Raumschiffe. Bei der Gelegenheit wurde klar, daß Klein-Menelik gelegentlich in der Nacht aufstand, wenn seine Großmutter schlief, und den Fernseher anschaltete, denn auch in der betreffenden Nacht tat er es, und diesmal verwechselte er, angesichts des Alters nicht ganz verwunderlich, zwei Knöpfe. Der Ton raste in gewaltige Lautstärke. Oma Hichter wachte auf, lief ins Wohnzimmer und sah die Goldenen Heiligen.

Die Übertragung kam von einem durch dieses Ereignis für kurze Zeit zur Weltberühmtheit gelangten Lokalsender aus Parma, denn dort, dreißig Kilometer südlich der Stadt, auf einem etwa elfhundert Meter hohen Berg namens Monte Fusa, war das Raumschiff gelandet. Diesmal hatten die Goldenen Heiligen die Kuppe des Berges exakt getroffen. Strahlen wie von starken Scheinwerfern spielten bis nach Parma. Die Strahlen durchdrangen Gegenstände, die im Weg standen. Das Fernsehteam – nichts anderes als eine Gruppe junger Leute, die den Sender mit Unterstützung einer Milchfirma betrieben, für die sie Reklame machen mußten – war zufällig im Wald am Fuß des Monte Fusa herumgekraxelt, um einen Film über Mäuse zu drehen, als sie einer der genannten Strahlen traf. Selbstverständlich ließ das Team sofort Mäuse Mäuse sein und filmte die außerirdische Erscheinung.

Wenige Stunden später wurde bekannt, daß ein gleiches oder ähnliches Raumschiff in der Tschechoslowakei, in Mähren, gelandet war, nordöstlich von Brünn nahe der Stadt Vyskov im Hof einer aufgelassenen Ziegelei.

Das schon mehrfach zitierte *Wassermann-Zeitalter* begann, muß man sagen, wenn man scharf darüber nachdenkt, kurz nach dem Zweiten Weltkrieg. Das ist eine nichtokkulte Feststellung. Die Okkultisten scheuen sich – wie anders? –, ein exaktes Datum zu postulieren. Sie sprechen nur davon, daß der Frühlingspunkt in das Zeichen Wassermann vorrücke und daß damit die *kosmische Welt-stunde* herannahe. Es solle noch im zwanzigsten Jahrhundert geschehen. So die *Arkan-Schule,* der *Neugeist,* der *Lichthort,* die *Fraternitas Saturni* und nicht zuletzt Mr. Max Heindl aus Los Angeles, der Gründer des *Lectiorum Rosicrucianum,* außerdem Dr. Hugo Vollrath, der sich auch Walter Heilman nannte und sowohl den Bo-Yin-Ra-Orden als auch ein Versandhaus für Horoskope gründete, desgleichen Frau Alma von Brandis, Dr. Hübbe-Schleiden und ähnliche Clowns. Vergleiche, wenn du nichts Besseres zu tun hast: C.E. Prinz zu Hohenlohe-Waldenburg ›Psychische Auswirkungen des Fischezeitalters und Ausblicke auf das Wassermannzeitalter‹, Calw 1961, das eines der Grundbücher in der Bibliothek Eugens war, das er oft und gern zitierte, ohne allerdings leider die Quelle zu nennen. Das hatte, aber das war lange her, zu dem unschönen, so echt fischezeitalterlichen Einstweiligen Verfügungs-Verfahren vor dem Landgericht Stuttgart: *Prinz Hohenlohe ./. Hämmele* geführt, in dem der Verfügungsgegner Hämmele Eugen (niemand anderer natürlich als Nostradamus-Zwo) letzten Endes einräumen mußte, daß er bedeutende Teile seiner Broschüre ›Die Priesterfarbe und das Licht der Reinheit‹ aus Hohenlohes Werk abgeschrieben hatte. Er mußte sich zähneknirschend dazu verpflichten, einen Teil der Tantiemen an den Prinzen abzuführen. Im Okkultismus ist also nicht festzustellen, wann das Wassermann-Zeitalter, in dem Mystik uns frei macht, beginnt. Aber bei schärferem Nachdenken scheint es einem, wie gesagt, als habe der Sog des Obskurantismus kurz nach Ende des Zweiten Weltkriegs eingesetzt, als die ersten sogenannten UFOs gesichtet wurden. Das ist, heißt es, 1947 gewesen. Damals nannte man die *Unidentified Flying Objects* »Fliegende Untertassen«. Sie waren die ersten parapsychologischen Schwalben des Wassermann-Zeitalters, und das Ganze bis hin zu gewissen frechen Dunkelbüchern ist vielleicht, der zeitliche Zusammenhang ist gegeben, auf den

Schrecken zurückzuführen, den die naturwissenschaftliche Vernunft durch ihre Atombombe hervorgerufen hat. Sehnte sich die Menschheit seitdem nach der Abdankung dieser Vernunft? Trotz allem aber behielt das, was man doch vielleicht zu Recht die strenge Wissenschaft nennt, die Oberhand, zumal nahezu alles, was der Obskurantismus postulierte, als Schwindel zu entlarven war. Die Außerirdischen, ob esoterisch fundiert, ob als grüne Männchen die Weiber der Irdischen begattend, ob aus Bullaugen silbriger Himmelsbälle lugend, blieben einesteils der zwar weitverbreiteten, aber nie ganz ernst genommenen sogenannten Science-fiction-Literatur und natürlich vor allem den entsprechenden Filmen vorbehalten, anderseits der kurzfristigen Aufmerksamkeit der für die Rubrik »Verschiedenes« arbeitenden Redakteure, wenn wieder einmal ein rätselhaftes Flugobjekt auftauchte oder geschickte Jugendliche galaktische Zeichen in englische Kornfelder trampelten.

Auch die Ankunft der Goldenen Heiligen in der Nacht vom 12. auf den 13. Oktober 1992, obwohl notorisch für Bundes- wie für Feuerwehr, sank bald in den Fundus der abgelegten *faites diverses* ab, die Welt hatte ja auch wirklich Wichtigeres zu beobachten. (Man denke nur an die Ausbreitung der Drogen-Mafia.)

Jetzt, mit der zweiten Landung der Goldenen Heiligen, war das mit einem Schlag vorbei. So, als ob man einen Magneten in einen wirren Haufen von Eisenfeilspänen gesetzt hätte, richtete sich augenblicklich alles auf den einen Punkt. Die Goldenen Heiligen wurden und blieben das Zentrum des Weltbewußtseins. Die Goldenen Heiligen gab es. Die Goldenen Heiligen waren gekommen. Die Welt war seit der Nacht, als Menelik Hichter die zwei Knöpfe der Fernbedienung verwechselte (was nicht ursächlich war), nicht mehr die gleiche wie vorher. Die Welt war jetzt die Welt mit den Goldenen Heiligen.

Die Obskurantisten jubelten. Zu früh – wie man sehen wird. Cornelia Hichter, also Frau Prof. Dr. h. c. Hichter und Nostradamus-Zwo erfuhren von der Landung, als sie in Bayonne im Hotel zum Frühstück gingen. Sie hatten am Vorabend in einer esoterischen Gesellschaft einen Vortrag gehalten. Danach hatte Eugen angesichts des schütteren Besuches gesagt: »Es wird Zeit, daß wieder einmal irgendwelche Galaktischen kommen, damit die Stühle nicht so leer bleiben.« Hatte er tatsächlich prophetische Gaben? Wenn ja, dann nur ganz leichte, wie man sieht.

Cornelia triumphierte. Sie verfaßte sofort einen Aufruf, daß die Goldenen Heiligen mit offenen Armen zu empfangen seien und daß nun die Erlösung komme.

Da die Menschheit eher dazu neigt, an Erlösung als an eine Katastrophe zu glauben, senkte sich auf der Waage der Meinung die Schale *Erlösung*. Jubel brach aus.

13

Es war ein stiller, verschneiter Dezembertag, kurz vor Weihnachten, da saß der gewisse Michael im ersten Stock des Hichterschen Einfamilienhauses in Obermenzing und wartete darauf, daß Jessica unten im einzigen Zimmer des Erdgeschosses ihre Ton-Kur beendete.

Niemand mehr wohnte sonst noch im Haus. Nach dem ungeheuren Aufschwung, den Cornelias Erlösungsbewegung auf die zweite Ankunft der Goldenen Heiligen hin genommen hatte, war sie nun doch mit Menelik, mit Oma und Nostradamus-Zwo in eine – vorerst für teures Geld gemietete – alte Villa in Berg am Starnberger See gezogen. Das Häuschen in Obermenzing hatte sie Jessica überlassen.

»Gut genug für dich«, mäkelte der gewisse Michael.

»Ich habe auch den Verdacht, daß sie es so meint.«

Die Atmosphäre zwischen den Schwestern war nicht mehr gut gewesen. Ein Journalist einer großen und bedeutenden Zeitung, der zu langsam war, um der jetzt mit dop-

pelter Geschwindigkeit von Predigt zu Predigt rasenden
Cornelia habhaft zu werden, war auf den Ausweg verfal-
len, statt Cornelia Jessica zu interviewen. Bei diesem Inter-
view hatte Jessica geäußert, daß sie – wörtlich: »…ich, die
ich durch die Akademie der Leiden gegangen bin…« – den
blauen Glas-Stein, den Vierpaß gefunden habe, und nicht
ihre Schwester und auch nicht Nostradamus-Zwo. Weiter
hatte sie verraten, daß Nostradamus-Zwo nicht Meneliks
Vater war, und zum Schluß, und das war fast das Schlimm-
ste für Cornelia, daß sie, Jessica, im Gegensatz zu ihrer
Schwester und der allgemeinen Meinung die Botschaft der
Goldenen Heiligen *fürchte*.

Cornelia hatte mit Fistelstimme getobt, hatte geäußert,
daß ihr ihre eigene Schwester in den Rücken falle und dergleichen mehr. Den Verkehr hatte sie nicht sofort abgebrochen, weil sie zu der Zeit immer noch hoffte, ihr den
blauen Vierpaß abkaufen zu können.

»Ich habe«, sagte Jessica zu ihr, »damals in dem Ort,
der, wenn ich mich recht erinnere, Schwaney hieß, oder jedenfalls in der Nähe dieses Ortes, zweierlei gefunden: einen blauen, gläsernen Gegenstand mit eingeschlossenen
Lausbeinen und einen seinerzeit rothaarigen Mann namens Eugen Hämmele, der sich Nostradamus-Zwo nennt.
Du hast den Hämmele übernommen. *Ich* behalte den
Stein. Das ist nur gerecht unter Schwestern.« Aber Cornelia hatte nicht nachgegeben. Sie bohrte und bohrte, bot immer höhere Summen. Fast wäre Jessica schon weich geworden, und letzten Endes war es der gewisse Michael, der
sagte: »Nein. Schluß damit. Der Stein bleibt da.«

So saß also der gewisse Michael oben in dem Zimmer,
das früher Cornelia Hichters Wohnzimmer gewesen war,
und zog aus Langeweile ein Buch aus dem Regal. (Fast alles – bis auf die rareren esoterischen Werke – hatte Cornelia dagelassen; auch einige ihrer so engen, starkfarbenen
Glanzhosen. Jessica wollte sie nicht tragen, obwohl der gewisse Michael es gern gesehen hätte.) Das Buch war ein At-
las. Der gewisse Michael schlug ihn auf, blätterte darin

herum, runzelte dann die Stirn, blätterte gezielt, holte ein Lineal, maß nach, und als Jessica von ihrer Ton-Kur heraufkam, sagte der gewisse Michael:

»Schau dir einmal das an.«

»Ja? Was?«

»Hier diese Karte.«

»Ja. Und?«

»Hier ist Paderborn. Und hier ist Parma. Hier ist Brünn. Der Ort, an dem sie gelandet sind, ist auf dieser großflächigen Karte nicht drauf, aber das macht nichts. Es ist nur unwesentlich von Brünn entfernt, man kann also genausogut Brünn nehmen. Und hier ist München. Fällt dir nichts auf?«

»Hm.«

»Also?«

»Fast gleich weit weg, im Kreis um München.«

»Ja. Nur ist Paderborn *einen* Zentimeter weiter weg, dafür die anderen beiden exakt gleich weit. Exakt.«

»Sie rücken näher?«

»Ich fürchte es.«

»Was wollen die in München?«

»Das weiß ich nicht. Ich schlage aber vor, wir fahren hin.«

»Nach Brünn und nach Parma? Aber diese Goldenen Heiligen sind doch längst schon wieder weg. Sie sind nur drei Tage geblieben, hat es geheißen.«

»*Wann* hast du damals den blauen Vierpaß, wie du ihn nennst, gefunden?«

»Am Tag, nachdem sie gelandet waren. Einen halben Tag, nachdem sie sich zurückgezogen hatten.«

»Wir fahren. In einer Woche sind wir zurück.«

»Das geht nicht. Ich muß arbeiten.«

»Ach so. Dann fahren wir am nächsten Wochenende nach Brünn, am übernächsten nach Parma.«

»Wenn wir warten, bis mir der Chef Urlaub gibt, können wir es bequemer haben. Dann fahren wir – bei dem Schnee – mit dem Zug.«

Die Goldenen Heiligen waren im Herbst 1994 zwei Tage und zwei Nächte lang auf der Erde geblieben. Eine Verständigung mit ihnen war nicht möglich. Einem italienischen Carabinieri-Leutnant, der dem auf dem Monte Fusa gelandeten Raumschiff zu nahe gekommen war, zu nahe offenbar in den Augen (wenn sie welche hatten) der Goldenen Heiligen, wurde der Kopf vom Hals getrennt. Das ging sehr rasch, gaben die sich zu ihrem Glück im Hintergrund gehaltenen anderen Carabinieri später zu Protokoll, der Tenente Luigini sei nach vorn gegangen, habe durchaus nicht unfreundlich, aber doch bestimmt ein Zeichen mit der Hand gegeben, worauf ein rötlicher Strahl herangefahren sei, der wie eine Kreissäge gezischt habe, und dann seien Luiginis Kopf und Luiginis Körper abgesondert voneinander dagelegen. Selbstverständlich wurde nach dem Vorfall das Gelände hermetisch abgeriegelt.

Cornelia Hichter, die zu ihrem Bedauern erst nach der Abreise der Goldenen Heiligen an Ort und Stelle kam, weil man von Bayonne nach Parma und zum Monte Fusa so oft umsteigen muß, predigte laut: es könne sich bei diesem, schrecklichen Vorfall nur um ein Versehen handeln. Entweder sei der unglückliche Tenente Luigini in einen »Arbeitsstrahl« der Goldenen Heiligen gelaufen, oder die Goldenen Heiligen hätten dem Tenente mittels des Strahls die Botschaft vermitteln wollen, die Wirkung des Strahls aber nicht abschätzen können, was ja weiter nicht verwunderlich sei. Cornelia schlug der Welt vor, überall, wo weitere Landungen der Goldenen Heiligen zu erwarten seien, große Tafeln mit Willkommenadressen aufzustellen. Das war schön gemeint, aber schwer ausführbar. Die Goldenen Heiligen, was die vom Monte Fusa betrifft, nahmen eine Kuh und zwei Hunde mit, außerdem einen ganzen Baum, wahrscheinlich Kleintiere (evtl. Mäuse) und Bodenproben, denn das ganze Landgebiet war, wie die späteren Untersuchungen ergaben, umgegraben. Wahrscheinlich nahmen sie auch Wasserproben und Fische mit, denn sie stauten für einige Stunden einen nahegelegenen Bach auf.

Was die Goldenen Heiligen betrifft, die in der Tschechoslowakei gelandet waren, so nahmen sie ebenfalls zwei Hunde mit, auch einen Baum, einen Teil eines Drahtzaunes und einen ziemlich alten Schubkarren. Dieses Raumschiff war, wie man sich erinnert, in einer verfallenen Ziegelei gelandet. Die Ziegelei war schon seit Jahrzehnten aufgelassen, eigentlich seit 1945 nicht mehr betrieben worden. Wie jetzt, bei den Untersuchungen nach der Abreise der Goldenen Heiligen, festgestellt wurde, hatte sich in der schlimmsten Kommunisten-Zeit nach 1968 hier in dieser einsamen, langsam verfallenden Fabrikruine ein Musiker eingenistet, der dem Regime nicht genehm war und sich hier zu verbergen hoffte. Er hieß Martin Kapradek und verschwand eines Tages, wahrscheinlich, weil er gewarnt worden war, daß die Geheimpolizei dabei war, sein Versteck aufzuspüren.

Aus Kapradeks Zeit war ein völlig verstimmtes Klavier in der Ziegelei, das nahmen die Goldenen Heiligen ebenfalls mit, ein gerahmtes Bild Smetana auf dem Totenbett darstellend sowie eine tschechische Übersetzung des ›Kapitals‹ von Marx. Was in aller Welt der von den Kommunisten verfolgte Martin Kapradek mit dem ›Kapital‹ in seinem Versteck gewollt, blieb rätselhaft. Wahrscheinlich, meinte man allgemein, wollte er sich durch die Lektüre kasteien.

Unglücksfälle wie am Monte Fusa waren in Vyskov nicht zu verzeichnen. Die Goldenen Heiligen sandten nur einmal einen roten Strahl aus, der drei Kilometer weit ausfuhr und beim Zurückschnellen einen Vogelbauer mit drei Wellensittichen erfaßte, die einer gewissen Witwe Krtkova gehörten. Auch die Wellensittiche – sie hießen Bořivoy, Dalibor und Simson, gab die Krtkova dem Fernsehen bekannt, die Tränen mit der Kittelschürze abwischend – nahmen die Goldenen Heiligen nebst Vogelbauer mit.

»Das *können* keine guten Menschen sein«, sagte die Witwe. Das Fernsehen – und zwar jede Anstalt, die die Witwe interviewte – schenkte ihr drei neue Wellensittiche.

Welches weltweite Aufsehen der Vorfall bewirkte, zeigte die Tatsache, daß die Witwe Krtkova im Frühjahr 1995 über vierhundertfünfundsechzig Wellensittiche verfügte.

Als Ende Dezember – nach dem Trubel des Weihnachtsgeschäfts – der Designer-Chef Jessica zwei Wochen Urlaub gab, fuhren der gewisse Michael und Jessica zunächst nach Brünn, mieteten dort ein Auto und suchten durch das verschneite mährische Hügelland an einem klirrend kalten, sonnigen Dezembertag zwischen Weihnachten und Silvester 1994 den Weg nach Vyskov und vor allem nach der verlassenen Ziegelei. Die Witwe Krtkova, die deutsch sprach, zeigte ihnen den Weg. (Es sollte für Jessica eine gewisse Bedeutung bekommen, daß gerade die Witwe Krtkova das tat.) An der Ziegelei stellte der gewisse Michael das Auto ab. Er und Jessica gingen über den knirschenden Schnee zum Gemäuer hin.

»Erstens«, sagte der gewisse Michael, »liegt Schnee und deckt alles zu. Und zweitens: haben die doch alles Millimeter für Millimeter abgesucht, nachdem die Goldenen Heiligen wieder abgedampft wa –«

»Da!« unterbrach ihn Jessica und hob den blauen Vierpaß auf. Er entsprach genau dem, den Jessica bei Schwaney gefunden hatte, nur die Zeichen, die Lausbeine im Inneren waren etwas anders.

Der Vierpaß, den Jessica am 3. Januar 1995 in einem winterlich kahlen, nur mit ein paar eingerollten, brüchigen alten Blättern behangenen Brombeerstrauch am Monte Fusa fand, entsprach genau dem von Vyskov, auch die Lausbeine, soweit das zu beurteilen war.

»Jetzt glaube auch ich nicht mehr an einen Zufall«, sagte der gewisse Michael.

»Michael«, sagte Jessica, »die Angelegenheit wird mir stark unheimlich.«

Noch etwas anderes brachte Jessica mit: als sie und der gewisse Michael aus Brünn aufbrachen, um in Richtung Vyskov zu fahren, war es recht früh. (Mit Karli Schwörer, sagte sich Jessica, wäre so etwas unmöglich gewesen.) Als sie dann an das Haus der Witwe Krtkova kamen, war es noch nicht weit über acht Uhr. Die Krtkova schaute gerade zum Fenster hinaus, war im übrigen in einen fleischfarbenen, mit giftgrünen Palmwedeln gemusterten Morgenmantel gehüllt. Was die Witwe zunächst sagte, verstanden sie nicht, obwohl die Krtkova, wie gesagt, deutsch sprach: die Krtkova hatte nämlich den Mund voll, und zwar mit Öl.

Sie war dann kurz im Haus verschwunden, hatte vorher Zeichen gemacht: man solle warten. »Eine Ölkur«, erklärte die Witwe Krtkova, »zieht die Mikroben aus dem Körper.«

So wechselte also Jessica, nachdem sie – mit dem zweiten und dritten Vierpaß im Gepäck – nach München zurückgekehrt war, von der Ton-Kur zu der Öl-Kur Witwe Krtkovas. Die Öl-Kur bestand darin, daß Jessica jeden Morgen einen Löffel Öl in den Mund nahm, aber nicht schluckte, sondern eine Viertelstunde lang im Mund hin- und herwälzte und quetschte, vor allem durch die Zähne preßte, dabei heftig damit beschäftigt war, Brechreiz zu unterdrücken, und nach einer Viertelstunde das Öl wieder ausspuckte.

Jessica wollte unbedingt den gewissen Michael und auch Karli Schwörer dazu überreden, sich der Öl-Kur anzuschließen. Karli Schwörer war, obwohl willens, nicht dazu in der Lage, weil er nie so früh aufstand. »Eigentlich vor Sonnenaufgang«, hatte die Krtkova gesagt, »nach elf Uhr hat es keinen Sinn mehr. Bei Neumond wirkt es am besten.« Der gewisse Michael erklärte sich nach wochenlangem Bombardement mit gesundheitlichen Argumenten dazu bereit, die Kur mitzumachen.

»Mit einer ganz kleinen Modifikation«, sagte der gewisse Michael.

»Die wäre?«

»Ich nehme statt Öl Grappa.«

14

Obwohl mehrere Jahre vergingen, verschwand die Erinnerung an die Landung der Goldenen Heiligen nicht mehr aus dem Bewußtsein der Menschheit. Spätestens beim zweiten Mal hatte es einen Ruck in diesem Bewußtsein gegeben: was bisher immer wieder behauptet, ebenso oft bestritten worden war, was man unter vernünftigen Menschen eigentlich nur spielerisch ventilierte und woran ernsthaft nur Adepten des Wassermann-Zeitalters geglaubt hatten, war unbestreitbare Tatsache geworden, die selbst die strengsten Naturwissenschaftler in ihr Kalkül zu ziehen gezwungen waren. *Wir sind nicht allein im Weltall.*

Monsignore Altmögen bescherte die Sache eine kirchliche Karriere, von der er nicht einmal geträumt hatte. Er berichtete, wie man sich vielleicht erinnert, am Tag, nachdem er als einer der ersten die Landung der Goldenen Heiligen beobachtet hatte (die damals noch keiner so nannte) seinem Bischof. Der Bischof sandte einen Bericht nach Rom. Nach einigen Wochen kam ein Kurierbrief von der Nuntiatur, der Altmögen in den Vatican zitierte. Da in dem Brief nichts davon stand, *wie* Altmögen nach Rom kommen solle, setzte sich der Monsignore freudig auf sein Motorrad und bretterte los. Er hielt sich – schweren Herzens, aber wie oft predigte er: es ist auch eine Sünde zu rasen – an die Geschwindigkeitsbegrenzungen, dennoch war er nach achtzehn Stunden satten Fahrens in der Ewigen Stadt. Staubverkrustet schob er seine Guzzi California in den sicheren Hof des Pilgerheimes der Grauen Schwestern in der Via dell' Olmata auf dem Esquilin, säuberte sich, wechselte seine Lederkluft gegen die purpurpassepoilierte Soutane und meldete sich beim Sant' Uffizio. Zu seinem Erstaunen wurde er sofort zum Papst geführt.

Der Papst hörte dem Bericht des Monsignore aufmerksam und schweigend zu, dann sagte er mit seinem polnischen Akzent: »Sie wissen, was das bedeutet?«

»Ich fürchte: ja.«

Am übernächsten Tag, nachdem Altmögen noch einer kleinen Versammlung von Curiencardinälen und anderen hohen Geistlichen einen etwas verknappten Bericht vorgetragen hatte, knatterte er wieder nach Hause.

Er blieb nicht mehr lange in Paderborn. Nach einem halben Jahr kam die Order, daß Altmögen zur Curie abgeordnet sei. Vorübergehend, hieß es. Der Bischof ließ den tüchtigen Priester ungern ziehen. Nach einem Jahr wurde die Abordnung Altmögens verlängert. Er hatte längst sein Motorrad nachkommen lassen. Nach einem weiteren Jahr ernannte der Papst Altmögen zum Titular-Bischof von Nisyrus i.p.i. (= in partibus infidelium), später dann sogar noch zum Titular-Erzbischof von Oxyrynchus i.p.i. Er war zu dem Zeitpunkt bereits Präses der päpstlichen Kommission für die dogmatischen Probleme, die sich aus der Existenz der Goldenen Heiligen ergaben.

Die Schwierigkeiten waren enorm: wenn die Goldenen Heiligen mit Intelligenz begabte und – vor allem – beseelte Wesen waren, sind sie dann erlösungsfähig? Erlösungsbedürftig?

Die Erlösung des Menschengeschlechtes ist, so hat der heilige Paulus herausgefunden, durch die Erbsünde notwendig geworden. Die Erbsünde geht auf Adam und Eva und – etwas salopp gesprochen – auf jene fatale Geschichte mit der verbotenen Frucht im Garten Eden zurück. Die Erb- oder Ur-Sünde haben Adam und Eva auf alle ihre Nachkommen, also auf das ganze sündige Menschengeschlecht vererbt. Erst der Kreuzestod Christi – sagt Paulus – hat es davon erlöst. Die Lehre von der realen, körperlichen Abstammung aller lebenden und je gelebt habenden Menschen von Adam und Eva nennt man den *Monogenismus*. (Die zwangsläufige Folge, daß mindestens die zweite Generation, nämlich Adams und Evas Kinder, um sich fortzupflanzen, Inzest begangen haben müssen, hat Dogmatikern oft schon Kopfzerbrechen bereitet. Eine befriedigende Lösung hat die Kirche dafür nicht gefunden, weswegen sie es vorzieht, darüber hinwegzuhuschen.) Zu-

rück zum Monogenismus: es ist klar, daß die Erbsünden-
und Erlösungslehre mit dem Festhalten am Monogenismus steht und fällt.

Die Goldenen Heiligen, davon ist zumindest auszugehen, stammen *nicht* von Adam und Eva ab. Sind sie ohne
Erbsünde? wirklich Goldene *Heilige?* Ein dogmatisch un-
schöner Gedanke. Ist Christus, unser Erlöser, für die Außerirdischen *nicht* gestorben? Ist Jesus nur der *irdische* Erlöser gewesen? Gibt es auch einen *außerirdischen* Erlöser?
Gibt es womöglich – Erzbischof Altmögen blieb ein Stöp-
sel im Hals für einen Augenblick stecken, er dachte nur
ganz, ganz leise weiter – gibt es womöglich einen außerirdischen... Gott?

»Als ob wir«, ächzte der Papst, als er einmal einer Sitzung der Kommission beiwohnte, bei der die – es ist leider
nicht anders zu sagen als: dürftigen – Lösungsvorschläge,
die bisher erarbeitet worden waren, zusammengefaßt wurden, »als ob wir mit den Geldsorgen, der Befreiungstheo-
logie und dem Priestermangel nicht schon genug zu kämpfen hätten. Jetzt auch noch das.«

»Vielleicht«, sagte ein junger Kanonikus, er hieß Julian
Stavinski und war Sekretär der Commission, »kommt das
davon, daß sich die Kirche seit Jahrhunderten um Fürspra-
che an die Heiligen gewandt hat.«

»Wie? Das verstehe ich nicht«, sagte der Papst unwirsch. »Sollen die Heiligen die Kirche verderben wollen?«

»Nein, natürlich nicht, verzeihen Sie, Euer Heiligkeit,
aber es ist so ein Gedanke, dem ich nicht wehren kann. Die
Heiligen wollen natürlich die Kirche nicht verderben, aber
vielleicht kränkt es Gott, daß wir uns fast nie an ihn *direkt*
wenden?«

»Tz, tz, tz...«, sagte der Papst.

»Manchmal kommt es mir vor«, sagte der Kanonikus,
»als behandelten wir Gott wie einen Oberinspektor, dessen Hausmeister wir ein Trinkgeld geben, damit er um gut
Wetter bittet.«

»Sie sind der reinste Häretiker«, fauchte der Papst, »und Sie wollen ›Pole‹ sein?«

Eine Lösung wurde, wie gesagt, nicht gefunden. Es breitete sich in der Curie zusehends die Meinung aus, daß man warten müsse, was die Goldenen Heiligen selber zu der Frage äußern würden. (Daß sie auch zum dritten Mal zurückkehren würden, bezweifelte niemand mehr.) Die Hoffnung, daß sie katholisch seien, hegten nur ganz wenige Mitglieder der Kommission.

Nach Paderborn kehrte Erzbischof Altmögen nicht mehr zurück. Er bat, daß seine Wohnung dort aufgelöst würde. Die mit der Schnur zusammengebundenen Kochtöpfe, die leicht nach Salmiak rochen, bräuchten, schrieb er, nicht nach Rom nachgesandt zu werden.

Auch in Jessicas Leben waren die Jahre, die nach der zweiten Landung der Goldenen Heiligen vergangen waren, nicht ohne Spuren geblieben. Die beiden Zahnbürsten vertrockneten. Warum Jessica sie nicht wegwarf, war ihr selber nicht ganz klar. Vielleicht gehörte ihr Anblick zum Lehrplan der »Akademie des Leidens«, in der sie zeit ihres Daseins – wie sie meinte – eingeschrieben blieb.

Karli Schwörer war eines Tages – nicht entschlafen, wie man hätte meinen können, sondern entschwunden. Er verliebte sich so heftig, wie es sein Naturell nur zuließ, in eine etwas vogelartige Klarinettistin, deren Grießpuddings legendären Ruf genossen. Wie alle Leute, die gerne lang schlafen, neigte auch Karli Schwörer zu Süßspeisen. Eine *Schwarzwälder Kirsch* oder eben ein Grießpudding, vielleicht mit Schokoladenüberzug und Erdbeeren sowie Schlagrahm, waren die einzigen Dinge auf der Welt, die ihn für längere Zeit wirklich wachhalten konnten. Karli Schwörer *verfiel*, wie man so sagt, der Klarinettistin, machte auch keine Anstrengungen, seinen Zustand vor Jessica zu verbergen. Jessica litt und ließ sich ihre Haare in tausend kleine Locken legen, die sperrig von ihrem Kopf abstanden. Sonst ließ sie sich nichts anmerken, selbst dann nicht, als Karli Schwörer mitleidheischend gestand, daß bei der Klarinettistin ein gewisser Hubert am Grießpudding partizipiere.

Jessica sagte in diesem Punkt kategorisch: das sei ihr zuviel. Sie sei zwar bereit, Karli mit einer vogelähnlichen Klarinettistin, aber sie sei nicht bereit, ihn indirekt mit einem gewissen Hubert zu teilen, den sie nicht kenne und von dem sie nicht wisse, wo er sich sonst noch herumtreibe. »Karli«, sagte sie, »entscheide dich!«

Karli wand sich, es entrang sich ihm: »Welche Entscheidung ich auch treffe, es ist die falsche.« Er legte sich nochmals für ein Stündchen aufs Sofa und verschwand dann aus Jessicas Leben.

Als der gewisse Michael das erfuhr, wurde er unruhig. Obwohl Jessica nie etwas vom Heiraten, nicht einmal etwas vom gemeinsamen Wohnen und Zusammenziehen gesagt hatte, fürchtete er offenbar die nunmehr exponierte Stellung in der Seele Jessicas, und er legte unverkennbare Absetzbewegungen an den Tag. Jessica tat nach einigen Monaten nicht mehr viel, um ihn zu halten. Ein Jahr nach Karli war auch der gewisse Michael entschwunden, und Jessica bezog wieder ganztags ihre »Akademie des Leidens«. Sie war um diese Zeit bei einem Arzt, der seine Patienten mit Bambus behandelte. Sie mußten sich auf einen Teppich aus Bambusstöcken legen und hin und her rollen. Dr. Blaasi hieß der Arzt. Die Öl-Kur, hatte Dr. Blaasi ganz am Anfang gesagt, sei das pure Gift für Jessica gewesen. Es werde Jahre, wenn nicht Jahrzehnte an Bambusrollungen erfordern, um alle Ölstrahlungen, die durch diesen Mißbrauch in Jessicas Körper aufgestaut worden seien, wieder auszulaugen. So lebte also Jessica, sich ihrem vierzigsten Lebensjahr nähernd, allein in dem kleinen Haus in Obermenzing, rollte auf dem Bambus hin und her und ging im übrigen wie eh und je zwei Tage in der Woche ins Geschäft. Menelik, ihr Neffe, war im Herbst 1997 in die Schule gekommen. In seinen ersten großen Ferien, im Sommer 1998, fuhr Tante Jessica mit ihm in die Türkei in ein Hotel an einer Mittelmeerbucht. Dort erzählte sie ihm, wie sie damals nach Paderborn und Schwaney gefahren sei und beinahe die Goldenen Heiligen gesehen, den blauen, gläsernen Vierpaß gefunden und seinen – sie schluckte etwas – Vater kennengelernt habe. Menelik interessierte sich mehr für das reichhaltige Computerspiel-Angebot in der Hotelhalle.

Als Jessica nach diesen Ferien heimkehrte, Menelik bei der Großmutter ablieferte (Cornelia und Eugen waren auf einem Esoteriker-Kongreß in Valparaiso) und dann ihr leicht nach abgestandener Luft riechendes Häuschen in Obermenzing aufsperrte, überkam sie Wehmut. Sie hatte, woher das kam, hätte sie nicht sagen können, das Gefühl: wenn sie malen könnte, ein Bild malen, ginge es ihr besser. Sie konnte aber nicht malen. Also ging sie ins Bad, um sich auszuziehen und sich dann auf die Bambusstäbe zu legen und zu rollen.

Im Bad fiel ihr Blick auf die beiden trockenen Zahnbürsten *Michael* und *Karli*. Die beiden Zahnbürsten lehnten in zwei Zahnputzbechern und wandten sich, wie nicht anders zu erwarten, den Rücken zu. Früher war, wie man sich vielleicht erinnert, die Michael-Zahnbürste im Kästchen versperrt gewesen, die Karli-Zahnbürste im Bad gestanden. Nach der Wende in Jessicas Seele hatten die Zahnbürsten den Platz gewechselt, und nach jenem denkwürdigen Familientreffen, bei dem Gorbi endgültig in Menelik umbenannt worden war, war man übereingekommen, »- wir sind schließlich erwachsene Leute –«, daß beide Zahnbürsten im Bad bleiben sollten, allerdings in getrennten Zahnputzbechern.

Jessica überlegte kurz, ob sie jetzt nicht endlich die Zahnbürsten wegwerfen sollte, konnte sich dann doch nicht entschließen, beschloß aber, sie nun beide ins Kästchen zu sperren.

Sie nahm die Bürsten, sperrte das Kästchen auf und erstarrte.

»Muh…!« kam es aus dem Kästchen – nicht laut, aber deutlich. »Muuhh –«, der langgezogene Laut, den eine Kuh von sich gibt.

Um diese Zeit, es war September 1999, der letzte September des Jahrtausends (was aber bekanntlich falsch ist, denn auch der September 2000 gehört nach strengen kalendarischen Gesichtspunkten zum zwanzigsten Jahrhundert und zum zweiten Jahrtausend), da tauchte ein neuer Mann in Jessica Hichters Leben auf. Er war Lehrer an einem Gymnasium und gab katholische Religion, Sozialkunde und Turnen. Er hieß Dr. Andreas Vorbesser-Maitingen und war knapp zwei Meter groß und ebenso dick. Er war bei den Schülern schon deshalb beliebt, weil ihm jeder Überblick fehlte. Er verwechselte Schüler, Klassen, Stundenpläne, gelegentlich sogar die Schule. Es kam vor, daß er in einer Klasse gemütvoll über die katholische Soziallehre sich zu verbreiten begann, als der Physiklehrer hereinkam, der sich, sagen wir, im abgetrennten Raucher-Lehrer-Zimmer etwas verspätet hatte und erstaunt sagte: »Herr Dr. Vorbesser? Aber die Klasse hat doch jetzt Physik?!« Worauf Vorbesser gutmütig brummend seine Sachen wieder zusammenpackte und ins Sekretariat stampfte, um sich vorsichtig zu erkundigen, wo er Unterricht zu halten habe. Inzwischen war natürlich eine Viertelstunde vergangen, und die Schüler in Vorbessers eigentlicher Klasse hatten das längst spitzgekriegt und sich im Pausenkeller in Sicherheit gebracht: »Ach? Wir haben gemeint, die Stunde fällt aus, weil Herr Dr. Vorbesser so lange nicht gekommen ist.«

Übrigens war Vorbesser auch im Sekretariat stark beliebt, weil er regelmäßig Pralinenschachteln, Eierlikörflaschen und Blumen verteilte.

Größere Schwierigkeiten hatte Vorbesser dennoch nicht, denn er gab der Einfachheit halber allen Schülern immer nur *Einser* und war bei Abstimmungen in Konferenzen immer dafür. Sein Lieblingswort war »gespenstisch« – (»Heute ist mir ein gespenstischer Irrtum passiert, bin ich doch in die S2 eingestiegen, die gar nicht nach Pasing fährt. In Allach habe ich es gemerkt. Bin sofort ausgestiegen, Taxi gesucht – aber in ganz Allach gibt es kein

Taxi: gespenstische Gegend.«) – Gekleidet war er in gewaltige Blue Jeans, deren enormer Bund von edelweiß-bestickten Hosenträgern gehalten wurde. Auch hatte er eine Vorliebe für rosarote Hemden. Ein Sakko trug er nie, statt dessen eine viel zu enge Wollweste mit ausgerissenen Knöpfen. »Drausgewachsen, gespenstisch«, sagte er, wenn Kollegen süffisant auf dieses Kleidungsstück zu sprechen kamen.

Trotz aller äußerlichen Fröhlichkeit litt aber auch Dr. Andreas Vorbesser-Maitingen.

Er betrat an einem regnerischen Nachmittag das Ladenlokal der Firma *Wotan-Design* und sagte:

»Ich weiß nicht, ob ich den Hut abnehmen kann, weil er nämlich gespenstisch voll Wasser ist, und dann ergießt sich alles auf ihre Möbel.« Das war – Jessica betrachtete es später als schicksalhaft – an einem Dienstag, und die Angeredete war natürlich niemand anderes als Jessica.

»Geben Sie mir den Hut vorsichtig«, sagte Jessica. Sie trug ihn dann wie eine volle Schüssel hinaus zum Waschbecken. Inzwischen schaute sich Dr. Andreas Vorbesser-Maitingen im Laden um. Er suchte eine Lampe für seinen Schreibtisch. »Für meinen privaten. Ich bin nämlich Lehrer. In der Schule, da haben wir ja keinen Schreibtisch. Nur die Pulte in den Klassenzimmern.«

Es schwebte ihm eine Lampe vor, die groß, aber gleichzeitig klein, schwarz lackiert, aber nicht dunkel, zart, aber doch stabil, hoch, aber doch eher niedrig wäre.

»Es ist immer angenehm«, sagte Jessica und gab Vorbesser den geleerten Hut zurück, »einen Kunden zu haben, der seine eigene Meinung hat.« »So?« sagte Vorbesser, öffnete seinen gewaltigen Mantel, nahm aus der Innentasche eine Blechdose und aus dieser einige violette Pastillen, die er innen an der Handfläche verrieb.

»Das ist aber interessant«, sagte Jessica.

»Ja«, sagte Vorbesser, »es stabilisiert den Blutdruck. Ich mache das jetzt seit vier Monaten. Wenn die Pastillen gut verrieben sind, muß man die Handflächen zehn Minuten gegen eine Steckdose halten. Mir hat es geholfen. Wollen Sie probieren?«

»Ich weiß nicht«, sagte Jessica, »ich mache gerade eine Bambusstab-Rollkur, und ob sich das nicht womöglich schlecht verträgt miteinander?«

»Bambusstab-Rollkur?«

»Nach Dr. Blaasi.«

»Interessant. Essen Sie die Bambus-Rollen?«

»Es ist nichts zum Essen. *Ich* rolle auf Bambus.«

»Machen Sie es mir grad einmal vor?«

Jessica kicherte. »Das geht *hier* nicht.«

Für Dr. Vorbesser mußte eine mehr als doppelt so große Bambus-Matte angeschafft werden. Sie rollten gemeinsam. Gesundheit kennt keine Scham. Es ergab sich aber dann doch, wozu Jessica allerdings rasch von der Bambusstab-Matte zum Sofa überwechselte. Danach duschte Vorbesser. Er mußte in der Wanne duschen, weil er durch die Öffnung der Duschkabine nicht hindurchkam.

»Hast du eine Zahnbürste für mich?« fragte Vorbesser, »ich darf wohl jetzt *du* sagen?«

»Eine Zahnbürste. Hm«, sagte Jessica. »Wenn du nicht sehr heikel bist... sie ist ewig lange nicht gebraucht worden. Vielleicht kann man sie mit Grappa desinfizieren. Es müßte noch ein Rest da sein.«

Jessica ging zum Schränkchen, Vorbesser trat hinter sie. Jessica öffnete das Schränkchen (sie brauchte keinen Schlüssel, es war nie mehr versperrt), sie wollte hineinlangen –

»Muuhh –«

»Gespenstisch«, sagte Vorbesser.

Nachdem sich Vorbesser die Zähne geputzt und sich wieder angekleidet hatte, ging er der Sache auf den Grund. Ein Mensch, der so oft »gespenstisch« sagt, glaubt nicht an Gespenster. (Mit dem Wort »Gott« ist es ähnlich.) Er öffnete das Schränkchen nochmals, diesmal sozusagen wissenschaftlich-langsam.

Zunächst passierte nichts. Vorbesser schloß die Tür; öffnete sie wieder: »Muuhh –«

»Muuhh«, wiederholte Vorbesser und sagte: »Aber da ist noch etwas. Hören Sie! Beziehungsweise: horch!«

»Ja«, sagte Jessica, die auf einem Bein daneben stand. »Leise.«

Sie hielten den Atem an.

»Es ist so, als ob ganz im Hintergrund noch ein Hund bellte.«

»Mehrere Hunde«, sagte Jessica, rollte das andere Bein der Strumpfhose herauf und stand jetzt auf zwei Beinen.

»Jetzt –!« sagte Vorbesser... die Kuh verstummte. Das Bellen war nun deutlicher zu hören. »Und eine Ziege mekkert.«

Plötzlich verstummte alles. Vorbesser drehte den Kopf und schob sein linkes Ohr in das Kästchen. »Nichts mehr«, sagte er. Jessica spannte einen an sich überflüssigen Büstenhalter über ihren knochigen Oberkörper.

Vorbesser schloß das Kästchen, öffnete es wieder. Jetzt drang ein lautes Zwitschern heraus.

»Das da –«, sagte Jessica und nahm die Vierpässe in die Hand.

»Tatsächlich«, sagte Vorbesser, »das kommt da heraus.«

»Die Lausbeine bewegen sich, obwohl sie eingegossen sind! Die Dinger habe ich seit Jahren hier, aber das ist mir noch nie aufgefallen.«

Es zwitscherte weiter.

»Das sind Kanarienvögel oder so etwas«, sagte Vorbesser.

»Es könnten –«, Jessica ging ein Licht auf, »Wellensittiche sein.«

Es waren Wellensittiche. Wenn statt Herrn Dr. Andreas Vorbesser-Maitingen die Witwe Krtkova aus Vyskov in Jessicas Wohnung gewesen wäre, hätte sie – unter Tränen, ohne Zweifel – die Stimmen Bořivoys, Dalibors und Simsons erkannt.

15

Im Oktober 1999 landeten (im Abstand von weniger als einer Stunde) drei Raumschiffe mit Goldenen Heiligen: eins bei Heilbronn, eins im Engadin auf der Straße zum Albulapaß und eins im Salzburgischen Bezirk Lungau in einem freien Feld seitlich der Straße von Tamsweg nach Lessach am Fuße der Schladminger Tauern.

Um es gleich vorwegzuschicken: Jessica machte sich – zweimal allein, einmal in Begleitung Vorbessers – nach dem Abflug der Goldenen Heiligen (sie blieben vier Tage) auf den Weg zu den Landungsplätzen, fand zu ihrem Erstaunen aber keinen Vierpaß, weder im Lungau noch im Engadin noch in Heilbronn.

Die Goldenen Heiligen vom Engadin und von Heilbronn nahmen diesmal nichts mit; anders die Goldenen Heiligen, die bei Tamsweg gelandet waren.

Cornelia Hichter, Welt-Präsidentin der Vereinten Esoterischen Gesellschaften, und Eugen Nostradamus-Hichter-Zwo (seit einiger Zeit Honorar-Professor der Universität Montevideo und Dr. h. c. von Tananarivo) hielten sich zu dieser Zeit in Salzburg auf, wo ein Kongreß der Fraternitas Saturni stattfand. Frau Professor Hichter stand am Rednerpult des Großen Hörsaals der Universität und referierte über jenes berühmte Experiment nach dem Abramelin-Ritual, das – nachdem Crowley in den zwanziger Jahren damit gescheitert war – der Erbe von Crowleys Original-Stele, nämlich Frater Finis Transcendam (d. i. Dr. C. H. Petersen), in Bundestorf bei Hamburg 1957 wagte. Frater Finis Transcendam, auch Fra Kalikananda genannt, wurde von seiner Frau, Sorella Kama-Rumpa, unterstützt. »Sie wußten aus Crowleys Erfahrungen, daß mit der Entfesselung ungeheurer Naturgewalten zu rechnen war. Wir kennen Crowleys Bericht. Crowley hatte für das Experiment die Einsamkeit eines schottischen Landsitzes Boleskine am Loch Ness... ja: genau am Loch Ness gewählt. *Welche* Naturgewalten auf Crowley einstürmten, nachdem er etwa den halben Weg des Experimentes zurückgelegt hatte, hat er verständlicherweise in seinem Bericht nur angedeutet oder verschlüsselt wiedergegeben. Jedenfalls brach Crowley die Beschwörung ab und nahm sie nie wieder auf. Dr. Petersen in Bundestorf und seine Frau schritten 1957 über den Punkt, den Crowley erreicht haben mußte, hinaus. Sie glaubten sich gegen die Naturgewalten seelisch gewappnet. Frater Finis Transcendam ergriff die Original-Stele Crowleys, Sorella Kama-Rumpa hielt sich an der Couch-Lehne fest... da explodierte mit gewaltigem Getöse die elektrische Fruchtpresse in der Küche...«

Und da wurde die Tür aufgerissen. Ein junges Mädchen – die Tochter eines der Hochgrade der Fraternitas Saturni, wie sich später herausstellte – schrie: »Sie sind wieder da! In Tamsweg!«

Ein Tumult entstand. »Wo? Was? Wie? Wer?« schrie es durcheinander. »Wo ist Tamsweg?« pfiff Cornelia – akustisch im Vorteil, weil sie am Mikrophon stand.

Ein Salzburger Saturn-Bruder beugte sich zu Cornelia: »Eine halbe Stunde mit dem Auto.«

So blieb die – ohnedies chaotisch aufgelöste – Zuhörerschaft im unklaren darüber, was mit dem das Abramelin-Ritual anwendenden Ehepaar Petersen passierte, nachdem die elektrische Fruchtpresse in die Luft gegangen war, und Cornelia und Eugen hetzten zu ihrem Auto, das in der Neutor-Tiefgarage stand, und starteten unverzüglich in Richtung Tamsweg.

»Diesmal sind wir vor den anderen da«, keuchte Cornelia.

»Wenn uns die Polizei nicht wegen Übertretung der zulässigen Geschwindigkeit verhaftet«, sagte Eugen.

»*Wird* sie uns verhaften?«

»Ja – nein... wenn du weiter so schnell fährst...?«

»Du bist nie Hellseher gewesen«, fauchte Cornelia.

Trotz Cornelias rascher Fahrt – sie wurde nicht verhaftet, verfuhr sich im unbekannten Lungau allerdings ein paarmal – waren sie und Nostradamus-Zwo zwar vor dem

Gros der Reporter, Fernsehteams und gewöhnlichen Neugierigen in Tamsweg, nicht aber, bevor das österreichische Bundesheer das Areal abgesperrt hatte.

Cornelia giftete sich. »Aber ich komme doch hinein«, sagte sie. Es war inzwischen Nacht geworden. Mit Mühe und Not bekam man noch ein Quartier in einem schlechten Gasthof. Cornelia versuchte ziemlich ungeschickt einen Offizier zu bestechen und blitzte ab. Ihr Ärger steigerte sich. Nostradamus-Zwo war seit jener Bemerkung, die wieder einmal seine hellseherischen Fähigkeiten in Zweifel zog, beleidigt und redete nichts mehr.

»Ich finde es außerordentlich anregend, wenn du dasitzt und mich anschweigst«, zwitscherte Cornelia, als die beiden nach einem mäßigen Abendessen noch in der Gaststube saßen.

»Alles, was ich dir sagen könnte, habe ich gesagt«, sagte Eugen und setzte ein Lächeln auf, das er für dämonisch hielt.

»Dann kannst du allein sitzen bleiben«, bellte Cornelia, stand auf und ging ins Zimmer.

Am Nebentisch saß ein alter Mann mit rundem Kopf und schwitzte.

»Ja, ja«, sagte der Alte und nickte zu Eugen herüber.

»Prost!« sagte Eugen.

So kamen sie ins Gespräch. Bewies Eugen doch wieder einmal hellseherische Fähigkeiten oder wenigstens solche, die dem ziemlich nahe kamen? Oder war es nur Zufall? Der Alte war Holzarbeiter gewesen und saß jeden Abend hier allein an dem Tisch, seit ihm seine drei Partner, mit denen er Vierer-Schnapsen gespielt hatte, im Lauf von nur einem Jahr weggestorben waren.

Zunächst redeten sie, von ihrem jeweiligen Tisch weggebeugt, halb über den Rücken zum anderen hinüber, dann sagte der Alte – Ferdinand hieß er, der Familienname war nicht zu verstehen gewesen – »Ruck 'ummer!«, und Eugen setzte sich zu ihm. Er bestellte zwei große Obstler, einen für Ferdinand, einen für sich. Der gewöhnliche österreichische Obstler ist neben den Lawinenabgängen und dem Fahrstil der Lastwagenchauffeure das lebensgefährlichste Phänomen der Ostalpen. Dennoch trinken ihn die Österreicher auch selber, was nur aus dem selbstzerstörerischen Wesen dieser seltsamen Gebirgsmyrmidonen zu erklären ist, dem tieferen, schwarzen Haß auf sich selber, der sublimierte Auswüchse in solchen Erscheinungen wie den Schriften Karl Kraus' oder Thomas Bernhards – diesen Feuerwerken aus Dunkelheit –, in den Erkenntnissen Sigmund Freuds, in Perversitäten wie ›Dreimäderlhaus‹ und ›Josephine Mutzenbacher‹, in den verrenkten Selbstportraits Egon Schieles, in den Symphonien Gustav Mahlers und der Philosophie Ludwig Wittgensteins gezeitigt hat. Als Ferdinand den Schnaps zum Mund führte, bemerkte Eugen, daß der Waldarbeiter, wie nicht anders zu erwarten, nur drei Finger hatte.

»Jo, jo«, sagte Ferdinand, von Eugen darauf angesprochen, »de Motorsag'n.«

»Ein Feind der Technik?«

»Nein«, führte Ferdinand aus, bevor es Motorsägen gegeben habe, hätten sich die Waldarbeiter nicht ungern irrtümlich mit den Zappinen gegenseitig erschlagen. Jetzt fehlten nur Finger, selten ein Arm.

So kam Eugen ins Gespräch, das nicht so sehr durch Ferdinands schon leicht ins Steirische hinüberschillernden Dialekt, also eine Art Brutalsprache, dem Charakter des gewöhnlichen Obstlers vergleichbar, sondern durch die fehlenden Zähne Ferdinands erschwert wurde.

»Auch Motorsäge?« Eugen zeigte auf Ferdinands Zahnlücken.

»Naa-naa!« sagte Ferdinand, »'s Ranggel'n.« Das alpenländische Ringen. Ferdinand war eine Zierde des Tales in diesem Sport gewesen.

Eugen brachte das Gespräch auf die Goldenen Heiligen. Was Ferdinand davon halte? Seit er in Rente sei, sagte Ferdinand, fühle er sich nicht mehr verpflichtet, politische Meinung zu haben. Und solange sich keiner von diesen

Heiligen (»...vaun dö kaumischan Hailig'n...«) hier an seinen Stammplatz setze, sei ihm die ganze Angelegenheit gleichgültig.

Eugen bestellte zwei weitere große Obstler.

»Die sind ganz in der Nähe gelandet.«

»Jo, jo.«

»Kennen Sie das Waldstück?«

Ferdinand lachte dröhnend. »I? I den Wald net kennen?« Wie seine Westentasche kenne er ihn.

»Aber jetzt hermetisch abgeriegelt. Vom Militär.«

»Hermettisch! Hermettisch!« Ferdinand verschluckte sich fast vor Lachen an seinem Schnaps. »Den Ferdinand kann kein Mensch nicht hermetterisch abriegeln. *Vaun dem Wald net.*« In dem Waldstück sei die Säge gestanden, für die Ferdinand jahrelang gearbeitet habe.

Eugen bestellte die dritte Runde.

»Führst du mich hin? Soll dein Schaden nicht sein.«

»Jetzt no? In der Nacht?«

»Freilich in der Nacht.«

Eugen bestellte die vierte Runde.

»Gut«, sagte Ferdinand. »Hast gute Schuh' an?«

»Ich komm' überall durch«, sagte Eugen.

Eugen wollte eben sagen, daß er noch seine Frau wecken wolle, damit sie mitkomme, aber dann fiel ihm die kränkende Äußerung im Auto ein. Es war – wie man sich erinnert – nicht die erste dieser Art. *Jetzt*, kam es Eugen, jetzt werde er sich dafür rächen. Nicht Cornelia, sondern er, Eugen Nostradamus-Zwo, wird der erste bei den Goldenen Heiligen sein.

»Was is'? Kommst oder kommst nicht?« fragte Ferdinand unwirsch, der schon dastand und seinen Trenkerhut aufgesetzt hatte.

»Und wenn sie es mir *nie* verzeiht«, lachte Eugen.

»Was is?«

»Nix, nix«, sagte Eugen und schob Ferdinand zur Tür hinaus.

Sie fuhren in Eugens Auto bis zu einer Stelle knapp vor

den militärischen Absperrungen. Ferdinand gab die Stelle an. Dort stellten sie das Auto – es sollte erst Tage später gefunden werden – neben einer langen Reihe aufgeschichteten Rundholzes ab. Ferdinand führte Eugen durch einen moosigen Graben in ein Bachbett, das fast trocken war, dann einen steilen Weg aufwärts – ohne Taschenlampe im finstersten Wald – »der Kerl sieht wie ein Luchs«, dachte Eugen, dem zwar nun mulmig war, aber nichts übrigblieb, als blind hinter dem Schatten Ferdinands herzuklettern. Seitlich unten sahen sie dann die Wachtfeuer der Soldaten, und nachdem sie ein schräges Stück Wald, das mit großen Blöcken durchsetzt war, durchquert hatten, standen sie plötzlich... Nostradamus-Zwo atmete schwer, er atmete zweimal schwer: einmal von der Anstrengung des Aufstiegs, das andere Mal vor Aufregung. Sie standen auf einer Lichtung im Wald. Die Tannen ragten hoch und finster in die Bergluft. Noch höher aber ragte die fremdartige, grünlich-schuppige und schrauben- und gelenkstarrende Metallarchitektur eines ferngalaktischen Raumschiffes. Wie der Pfeiler einer gewaltigen Stahlkathedrale hatte sich ein Ausleger des Schiffes in den Waldboden gebohrt, dort, wo jetzt Nostradamus-Zwo auf die Lichtung kroch. Er hielt den Ausleger erst für einen Felsen, bis er das Licht sah. Dann zischte ein Strahl auf, und ein Ton kam von oben.

Ferdinand Promatscheck, verwitweter Rentner, vormals Waldarbeiter, 73 Jahre alt, wohnhaft in Tamsweg, Prügelgasse 16, unbescholtenen Leumunds, gab etwa vierzehn Tage später auf dem Gendarmerieposten eine längere Sachdarstellung zu Protokoll, die nicht wörtlich aufgenommen wurde, weil – wie der Postenkommandant vermerkte – »die extrem volkhafte Ausdrucksweise nebst Sprachfehler eine Protokollierung im Wortsinne untunlich erscheinen ließ.«

Promatscheck wurde im Wald irrend aufgefunden, nachdem der Wirt des Gasthofes »Zum Weißen Teufel« in Tamsweg »Abgängigkeitsanzeige« erstattet hatte. Der Wald, durch den der völlig verwilderte und auch verwirrt scheinende Promatschek irrte, war nicht jener Wald, in dem die Goldenen Heiligen gelandet waren, sondern ein großes Waldstück im hinteren Göriachtal am Fuß des Hochgolling. Promatschek mußte in der Zeit dazwischen also den über 2000 Meter hohen Gebirgsrücken zwischen Lessach- und Göriachtal überquert haben.

Hier das von der Gendarmerie aus dem Steirischen ins – wie sie zumindest annahm – Hochdeutsche übersetzte Protokoll:

»Pr. gab an, am Abend des betr. Tages in der hierorts notorischen Gastwirtschaft ›Zum Weißen Teufel‹ einen ihm bis dahin unbekannten Fremden resp. Touristen kennengelernt zu haben, welch letzterer ihm seiner Erinnerung nach drei, evtl. vier Obstler zur Verfügung gestellt habe.« (Vor der endgültigen Fixierung des Wortes »Obstler« finden sich in der Urschrift des Protokolls mehrere verworfene Formulierungsversuche: Obestler – Obsteler – ObstBrandw... – Obstbränntw...; auch scheint der Gendarm erst nach einigen Anläufen zu der Formulierung »zur Verfügung gestellt« gelangt zu sein; mehrere Vorformen, die dem Gendarm offenbar nicht amtlich genug erschienen, sind durchgestrichen: serviert – spendiert – eingeladen – geschenkt.) »Der Fremde, an dessen Vornamen Pr. sich als mit *Eugen* zu entsinnen glaubt, habe gebeten, zur Landungsstelle des ebenfalls hierorts notorischen Unbekannten Flugobjekts in die Gemarkung Lessach geführt zu werden, welches Pr. sehr leicht durchführen konnte, weil er als langjähriger Holz- bzw. Waldarbeiter besagtes Waldstück genau kenne und in der Lage befindlich sei, mehrfach genannten Eugen dortselbst hinzuführen unter Umgehung der behördl. bzw. milit. Absperrungsmaßnahmen. Besagter Fremder bzw. Eugen sei mit ihm, Pr., mit dem Auto in den Wald gefahren, soweit tunlich resp. infolge Absperrungen möglich, wonach den Weg in den Wald durch denselben zu Fuß fortgesetzt habend. Nach einem Fußweg von ca. 3/4 Stunde sei Pr. mit dem Touristen an dem Unbekannten Flugobjekt angelangt. Der

Fremde habe zu dem Flugobjekt aufgeschaut, aus welchem jedoch eine Art Schlauch wie ein großer Staubsauger herausgekommen sei und solcher rötlich geleuchtet habe. Auch erwähnter Eugen habe sogleich rötlich zu leuchten begonnen, habe die Augen aufgerissen, sei aber dann, die Gesäßseite –« (zunächst hatte der Gendarm: »Gesäßfläche« formuliert, das Wort, das Ferdinand gebrauchte, kann man sich leicht vorstellen) »– voraus in den Schlauch verschwunden. Es sei so schnell gegangen, daß der Fremde, wie sich Pr. ausdrückte, *nicht papp sagen konnte*. Er, Pr., sei durch einen Windstoß gleichzeitig seitlich ins Unterholz geschleudert worden, wobei er sich ein Knie aufgeschunden habe, was aber einem ehem. Waldarbeiter nichts ausmache. Im Fliegen bzw. Schleudern habe er eine 60 cm große Kerze dem hl. Leonhard gelobt, solches jedoch bis jetzt noch nicht durchgeführt, werde es allerdings demn. durchführen.

Vermerk: die von mir eigenhändig erfolgte Nachfrage beim Wirt ›Zum Weißen Teufel‹ erhärtete die Angaben besagten Pr. Vier Obstler. Der PKW des bislang nicht identifizierten Verschwundenen bzw. Touristen wurde in einem Forstweg Gem. Lessach, Forstweg A/16 bei km 1,2 gefunden und solcher sichergestellt.

Nach dem Diktat des Pr. gefertigt sowie die Richtigkeit bezeugend

gez. Schnürl Herbert
Gend. Posten-Komm.«

Nach Abfassung des Protokolls entließ Postenkommandant Schnürl Herbert den Ferdinand Promatschek (der sich wieder in die Gaststätte »Zum Weißen Teufel« begab), lehnte sich aufatmend zurück, betrachtete das Protokoll, legte es in einen Aktendeckel, seufzte und sagte dann zu dem ihm untergebenen Hilfsgendarm Schafgeist, Anton: »Und jetzt holst' mir drüben ein saures Lüngerl mit einem Knödel sowie ein kleines Bier.«

16

Cornelia Hichter fiel es selbstverständlich auf, als sie erwachte, daß Nostradamus-Zwo nicht da war, daß er, wie sie am unberührten anderen Bett erkennen konnte, auch gar nicht dagewesen war. Sie rekapitulierte den vergangenen Tag und konnte sich das Fehlen nur so erklären, daß ihr Nostradamus-Zwo aus Trotz und Trauer über die ihm zugefügte Kränkung versumpft war. Ein für den eher sparsamen Eugen gänzlich untypisches Verhalten.

Cornelia zog sich an und ging hinunter, um das, was dieser Gasthof unter Frühstück verstand, einzunehmen. Vorsichtige Erkundigungen beim Personal ergaben, daß »der Herr« zuletzt mit dem dreifingrigen Ferdinand gesehen worden war, hier in der Gaststube, gewöhnlichen österreichischen Obstschnaps trinkend.

»Und dann?« fragte Cornelia.

»Danach sind sie fort.«

»Miteinander?«

»Ja. Miteinander.«

Also doch versumpft, dachte Cornelia, vielleicht hat ihn dieser Ferdinand eingeladen.

Cornelia nahm den zweiten Schlüssel aus ihrer Handtasche und ging zum Auto, aber das Auto war nicht da.

Zorn und düstere Vermutung stiegen in Cornelia auf: handelte es sich womöglich nicht um Versumpfen, sondern um Sitzenlassen? In einem der unrespektabelsten Gasthäuser des Bundeslandes Salzburg in einer, wie sich der gewisse Michael auszudrücken pflegte, »der weitaus zweitverlassensten Gegend« der Republik Österreich? Und alles nur, weil sie – eher scherzhaft – Nostradamus' hellseherische Fähigkeiten in Zweifel gezogen hatte, in *leichten* Zweifel?

Cornelia versuchte sich in Nostradamus hineinzudenken, um dadurch herauszufinden, wohin er gefahren sein könnte, und während sie einen nach gebrannten Maikäfern schmeckenden Absud, den die Bedienung als Kaffee bezeichnete, trank, kam sie zu dem Schluß: »Zur Mutter.«

Eugens Mutter, Frau Rosa Hämmele, Witwe eines Textilingenieurs, lebte in Backnang und erkundigte sich in Abständen von einigen Wochen bei Oma Hichter, ob Eugen auch seinen Schal trage und den elektrischen Rauchverzehrer eingeschaltet habe, wenn Cornelia rauche. Cornelia gehörte zu den inzwischen schon seltenen Leuten, die noch rauchten.

Dreimal war Eugen bis jetzt zur Mutter nach Backnang gefahren, jedesmal war er alleine nach drei oder vier Tagen zurückgekehrt. Cornelia beschloß, auch diesmal nicht anzurufen, und genoß es, beleidigt zu sein. Sie ging in ihr Zimmer, packte ihre Sachen und stellte dabei – erst jetzt – fest, daß Eugen eigentlich sein ganzes Gepäck zurückgelassen hatte. Selbst sein elektrischer Rasierapparat lag auf der Ablage über dem Waschbecken.

– Na ja, sagte sich Cornelia, Muttilein wird für alle Fälle vorgesorgt haben. Klein-Eugen braucht nichts mitzubringen. Wenn er nur selber kommt.

Nach einigem Zögern packte Cornelia auch Eugens Hinterlassenschaft ein. (Sie nannte es so in Gedanken, wußte nicht, wie recht sie mit diesem Wortsinn hatte.) Dann stellte sie das Gepäck zusammen und ging hinunter.

»Machen Sie mir die Rechnung«, sagte Cornelia. »Wenn Sie das Zimmer aufräumen wollen, verwahren Sie bitte das Gepäck hier. Ich reise jedenfalls heute ab. Und ich brauche ein Taxi.«

Die unwirsche Wirtin brummte zustimmend, wies wegen des Taxis allerdings nur mit dem Kinn nach draußen.

Cornelia ging die Straße hinunter. Alles war voller Aufregung. Militärfahrzeuge fuhren durch die Straßen. Über der Stadt kreisten Hubschrauber. Unverkennbar füllte sich die Stadt mit Journalisten und Fernsehteams. Die Gastwirte wechselten die Speisekarten gegen neue mit höheren Preisen aus. Taxi war keins zu kriegen. Cornelia schimpfte innerlich, vor allem auf Eugen natürlich. Immerhin kam Cornelia bei ihrer Suche nach einem Taxi am

Bahnhof vorbei und konnte bei der Gelegenheit erfahren, wann nachmittags ein Zug abging. Sie stellte dabei fest, daß dieses Tamsweg wirklich am Ende der Welt lag. Sie schimpfte nicht mehr, sie fluchte. Um aus Tamsweg nach Salzburg zu kommen, mußte man über Graz – Triest – Kairo – Kapstadt... nein, nicht ganz, aber doch über Unzmarkt – St. Michael – Selzthal – Bischofshofen fahren und eine glückliche Hand für Anschlüsse haben.

Ein Journalist erkannte Frau Prof. Hichter. Er hielt ihr sofort ein Mikrophon vors Gesicht. Cornelia sagte: »Ich bin noch nicht informiert. Eben bin ich angekommen. Ich hatte noch nicht die Gelegenheit, mit den Goldenen Heiligen zu sprechen, aber ich zweifle nicht daran, daß sie diesmal ihre Botschaft verkünden werden. Ich bin auf dem Weg zum Landeplatz. Ich scheue nicht davor zurück, das große Wort in den Mund zu nehmen: diese dritte Landung der Goldenen Heiligen ist der Triumph der Erlösung.«

Der Journalist – er hieß Beutel – sagte: »Frau Professor Hichter, ich danke Ihnen für dieses Gespräch« und schaltete das Gerät ab. Dann fragte er: »Und wie kommen Sie zur Landungsstelle?«

»Ich weiß auch nicht«, sagte Cornelia kleinlaut, »es ist kein Taxi aufzutreiben.«

»Dürfen wir Ihnen unseren Wagen anbieten?« sagte er rasch, »wenn Sie unserer Anstalt das exklusive Recht einräumen, falls Sie mit denen sprechen?«

Und so fuhr Cornelia in dem Auto einer Rundfunkanstalt in das Lessachtal hinein, sprach aber mit keinem Goldenen Heiligen, nur mit ein paar sehr unfreundlichen Wachtposten und Offizieren des Bundesheeres, die sich vom Namen und Rang Cornelia Hichters unbeeindruckt zeigten.

Beinahe hätte dann auch noch der Journalist sie mitten im Wald sitzenlassen, nachdem der Transport Cornelias für ihn nichts gebracht hatte. Er ließ sich aber dann doch noch überreden, sie wieder nach Tamsweg hinauszubringen, wo sie grade noch den Zug – der im übrigen der letzte war – erwischte. Den Anschluß in Leoben allerdings verpaßte sie. Sie mußte dort in einem womöglich noch schlechteren Hotel als in Tamsweg übernachten und kam erst am übernächsten Tag, nach einer Österreichrundfahrt, nach Berg am Starnberger See zurück.

Am dritten Tag rief sie doch bei Mutti Hämmele in Backnang an. Eugen war, wie die sofort in tiefe Besorgnis einsinkende Dame schluchzte, nicht da. Erst als die – zum Teil entstellte, natürlich auch maßlos übertriebene und aufgemotzte – Meldung über des Lungauer Holzarbeiters Ferdinand Promatschek Abenteuer durch die Presse ging, dämmerte in Cornelia ein in doppelter Hinsicht schrecklicher Verdacht auf, der sich, als das zurückgelassene Auto identifiziert war, zur Gewißheit verdichtete: erstens, daß es Eugen Hämmele alias Nostradamus-Zwo war, der von den Goldenen Heiligen angesogen worden war, und zweitens, fast noch schrecklicher, daß Hämmele in heimtückischer Weise Cornelia Hichter zuvorgekommen war.

ZWEITER TEIL

I

Das Auftreten eines Ich-Erzählers erstaunt an dieser Stelle vielleicht, da bisher ein, wie man so sagt, allwissender Erzähler vom Fortgang der Geschichte berichtet hat.

Ich bin nicht allwissend. Was ich – Menelik Hichter – auf den vorangegangenen Seiten niedergeschrieben habe, weiß ich zum größten Teil nicht aus eigener Anschauung, sondern aus Erzählungen meiner Großmutter, meiner Mutter und meiner Tante Jessica, die mir auch – ich bitte um Verzeihung, wenn ich das gleich hier vorweg anführe, obwohl es vielleicht ganz unwichtig ist – hinterbracht hat, daß jener Eugen Hämmele, der sich Nostradamus-Zwo nannte und im Herbst 1999 von den Goldenen Heiligen aufgesogen worden ist, gar nicht mein leiblicher Vater war. (Weswegen ich den mir immer schon unschön erschienenen Adoptivnamen Hämmele abgelegt und den Namen, den ich bis zur Adoption getragen, wieder angenommen habe.)

Ich habe daher, da alles, was bisher geschrieben steht, aus zweiter Hand stammt, für die Erzählform die Sicht der dritten Person gewählt, aber was ich ferner hier erzählen werde, habe ich selber erlebt, und ich kann deswegen mit Fug und Recht zur ersten Person singularis übergehen.

Als mein angeblicher Vater verschwand, war ich, wie man sich ausrechnen kann, sieben Jahre alt und ging in die Volksschule in Berg am Starnberger See. Meine Mutter reiste nach dem Verschwinden jenes Hämmele fast noch hektischer in der Weltgeschichte umher als vorher und predigte. Meine Erziehung lag in den Händen meiner Großmutter, die allerdings nichts anderes tat, als mich heranwachsen zu lassen. In der Schule war ich unauffällig und durchschnittlich. An Geld fehlte es nicht, dank der glänzenden Honorare, die die Esoterik meiner Mutter einbrachte, aber die Zeiten wurden, wie man schon in den neunziger Jahren des vergangenen Jahrhunderts erwarten mußte, schlechter.

(Heute, wo ich das hier aufzeichne, schreiben wir, wenn ich richtig rechne, das Jahr 81. 2081, versteht sich. *Wir* ist nicht ganz richtig – aber davon später.)

Tante Jessica fuhr mit mir, das habe ich schon im vorigen Teil erwähnt, ab und zu in den Ferien in Urlaub. Aber auch sonst, meist am Wochenende, sofern sie nicht zu stark litt oder eine Kur machte, die möglicherweise für die Augen und Ohren eines Kindes ungeeignet war, besuchte ich sie in ihrem Haus in Obermenzing, übernachtete auch dort und durfte das Muhen, Bellen und Zwitschern hören, das aus dem Kästchen drang, in dem die drei glasblauen Vierpässe lagen.

Ich fuhr schon mit sieben, acht Jahren ganz allein mit der S-Bahn von Starnberg nach Obermenzing – wenige Jahre später hätte niemand mehr gewagt, das einem Kind zuzumuten. Es waren auch noch nicht so viele Flüchtlinge da, obwohl man Hamburg schon hatte räumen müssen. Man fing an, in der Lüneburger Heide – Naturschutz hin, Naturschutz her, sagte die Regierung, Not kennt kein Gebot –, etwas erhöht also, ein neues Hamburg aufzubauen. Dabei war damals eigentlich schon längst kein Geld mehr vorhanden, und selbst die optimistischeren Wissenschaftler errechneten, was ja dann auch eintraf, daß durch den Treibhauseffekt das Meer über kurz oder lang auch die Lüneburger Heide überschwemmen würde. Aber die Politiker, wie immer und welche Farbe sie auch haben, beschränkten sich darauf zu verkünden, daß alles nicht so schlimm werden würde. Noch 2002 hatte die CDU die Stirn, mit dem Slogan »Vertrauen in die Zukunft« in den Wahlkampf zu gehen. Die Schlaueren unter den Norddeutschen, nicht zuletzt die großen Geschäftsleute und die Politiker, die sonst nicht müde wurden, die ewigen Warner und Defaitisten zu beschimpfen, machten von den Ausweich- und Ersatzstädten in der Ebene keinen Gebrauch und zogen nach Bayern herauf.

Es muß kurz vor den Sommerferien 2003 gewesen sein, denn ich erinnere mich, daß Tante Jessica bei der Gelegenheit bemerkte, ich käme jetzt ins Gymnasium, im Juli 2003 also, an einem steppenheißen, fast wüstenheißen Tag, wie sie in jenen Jahren immer häufiger wurden, fuhr ich auch wieder einmal zu Tante Jessica nach Obermenzing.

Sie saß splitternackt im Garten. Ihr Freund, das war schon lange nicht mehr Dr. Andreas Vorbesser-Maitingen, sondern ein gewisser Ulrich, saß bei einem Bier, auch nackt, und legte Patience. »Es tut mir leid«, sagte Tante Jessica, »aber es ist so heiß, daß mir selbst der kleinste Bikini zu viel ist.« Sie war um diese Zeit gut vierzig und wenigstens etwas fülliger geworden.

Ich bekam ein Eis und vertiefte mich in ein Computerspiel. Ich glaube, es war das damals berühmte »Passage«. Gegen Abend, als es soweit abkühlte, daß Tante Jessica wenigstens ein kleines dreieckiges Höschen anziehen konnte, gingen wir ins Haus. »Passage« war mir langweilig geworden, und ich bat, die Tierstimmen aus dem Kästchen hören zu dürfen.

Tante Jessica sperrte das Kästchen auf. (Sie hielt es seit damals, als das Muhen entdeckt wurde, wieder verschlossen.) Es kam aber kein Muhen aus dem Kästchen, auch kein Bellen und kein Zwitschern.

»Funkstille«, sagte der gewisse Ulrich, der auch hereingekommen war, um sich ein neues Bier aus dem Kühlschrank zu holen.

Da sagte das Kästchen: »Eine Botschaft!«

Der gewisse Ulrich ließ die Bierflasche fallen, sie fiel aber zum Glück auf Tante Jessicas zusammengelegte Bügeldecke und zerbrach daher nicht. Tante Jessica tat einen kleinen Schrei, und ich hielt mein Eis fester.

»Eine Botschaft! Eine Botschaft!« sagte das Kästchen.

»Das ist Nostradamus-Zwo«, sagte Jessica.

»Wer ist Nostradamus-Zwo?« fragte der gewisse Ulrich.

»Mein Papa«, sagte ich.

»Seid still«, sagte Jessica. Sie ging zum Kästchen und machte es weiter auf. »Eugen?!«

»Ja?«

»Kannst du mich hören?«

»I kann di sogar säha.«

Tante Jessica raffte rasch ihr Bügeltuch und hielt es vor sich. »Wo bist du?« fragte Tante Jessica.

»Jetzt würde mich wirklich interessieren, wer der Kerl ist«, sagte der gewisse Ulrich böse.

»Sei still«, zischte Tante Jessica. »Wo bist du?« fragte sie ins Kästchen.

»Ich bin in Sicherheit«, sagte Nostradamus-Zwo. Sein schwäbischer Akzent war unverkennbar. Die Stimme war deutlich zu hören, allerdings sehr klein. »I bin versorgt. I han an Fehler g'macht.«

»Welchen Fehler?«

»Die Entscheidung für Cornelia.«

»Lassen wir die alten Sachen. Es gibt wahrscheinlich Wichtigeres, was du zu sagen hast.«

»Nein. Die Entscheidung war falsch. Ich hätte mich für dich entscheiden sollen, nicht für Cornelia.«

»Sehr schmeichelhaft.«

»Hast du was gehabt mit dem Kerl?« flüsterte Ulrich.

»Der schwätzt mir zuviel dazwischen«, sagte Nostradamus-Zwo aus dem Kästchen, »er soll hinausgehen.«

»Hörst du nicht?!« sagte Jessica zum gewissen Ulrich. Der brummte, nahm sein Bier und ging wieder in den Garten.

»Also?« fragte Jessica.

»Die Entscheidung war falsch. *Du* warst es.«

»Danke. Aber das ist jetzt wohl etwas zu spät.«

»Ich meine nicht mich –«, die Stimme Nostradamus'-Zwo klang immer mehr eintönig, »ich weiß nicht, wie ich es ausdrücken soll. Nicht für mich, sondern für die Nicht-Genug-Zu-Verehrenden warst *du* es.«

»Wer sind die Nicht-Genug-Zu-Verehrenden? Die Goldenen Heiligen?«

»So kann man auch sagen.«

»Ich wüßte gern«, sagte Jessica, »ob sie so denken wie wir? Du mußt es ja jetzt wissen.«

»*Du* warst ausgewählt. Du hast die drei blauen Glasgegenstände gefunden. *Dich* haben die Nicht-Genug-Zu-Verehrenden gesucht. Dreimal.«

»Ich verstehe. Und dreimal nicht ganz getroffen. Ich danke. Wenn ich an das verbrannte Dorf und an den Leutnant denke...«

Plötzlich war es aus. Das Kästchen schwieg. Tante Jessica und ich hielten den Atem an.

»Jetzt hast du es beleidigt«, flüsterte ich.

Es kam wieder. Zwei oder drei stumme Minuten waren vergangen.

»Sag so etwas nicht mehr«, sagte Nostradamus-Zwo.

»Entschuldigung«, sagte Tante Jessica.

»Du bist ausgewählt worden.«

»Das hast du jetzt schon dreimal gesagt. Aber gut. Warum gerade *ich*?«

»Es gibt keinen Grund. Einer hat ausgewählt werden müssen.«

»Und was ist die Botschaft?«

»Freundschaft«, sagte Nostradamus-Zwo.

»Aha«, sagte Tante Jessica, »und was noch?«

»Die Nicht-Genug-Zu-Verehrenden werden in allernächster Zeit wiederkommen. Sie sind Freunde des Wassermann-Zeitalters. Wenn nicht ein Unglück passieren soll: – einen Moment.« Man hörte Papier rascheln. Offenbar las Nostradamus-Zwo jetzt ab. »6 Grad, 9 Minuten östlicher Länge von Greenwich bis 6 Grad, 10 Minuten östlicher Länge von Greenwich, 53 Grad 1 Minute nördlicher Breite bis 53 Grad 2 Minuten nördlicher Breite. Hast du dir das aufgeschrieben?«

»Nein. Einen Augenblick. – Hol Bleistift und Papier!«
schrie sie mich an. Ich holte es.

»Kannst du es wiederholen?« fragte dann Tante Jessica.

Nostradamus-Zwo wiederholte die Angaben, und
Tante Jessica schrieb mit, die Bügeldecke immer noch vor
sich haltend. Ich nutzte die Gelegenheit, sie von hinten an-
zusehen. Da war das dreieckige Höschen kein Dreieck,
sondern nur Bändchen.

»Und was soll ich damit?« fragte Tante Jessica.

»Paß gut auf. Die Nicht-Genug-Zu-Verehrenden bean-
spruchen dieses Quadrat. Ab sofort. Wenn nicht ein Unglück geschehen soll, muß es geräumt werden. Niemand
darf es mehr betreten.«

»Wie bitte?«

»Ende«, sagte Nostradamus-Zwo, »ich hoffe, du hast
alles verstanden. Grüß den Menelik.«

Dann knackte es, dann knackte es nochmals, dann
krachte es, und dann stoben Funken, und die drei gläsernen Vierpässe zerstoben zu grauem Pulver, das greulichen
Gestank verbreitete, der sich aber nach einiger Zeit wieder
verzog.

Tante Jessica warf den Zettel auf den Tisch und sich aufs
Sofa.

»Das war Papa«, sagte ich, »du hättest fragen sollen, ob
er zurückkommt.«

»Ich kann nicht an alles denken.«

»Aber daran hättest du denken sollen«, quengelte ich.

»Er ist überhaupt nicht dein Vater«, sagte sie mit ihrer
unfreundlichsten Stimme, »das habe ich dir schon lang sagen wollen.«

Ich dachte nach.

»Aber –«, sagte ich dann, »meine Mutter ist schon meine
Mutter?«

»Logisch«, sagte Tante Jessica.

2

Das Unglück passierte dann doch, weil trotz des Wassermann-Zeitalters niemand Tante Jessica glaubte. Es war
vielleicht auch ein Fehler von den Goldenen Heiligen, daß
sie die gläsernen Vierpässe in Staub aufgehen ließen. Jessica konnte keine Beweise zeigen.

Meine Mutter begann nun öffentlich in ihren Predigten
gegen Tante Jessica zu wettern, verkündete, daß sie, Jessica, nur neidisch sei, daß sie sich wichtig machen wolle
und daß von gläsernen blauen Vierpässen gar keine Rede
sein könne; die habe es nie gegeben.

Ich stand dazwischen, wie man sich denken kann. Tante
Jessica benannte mich als Zeugen, meine Mutter drohte
mir mit Schlägen, wenn ich »nicht die Wahrheit sagen
würde«. Ich zog also den Kopf ein und sagte immer nur:
ich wisse gar nichts. Der gewisse Ulrich wurde von Jessica
auch als Zeuge benannt, aber der maulte, daß er ja hinaus-
geschickt worden sei. Die »Botschaft« habe er nicht gehört, und was er vorher gehört habe, könne vielleicht ein
verstecktes, ganz kleines Transistor-Radio gewesen sein.

Aber ich muß der Reihe nach erzählen. Am Tag nach der
Botschaft ging Tante Jessica mit dem Zettel, auf dem sie
aufgeschrieben hatte, was Nostradamus-Zwo durchgegeben hatte, zu ihrem Chef. Der Chef, der Tante Jessica für
ein verrücktes Huhn hielt, wofür er seine Gründe gehabt
haben dürfte, sagte, ihn ginge das gar nichts an, Jessica
solle zur Polizei gehen.

Bei der Polizei, die damals längst schon ganz andere Sorgen hatte, drehte ein Beamter den Zettel hin und her und
sagte dann: bevor nicht etwas passiert sei, sei die Polizei
nicht zuständig.

»Wer ist dann zuständig?«

»Weiß ich«, sagte der Polizist, »vielleicht das Umweltministerium.«

Beim Umweltministerium drang Tante Jessica nicht
weiter als bis zu einem Oberregierungsrat vor, der er-

klärte, daß man sich jetzt, wo der Meeresspiegel ständig ansteige und die neuen Probleme mit dem Trinkwasser aufgetaucht seien, in seinem Haus mit anderen Dingen beschäftigen müsse. »Es ist eine außerirdische Botschaft«, grinste der Oberregierungsrat, »vielleicht interessiert es das erzbischöfliche Ordinariat.«

Dort ging Jessica aber nicht hin, sondern zur ›Abendzeitung‹. Die druckte tatsächlich unter allen Horrornachrichten, die sich zusehends häuften, auch die »Botschaft« ab. Das wirkte, weil die Leute, die in dem von den Goldenen Heiligen reklamierten Gebiete lebten – Sauerlach lag dort, auch Orte, längst vergessen, die Arget, Endlhausen, Oberbiberg hießen –, die ›Abendzeitung‹ lasen und einige unruhig wurden. Der Bürgermeister von Sauerlach – in seiner Freizeit beschäftigte er sich mit *Channeling*, was immer das war, mit *New-Age*, hatte einen *Bio-Resonator*, und sein *Geistführer* hieß *Asko* – machte ein großes Geschrei und einen dort ansässigen Landtagsabgeordneten rebellisch, und so konnte bald das Innenministerium nicht umhin, die Angelegenheit zu untersuchen. Ich wurde wiederum als Zeuge vernommen, zeigte mich aber, wie erwähnt, verstockt. (Später machte ich mir Vorwürfe deswegen, heute nicht mehr.)

Da aber, wie erwähnt, meine Mutter nun in offener Feindschaft gegen Tante Jessica geiferte und die – wie sie zu formulieren nicht müde wurde – »frech gefälschte« Botschaft madig machte, und da sie, die Professorin und anerkannte Esoteristin, das größere Ansehen hatte, schwankte die öffentliche Meinung. Es gab Zeitungen, die vertraten die eine, es gab welche, die vertraten die andere Ansicht. In Fernsehdiskussionen überwog die optimistische Meinung.

In Bonn gab es, wie immer, eine Regierungsumfrage, und es geschah nichts.

Oma Hichter, die das einzige noch funktionierende Verbindungsglied zwischen den Schwestern blieb, berichtete einmal – »...aber daß ihr das ja nicht Cornelia weitererzählt...« – von dem Verdacht Cornelias: daß Nostradamus-Zwo gar nicht von den Goldenen Heiligen aufgesogen worden sei, sondern »schlichtweg verduftet«, »vermutlich wegen einer jungen Schickse«. Möglicherweise – so Cornelia – habe Jessica den ganzen Schwindel überhaupt nur erfunden. Vielleicht bräuchte man nur Jessica nachzuspionieren, und man fände einen Eugen Hämmele irgendwo in einem Liebesnest. Womöglich jetzt bis zur Unkenntlichkeit blond gefärbt.

Als am Freitag, den 2. Januar, einem warmen Vorfrühlingstag, achtundachtzig Raumschiffe mit Goldenen Heiligen an Bord in dem bezeichneten Planquadrat landeten, wurden Häuser, Wälder, Zäune, Mensch und Vieh wie von einem großen Brenneisen flachgedrückt. In der Mitte des Quadrates hatte keine Maus eine Chance zu entkommen, nur ganz gegen den Rand hin gelang dem einen oder anderen die Flucht.

Die Goldenen Heiligen richteten eine Wand aus glitzerndem Licht auf, höher als der höchste Kirchturm, und sie konnten jetzt deutsch – oder besser gesagt: schwäbisch sprechen.

Nostradamus-Zwo kam nicht mehr wieder.

3

Ich übergehe im Folgenden, sofern die Schilderung für die allgemeinen Ereignisse nicht notwendig ist, die privaten Seelenturbulenzen, die in der Familie ausbrachen, sei es zwischen den einzelnen Mitgliedern oder in ihnen selber. Ich schweige also von den Erregungen, die mich schüttelten, als ich erfuhr, daß Nostradamus-Zwo nicht mein Vater war, und als zwischen meiner Mutter und meiner Tante ein offener politischer Streit ausbrach. Die Erschütterungen, die meine Seele durch jene Nachricht erlitt, waren, soviel sei eingeflochten, nicht nur bedrückender Natur.

Mein Hauptgedanke war, wenn ich mich recht erinnere: wie ich herausbekommen könne, wer mein wirklicher Vater sei. Jemand, der klar weiß (oder zu wissen glaubt, man kann nicht vorsichtig genug sein), wer sein Vater ist, kann nicht ermessen, wie unendlich bewegend diese Frage für einen ist, der seinen Vater nicht kennt.

Auch meine Mutter, so scheint es, hat nur begrenzte Trauer über den – wie soll man sagen: Tod? wer wußte, ob er tot war, über den Abgang? die Verflüchtigung? – ihres Eugen an den Tag gelegt. Am Tag der Landung der Goldenen Heiligen auf dem unglücklichen Planquadrat 6°9′-10′ ö. L./53°1′-2′ n. Br. jubelte sie, verteidigte das Desaster, das die »Nicht-Genug-Zu-Verehrenden« angerichtet hatten, als bloße, verzeihliche Ungeschicklichkeit und schrie: »Endlich sind sie gekommen.«

Ihre Predigten in den vergangenen Jahren waren nicht umsonst gewesen. Es formierte sich ein Zug von gewaltigen Ausmaßen. Auch ich mußte mitmarschieren. Gelbgekleidete Buddhisten, Kahlgeschorene, bloßfüßige Blumenkinder, selbstbestrickte Naturjünger, Esoteriker und Mystagogen trugen Transparente mit Aufschriften wie »Willkommen Ihr Goldenen Heiligen!«, »Freundschaft! Liebe! Weltall!« oder das unvermeidliche »Mystik macht uns frei!« Sie bekränzten sich, jauchzten zu Handtrommeln, pfiffen auf Blockflöten und wanden Girlanden. Es waren Zehntausende. Weder die Polizei, die in jenen Jahren schon ziemlich hilflos war, noch die schwarzen Herren, die allgemein »die Barone« genannt wurden und längst die Stadt und das Land beherrschten, noch der Oberbonze von München konnten dagegen etwas ausrichten. Die Bewegung war zu gewaltig. Meine Mutter schritt an der Spitze. Mich nahm ein Assistent meiner Mutter an die Hand. Ich meinerseits nahm den Sohn des Assistenten an die Hand, der wiederum einen Teddybären in der Hand hielt.

Ich weiß, daß es nicht wichtig ist, und ich weiß, daß ich damit gegen meinen eben gefaßten Vorsatz handle, nur notwendig zu erzählende private Umstände mitzuteilen, denn ich erwähne, daß ich mich seltsamerweise daran erinnere: der Assistent hieß *Millbeck*, sein Sohn *Christopher* und der Teddybär *Glubschi*.

Der Blumenheerwurm zog vom Odeonsplatz und den angrenzenden Straßen und Plätzen, wo er sich sammelte, über den Marienplatz, die Ludwigsbrücke und die Rosenheimer Straße zur Autobahn, vertrieb den Autoverkehr von dort und strömte bis zum sogenannten Brunnthal-Kreuz, wo er auf die nordöstliche Ecke des von den Goldenen Heiligen errichteten Bauwerkes – wenn man die glitzernde Mauer so nennen darf – traf.

Millbeck hatte eine Trittleiter dabei. Er stellte sie auf, und meine Mutter stieg etwa drei Stufen empor, war somit etwas höher als die Menge.

Ich sehe sie noch vor mir. So etwas vergißt man natürlich nicht. Sie trug eine hautenge, tiefrote Glanzhose. Sie ließ sich ein elektrisches Megaphon reichen und führte es an den Mund. Noch bevor sie ein Wort gesagt hatte, zischte ein Strahl (wohl aus einer Öffnung der glitzernden Mauer), und meine Mutter hatte keinen Kopf mehr.

Das Entsetzen ist dickflüssiger und dringt langsamer durch die Röhren der Wahrnehmung ins Bewußtsein hinein. Ich kann mich erinnern, daß mir das Grausige der Situation erst einige Minuten später bewußt wurde. Der Schmerz wurde durch die Aufregung, die Notwendigkeit zum augenblicklichen Handeln zurückgedrängt, staute sich auf, brach erst Stunden später los. Da weinte ich lange. An Ort und Stelle nahm ich, sozusagen neben mir selber stehend, nur das Merkwürdige an dem Bild wahr: daß meine Mutter ein Megaphon vor den Mund hielt, der gar nicht mehr da war.

Der kopflose Körper meiner Mutter sank von der Trittleiter – wie in Zeitlupe, schien es mir. Ein Schrei ging durch die Menge. Von da ab sah ich alles wie durch Glas. Mehrere Strahlen zischten. Alle, die vorn standen, hatten keine Köpfe mehr. Seltsamerweise ging das alles unblutig vor sich. Ich nehme an, daß durch die Strahlen das Blut der Getroffenen gerann. Es war, als ob Holzpuppen zersägt würden. Vielleicht war das das Grausigste, vielleicht wäre ein blutiges Gemetzel fast, wenn der Ausdruck erlaubt ist, menschlicher gewesen.

Panik brach aus. Blumengirlanden und Handpauken flogen ins Gras und wurden zertrampelt. Alles floh. Ich weiß nicht, ob dabei nicht mehr Leute zertreten wurden als zersägt von den sie verfolgenden Strahlen. Ein paar gerieten in Wut und warfen Steine gegen die glitzernde Mauer, was aber natürlich völlig lächerlich war. Wer nicht von den zischenden Strahlen geköpft oder zersägt wurde, wurde von den Fliehenden zertrampelt wie die Handpauken und die Girlanden.

Der Assistent war unter den ersten, denen der Kopf abgesägt worden war, weil er ganz weit vorn gestanden hatte. Wir, Christopher und ich, waren zu klein für den Strahl, was uns rettete. Ich begann zu rennen. Christopher, den ich festhielt, flennte, weil er Glubschi verloren hatte. Ich hörte nicht darauf. Vielleicht tut ein Kind manchmal instinktiv das Richtigere als die Erwachsenen: ich drückte Christopher in den Graben seitlich der Autobahn und duckte mich selber neben ihn.

So blieben wir liegen. Christopher hatte bei der Flucht seine Holzschuhe verloren. Auch sein Vater, der Assistent Millbeck, hatte Holzschuhe getragen, und sogar der Bär Glubschi hatte ganz winzige Holzschuhe angehabt. Es war nämlich damals in gewissen esoterisch-dynamisch-biologischen Kreisen üblich gewesen, Holzschuhe zu tragen: richtige holländische Holzschuhe mit der aufgedrehten Spitze vorn, wie sie sonst nur in Käsereklamen im Fernsehen zu sehen sind. Für schnellere Bewegungen waren diese Holzschuhe ungeeignet, aber man hatte ja nicht damit gerechnet, daß es eine solche Katastrophe geben könnte. Man hatte eher an Freuden- und Verbrüderungstänze gedacht, und tanzen kann man ja mit Holzschuhen, wie man aus ›Zar und Zimmermann‹ weiß.

Wir lagen also da. Christopher weinte immer noch leise vor sich hin und greinte nach seinem Bären.

Der Lärm verzog sich. Diejenigen, denen die Flucht gelungen war, waren über alle Berge. Im übrigen war alles, soweit man sehen konnte, mit Leichen übersät. Es waren, wie gesagt, unblutige Leichen. So war das buchstäblich totenstille Feld zwar grausig, aber nicht ekelhaft. Zersägte Puppen. Ich achtete kaum darauf; meine Angst war stärker als das Grauen. Ich blieb liegen, duckte den ständig weinenden Christopher immer wieder in den Graben und wartete. Worauf ich wartete, hätte ich nicht sagen können und kann es auch heute noch nicht sagen. Stunden vergingen. Es wurde Nacht. Christopher schlief ein.

Als der Goldene Heilige vor mir stand und leuchtete, daß die Nacht heller wurde als der Tag, glaubte ich zunächst, auch ich sei eingeschlafen und träume. Ich träumte aber nicht.

Der Goldene Heilige hatte den Assistenten Millbeck an den Füßen gepackt und hielt ihn hoch. Millbeck hatte immer noch die Holzschuhe an. Der Goldene Heilige pflückte – mir schien: samt den darinsteckenden Füßen – die Holzschuhe von der Leiche und hielt sie mir hin.

»Habt ihr mehr davon?« fragte der Goldene Heilige auf schwäbisch.

Ich nickte schnell mit dem Kopf. Christopher begann wieder zu heulen.

»Rede oder ich versafte dich«, sagte der Goldene Heilige sehr ruhig.

Ich wäre vor Angst außerstande gewesen, eine andere als bejahende Antwort zu geben.

»Ja«, hauchte ich.

»Wo?«

Mir fielen Christophers und Glubschis Holzschuhe ein.

»Dort!« sagte ich.

»Wo? Dort?«

»Wir müssen suchen. Es kann nicht weit sein.«

»Los.«

Ich nahm Christopher bei der Hand, und wir stiegen und kletterten über Leichen und Haufen von Leichen. Mit dem meist untrüglichen Ortssinn des Kindes fand ich tatsächlich die Stelle, wo wir gestanden waren und Christopher seine Holzschuhe verloren hatte. Auch Glubschi lag neben zwei dicken kopflosen Esoterikerinnen im Gras. Ich zog Glubschi die Holzschuhe aus und reichte sie und Christophers Holzschuhe dem Goldenen Heiligen hinauf.

»Mehr«, sagte der Goldene Heilige.

»Es sind nicht mehr da.«

»Warum nicht?«

»Ich bin ein Kind«, sagte ich, »ich weiß nichts.«

»Was ist: ein Kind?«

»Ich bin noch nicht erwachsen.«

»Das verstehe ich nicht.«

»Ich bin noch nicht groß. Ich bin noch nicht fertig. Der da –«, ich deutete auf Christopher, »ist noch kleiner.«

»Jetzt verstehe ich«, sagte der Goldene Heilige. »Wo sind noch mehr Holzschuhe?«

»In Holland«, sagte ich.

»Wo ist Holland?«

»Holland gibt es nicht mehr«, sagte ich, ich wußte es aus dem Fernsehen. »Holland ist überschwemmt, seit das Meer gestiegen ist. Die Holländer sind alle geflohen. Zu uns sind auch welche geflohen, und in die Berge.«

»Haben sie die Holzschuhe mitgenommen?«

Da die Stimme des Goldenen Heiligen grausig-drohend zu tönen begann, besann ich mich wieder aufs Bejahen.

»Sicher! Sicher!« sagte ich.

»Gut«, sagte der Goldene Heilige. »Sag den Holländern: wir brauchen Holzschuhe. Hundertfünfzigtausend. Morgen.«

»Ich finde aber nicht heim«, sagte ich.

»Das werden wir gleich haben«, sagte der Goldene Heilige. Ehe ich noch irgend etwas sagen konnte, waren Christopher, der seinen Glubschi krampfhaft festhielt, und ich durch die Luft gewirbelt, aber dann recht sanft drüben in

Oberharsching auf dem Marktplatz abgesetzt. Die Polizei, die verständigt wurde, brachte uns nach Obermenzing zu Tante Jessica.

4

Man richtete sich nach dem Massaker am Brunnthal-Autobahnkreuz endlich darauf ein, daß im Zusammenhang mit den Goldenen Heiligen nichts unmöglich war. Eine aus Ministern und allerhöchsten Staatsbeamten zusammengesetzte Kommission beriet. Die Schwarzen Barone, die in Wirklichkeit die Macht im Land ausübten und deren Marionetten die Minister größtenteils waren, fürchteten für die Sicherheit des Drogenhandels, zogen sich für einige Zeit ins Dunkel zurück und überließen die Reaktion auf die neue Lage der Regierung, die nun tatsächlich eine Zeitlang regieren konnte, soweit ihnen der Oberbonze von Bayern nicht dreinredete. (Was er allerdings zunehmend tat.)

Die Überlebenden des Massakers wurden vernommen, auch Christopher und ich. Christophers Vernehmung ergab, wie man sich denken kann, nicht viel. Ich schilderte die Forderung des Goldenen Heiligen nach Holzschuhen.

»Holzschuhe?« fragte der Polizist, der mich vernahm, zweifelnd.

»Holzschuhe. Holländische Holzschuhe.«

Der Polizist wandte sich von mir ab einem offenbar höheren Beamten zu, der bis dahin, ohne etwas zu sagen, dem Verhör beigewohnt hatte: »Was wollen die um alles in der Welt mit Holzschuhen?«

»Weiß ich doch nicht«, sagte der höhere Beamte, »vielleicht ernähren sie sich davon.«

»Hundertfünfzigtausend«, sagte ich.

»Stück oder Paar?« fragte der Polizist.

»Das hat er nicht gesagt.«

»Da wir, wie sich herausgestellt hat«, sagte der höhere

Beamte, »bei den Goldenen Heiligen immer mit dem Schlimmeren zu rechnen haben, schlage ich vor, von hundertfünfzigtausend Paar auszugehen.«

»Es ist ganz unmöglich, bis morgen hundertfünfzigtausend Paar holländische Holzschuhe aufzutreiben.«

Der höhere Beamte zuckte mit den Schultern. Meine Vernehmung war beendet. Ich wurde heimgeschickt.

Zum Glück fand sich, wie die Polizei rasch ermittelte, in der Weißenburger Straße in Haidhausen ein Rohkost- und Körner-Laden, der auch alternative Schuhbekleidung führte. Die Regierungskommission kaufte zur Freude des alternativen Schuhhändlers den ganzen Lagerbestand auf: knapp zweihundert Paar. In der Neureuther Straße in Schwabing gab es einen Laden, der sich »das erdferkel« nannte, der hatte auch noch dreißig Paar. Einem Sammler in Gräfelfing wurden einundachtzig Paar und vier Einzelstücke weggenommen. Der Sammler zeterte und prozessierte später, aber ich nehme an, daß der Prozeß in der bald einsetzenden allgemeinen Auflösung unterging. Am nächsten Tag in der Früh meldeten nach einem Aufruf im Fernsehen verschiedene Leute noch einige Holzschuhlager, alles in allem vierhundert Paar. Man verfügte also über etwas mehr als siebenhundert Paar Holzschuhe und die vier Einzelstücke.

Ich wurde wieder – sehr höflich – von der Polizei abgeholt und in einem Funkstreifenwagen zum Brunnthal-Kreuz hinausgefahren. Ein Lastwagen mit den Holzschuhen folgte. Ich schrie, so wiesen mich die Polizisten an, durch die Lautsprecheranlage des Funkstreifenwagens: »Liebe Goldene Heilige! Die Holzschuhe!«

Es passierte eine Zeitlang nichts, dann schrie ich nochmals und nochmals, viermal insgesamt, und dann kam der Goldene Heilige aus der glitzernden Lichtmauer heraus und zu uns her und zischte: »Nicht so laut! Wir sind nicht schwerhörig!« Ob es der gleiche Goldene Heilige war, der am Tag zuvor mit mir geredet hatte, weiß ich nicht, da für uns alle gleich aussehen.

Als der Goldene Heilige so auf mich zurollte, groß, fremd und unheimlich, wie einem Schmetterling eine Katze vorkommt, die nach ihm schnappt, war mir natürlich schon entsprechend mulmig. Noch mehr Schiß aber, so kam es mir vor, hatten die Polizisten, die sich hinter mir in den Straßengraben duckten. Die Polizisten hätten nicht viel ausgerichtet, selbst wenn sie Helden gewesen wären. Warum waren wir keine Helden? Warum nahmen wir alles hin wie die Lämmer? Warum setzten wir nicht unsere Intelligenz ein, die immerhin einmal die Relativitätstheorie erkannt hatte?

Viele Jahre später kam ich mit Burschi, von dem noch die Rede sein muß, darauf zu sprechen. Burschi sagte: »Die Mäuse kommen auch nicht auf die Idee, die Katze anzugreifen. Hätte ja auch keinen Sinn. Außerdem –! Wenn du denkst: die Menschheit war vorher schon nicht einmal in der Lage, den Treibhauseffekt, das Ozonloch und die blöden Brasilianer, die den Regenwald abholzten, zu bekämpfen, obwohl das tausendmal leichter und vor allem erfolgversprechend gewesen wäre.«

Ich zeigte auf den Lastwagen und sagte: »Da!« Der Goldene Heilige wälzte sich etwas vor und schaute von oben auf die Ladung.

»Mehr«, knurrte der Goldene Heilige.

»Aber wir haben nicht mehr!« schrie ich mit ganzer Kraft meiner Stimme ins Mikrophon. Dabei wurde das Gerät übersteuert und gab einen gräßlichen, langen Pfiff von sich. Etwas Merkwürdiges passierte: der Goldene Heilige wurde graublaß, bekam eine dunkle Stelle in der Mitte und platzte. Hunderttausend Funken stoben davon, und es stank nach Karbid. Übrig blieb ein Haufen fettiger schwarzer Schleim.

Es wurde atemberaubend still. Die Polizisten erstarrten, auch ich stand da wie eine Bildsäule und sperrte den Mund auf. Bevor aber noch irgendwelche Gedanken in meinem Kopf aufkommen konnten, rollte ein anderer Goldener Heiliger aus der Mauer und schwäbelte:

»Wirf das Ding weg.«

Ich warf das Mikrophon ins Gras.

»Tu das nie wieder«, sagte der neue Goldene Heilige.

»Da auf dem Lastwagen. Das sind alle, die wir auftreiben konnten.«

Der Goldene Heilige brummte. Offenbar zählte er.

»Nicht einmal achthundert«, sagte er dann.

»Es gibt in der ganzen Stadt nicht mehr. Wirklich nicht. Wir würden Ihnen, läßt Ihnen der Ministerpräsident ausrichten, gerne mehr geben. Wir stehen nicht auf Holzschuhe. Jedenfalls nicht sehr. Aber das *sind* alle.«

Der Goldene Heilige brummte wieder, dann fuhr von hinten eine Zunge hervor und leckte die Holzschuhe samt Lastwagen hinter die glitzernde Lichtmauer hinein. Die beiden Lastwagenfahrer hatten keine Chance mehr gehabt abzuspringen.

»Hunderfünfzigtausend – bis März«, sagte der Goldene Heilige und rollte rückwärts, bis er in der Mauer verschwand.

5

Am nächsten Tag herrschte im – um das mit der glitzernden Lichtmauer umgebene Planquadrat so zu nennen – *Fort* der Goldenen Heiligen reger Betrieb. (Aus sicherer Entfernung, sofern es das überhaupt gab, beobachtete die Polizei.) Am übernächsten Tag schwirrten lautlos mehrere Raumschiffe davon, im Fort wurde es still, Betrieb war nicht mehr zu beobachten, die Mauer blieb allerdings stehen.

»Wahrscheinlich«, meinte der befehlshabende General der Bundeswehr in der Sitzung der oben erwähnten Kommission, in der man versuchte, über die Vorgänge ins klare zu kommen, vor allem darüber, ob etwas zu tun sei, und wenn ja, was. »Wahrscheinlich ist das ein Stützpunkt. Sie kommen wieder, um ihren Brückenkopf zu erweitern. Vorerst haben sie eine Besatzung zurückgelassen, die jedoch keine offensiven Aufgaben hat.«

Was sollte man tun? Fieberhaft an den Holzschuhen schnitzen? Zu verhandeln versuchen? Das Fort angreifen? Oder gar nichts? Abwarten?

Die Schwarzen Barone befahlen den Angriff. Man darf sich das nicht so vorstellen, daß einer von diesen Schwarzen Baronen der Bundeswehr einen Brief geschrieben hätte: »Befehl zum Angriff!« oder ein Telegramm geschickt. Das ging alles viel feiner. Man versteht das nur, wenn man sich die Entwicklung der Welt nach dem Golfkrieg von 1991 vergegenwärtigt.

Zunächst verschwand von 1989 ab – was niemand zu hoffen gewagt hatte – der Marxismus von der Erde, zuletzt selbst in China und Cuba. Er vertrocknete. Die Politiker der kapitalistischen Systeme rieben sich schadenfroh die Hände. Der Strick, den sie nach Marx' Theorie geliefert hatten, wurde nicht dazu verwendet, die Kapitalisten zu hängen, sondern um die stalinistischen Bronze-Schurken vom Podest zu hieven. Selbstgerechter Beifall brandete im Westen auf, für einige Zeit vergaß man darüber, daß sich das kapitalistische System durch seine unverminderte Gewinnmaximierung zu Lasten der Umwelt mit rasender Geschwindigkeit dem Abgrund näherte. Während der – nun mußte man schon sagen: ehemalige – Westen ständig zentralistischer wurde, Staaten sich zusammenschlossen, politische Unionen oft unsinniger Art über nationale Grenzen hinweg geschlossen wurden, legte der ehemals so hieratische Ostblock genau die gegenteilige Tendenz an den Tag: die Sowjet-Union und danach die vormaligen Satellitenstaaten zerfielen nach und nach in kleine und winzigkleine selbständige Staaten, die mit krankhafter Eifersucht auf ihre nationale Integrität bedacht waren. Die Baltischen Staaten fielen schon 1991 ab, es folgten Ukraine, Weißrußland und so fort. Bei Georgien war es schon so, daß sich die Georgier untereinander zerstritten, und so zerfiel das eben unabhängige Land gleich wieder in drei Staaten: Imeretien, Kartheretien und Kachetien. Letzteres wählte sogar die Staatsform der Monarchie; es war nicht zu glauben.

Da aber die ethnischen Grenzen nie sauber zu ziehen sind, verblieben immer und überall Minderheiten der jeweiligen Nachbarvölker, die einerseits unterdrückt wurden und anderseits Unruhe verbreiteten. Die Konfusionen, die sich nicht selten zu Kleinkriegen verdichteten, waren unbeschreiblich und undurchschaubar. Die letzte Rechnung, die die verblassende UNO aufstellte, sprach von jährlich 60 Millionen Toten durch diese Bürgerkriege. (Ökologen begrüßten das in Anbetracht der Bevölkerungsexplosion.) Daß die Völker unter diesen Umständen auf die von ihnen so erhofften Segnungen des Kapitalismus bis zum Sankt Nimmerleins-Tag warteten, leuchtet ohne weiteres ein.

Endlich verrottete das, was man den *Westen* nannte, vollkommen. Vor allem die Unfähigkeit, die menschliche Inkompetenz und die Bestechlichkeit so gut wie aller Politiker, die hemmungslose Hintanstellung jeder ökologischen Rücksicht, die einseitig profitorientierte Gesinnung der Kommerzialitäten, die zur völligen Erschöpfung der Ressourcen führte, brachte den Kollaps herbei. Erst dann kamen viele dahinter, daß sie *Freiheit* und *Kapitalismus* miteinander verwechselt hatten. Staatsbankrotte, die zum Beispiel in Italien zur Versteigerung des Staatsgebietes führten, das Sultanat Bahrain erwarb den Hauptanteil; Währungsverfall, Verfall der Staatsfunktionen und so fort waren die Folgen. In den USA mußte um 2000 die Polizei aus Geldmangel aufgelöst werden. Was in einem Land geschieht, in dem fünfzig Prozent der Bevölkerung von Raubüberfällen lebt, braucht man hier nicht weiter auszumalen. Die sogenannte Dritte Welt war zu der Zeit bereits so gut wie tot. In Afrika hatte sich Aids zuletzt schneller ausgebreitet als die Heuschrecken. Durch Beschluß der WHO wurde 2002 der ganze Kontinent zum Quarantänegebiet erklärt, und Ausreisen waren nicht mehr gestattet. Der sogenannte Brotmergel-Plan (benannt nach dem amerikanischen Vier-Sterne-General F. Norhold Brotmergel), nach dem aus Sicherheitsgründen und auch »aus wohlverstandenem Mitleid, um das Leben der Bedauernswürdigen abzukürzen«, ganz Afrika mit Atombomben belegt und dann untergepflügt werden sollte, wurde lebhaft diskutiert, scheiterte dann aber, weil die USA auch ihre Armee nicht mehr bezahlen konnte. (In der UNO wurde zu dieser Zeit ohnedies nur noch Karten gespielt.)

Bekanntlich überlebt das Ungeziefer Katastrophen am ehesten. So auch hier: Ungeziefer aus Beton und solches aus Watte. Das Beton-Ungeziefer läßt sich leicht schildern, man braucht dazu eigentlich nur ein Wort: Drogen-Mafia.

Schon in den neunziger Jahren hatte die sich unmerklich wie Krebs-Metastasen in alle Staatsgewebe gebohrt, und als es merklich wurde, war es längst zu spät, um etwas zu unternehmen. Die Situation ist mit dem einen Schlaglicht umrissen: der Generalbundesanwalt war von der Drogen-Mafia besoldet.

Das Watte-Ungeziefer ist schwerer zu beschreiben. Es hängt recht eng mit dem Wassermann-Zeitalter zusammen und dem verlorenen Sozialismus. Es war eine neonationalistisch-fundamentalistische Qualle, halb Religion, halb Astrologie oder auch: halb Meditation, halb Müsli, dabei nationalistisch ausgerichtet, was plötzlich wieder schick wurde, und vor allem – ein Lieblingswort der Zeit – fundamentalistisch. Ein Fundament aus Watte, aber um die Welt zu ersticken, war es stark genug.

Die Hoffnung mancher, die zwei oder besser zweieinhalb Geschwüre: die Drogen-Mafia, der Neonationalismus und der Quallen-Fundamentalismus würden sich gegenseitig ersticken, erfüllte sich nicht. Sie taten einander nichts und hüteten sich, ihre gegenseitigen Kreise zu stören. Dabei war es nicht so, daß der Neonationalismus und Quallen-Fundamentalismus nur so irgendwie lose Bewegungen oder Strömungen waren; nein, nein: da entwickelten sich feste Organisationen, Mitteldinge zwischen Sekten und Parteien.

Die Oberbonzen der Wassermann-Kirche regierten alles das, was die Drogen-Mafia nicht interessierte: das geistige Leben, grob gesprochen. Ein Fundamental-Bonze aus dem vorderen Orient kaufte zum Beispiel den Vatikan, hatte aber nicht lange Freude daran, denn das Meer stieg fort und fort, und bald versanken Rom, Neapel, Venedig, Genua und viele Städte im Meer. Der italienische Stiefel schrumpfte auf einen ausgemergelten Stumpf zusammen. Der Papst hatte sich, erzählte man damals, nach Castelgandolfo zurückgezogen, wo er am Strand umherspazierte und »Mystik macht frei« sang. Ob es ganz genau so war, weiß ich natürlich nicht, aber Tante Jessica und ihresgleichen lagen voll, wie man so sagte, *im Trend*.

Bei uns hier ereignete sich alles, wie immer, mit einiger Verzögerung. Der Oberbonze von Bayern wachte zwar darüber, daß nirgendwo ein kritisches Wort über das Wassermann-Zeitalter gesagt oder geschrieben wurde, aber zum Übertritt gezwungen wurde – noch – niemand. Die Schwarzen Barone arbeiteten im Hintergrund: Staat, Gerichte und Polizei wurden machtlos. Für den durchschnittlichen Bürger äußerte sich das etwa so, daß er in der S-Bahn nicht mehr die offizielle Fahrkarte löste. Wenn ein Kontrolleur gekommen wäre, was schon kaum noch der Fall war, hätte man dem ungestraft ins Gesicht spucken können. Dafür mußte man dem finsteren Typen, der mit drohend ausgebeulten Taschen den Zug durchstreifte, ein »Schutzgeld« in die Hand drücken. In einem Lokal konnte es vorkommen, daß statt des Kellners ein schwerbewaffnetes Flintenweib kassierte und dem Wirt nichts übrigblieb, als mit den Zähnen zu knirschen. Den Verlust versuchte er dann vielleicht wettzumachen, indem er seine Lieferanten, die Pacht für das Lokal und die Steuern nicht bezahlte.

Gab es noch irgendwo etwas wie Justiz, so waren deren Urteile Makulatur. Den Gerichtsvollziehern, wenn sie überhaupt noch tätig wurden, wurden auf der Straße die gepfändeten Beträge geraubt. Die Zustände bei uns in Deutschland galten noch als relativ günstig, dennoch war die Polizei machtlos, wurde immer korrupter und von der Mafia mehr und mehr durchsetzt. Sie wurde im Grunde genommen nur noch tätig, wenn ein Mord geschehen war. Das aber vermieden die Schwarzen Barone nach Möglichkeit. Daß die Zustände, die bereits ins endgültig Heillose abglitten, durch die zunehmende Zahl der Flüchtlinge, die sich in die ohnedies übervölkerten höher gelegenen Teile des Landes quetschten, nicht gerade besser wurden, läßt sich denken. Wie es in anderen Ländern aussah, denen es schon früher an dem, was man einstmals »Gesetz und Ordnung« genannt hat, gemangelt hatte, brauche ich nicht zu schildern.

Ohne die Schwarzen Barone also, das ist der kurze Sinn meiner etwas längeren Schilderung, konnte damals schon nichts mehr in Bewegung gesetzt werden, nicht einmal die Produktion von Holzschuhen, und auch der Oberbonze mußte gefragt werden. Aber selbst das Wort: *fragen* ist in diesem Zusammenhang unscharf. Längst saßen auf den Minister-Sesseln Marionetten der Schwarzen Barone und auch schon Leute, die sich zum Quallen-Fundamentalismus bekannten. Wenn die Staatsregierung dementsprechende Rückfragen hatte, konnte sie schon längst mit sich selber reden.

Die große Konferenz der Marionetten (also der Minister und Staatssekretäre) mit den Bonzen der Fundamentalisten und den Schwarzen Baronen fand selbstverständlich hinter verschlossenen Türen statt. Das Ergebnis war überraschend, denn es hieß: wir lassen uns das nicht gefallen. Bei den Nationalfundamentalisten waren die starken Töne weiter nicht verwunderlich, wohl aber bei den Schwarzen Baronen, die insofern extrem friedlich gesinnt waren, als sie nichts so sehr scheuten, als die Störung ihres Marktes durch Kriege und dergleichen Unfug. Aber hier war etwas anderes im Spiel: in der Nähe des Ortes Eulenschwang hatte einer der Schwarzen Barone (es hieß später: die Nummer IV in der Hierarchie) ein Gut, auf dem er, ein liebender Sohn, seine alte Mutter untergebracht hatte, die dort Rauhhaardackel züchtete. Gut samt Mutter und Rauhhaardackel waren wie das ganze Planquadrat ausgelöscht worden. Der Schwarze Baron Nr. IV war schon seit dem Tag des Unglücks außer sich vor Wut. Er hing, hieß es, sehr stark an seiner Mutter.

Es wurde also der Befehl gegeben, das Fort anzugreifen. Die Schwarzen Barone versprachen, sich für die Zeit der Operation größerer Raubzüge zu enthalten, der Oberbonze rief zum *Spiritistischen Krieg* auf. Séancen wurden abgehalten, daß die vorschriftsmäßigen nagellosen Tische rauchten, die Handleser lasen, bis ihnen die Augen tränten, die Kartenleger legten Karten, bis diese in Staub zerfielen. Die Blumentrommler trommelten und tanzten, bis der Asphalt weich wurde. Ein Asket (Bezirksbonze von Wasserburg am Inn) aß zu Ehren des Wassermanns binnen nur dreier Tage eine Tonne Buchweizen. Es soll ihn danach mit einem Knall zerrissen haben, der bis München zu hören war. Geholfen hat alles miteinander nichts. Das heißt: die Fundamental-Bonzen argumentierten selbstverständlich, daß ohne ihre spiritistischen Anstrengungen die Sachen noch schlechter stünden. (Was aber, wie man bald sehen wird, kaum vorstellbar ist.)

Ich habe mich nie um militärische Dinge gekümmert, ich weiß also nicht, was die Bundeswehr zunächst alles unternahm, um das Fort zu zerstören. Es wurden anfangs schwere, wenngleich nur sogenannte konventionelle Waffen eingesetzt; das ritzte alles die glitzernde Lichtmauer nicht. Dann wurde die Gefährlichkeit der Waffen gesteigert, und chemische und biologische Kampfstoffe sowie Gas wurden eingesetzt, zuletzt, ja, soweit kam es, eine zwar winzigkleine, aber doch atomare Bombe. Nichts zeigte Wirkung, dafür wurde die ganze Gegend dort im Südosten Münchens unbewohnbar. Die nur mangelhaft vorbereitete Umsiedlung der Bevölkerung mit den zahllosen Flüchtlingen rief beinahe eine Revolution hervor.

Es fiel auf, daß die Goldenen Heiligen nicht durch Gegenangriffe reagierten. Vielleicht, meinte man in militärischen Fachkreisen, sind zu wenige zurückgelassen worden, und die trauten sich nicht.

Ein Zufall kam der Bundeswehr zu Hilfe. Nachdem die kleine Atombombe geworfen worden war, wurde mittels Sirenen Alarm gegeben. Das führte die einzige Reaktion der Goldenen Heiligen herbei: gegenüber dem Ort Thamming – der glitzernden Mauer sehr nahe – erschien oben auf den Zinnen, wenn der altmodische Ausdruck erlaubt ist, einer der Goldenen Heiligen und schrie: »Wenn ihr nicht mit dem Lärm aufhört, setzt es etwas!«

Da erinnerte man sich auch des Vorfalls mit dem Pfiff aus meinem Mikrophon. Zwar hielten die gelernten Strategen das Vorgehen für unmilitärisch, aber ein etwas phantasievollerer General setzte sich durch und ließ Sirenen auf Lastwagen montieren. Die fuhren an der Mauer entlang, und die Sirenen heulten. Tatsächlich: die Mauer hörte zu glitzern auf, verblaßte, Goldene Heilige fielen heraus, blieben liegen, lösten sich in fettigen schwarzgrauen Schleim auf, zum Schluß fiel das ganze *Fort* mit einem dumpfen, schwappenden Laut zusammen.

Obwohl kein Mensch wagte, das Areal des ehemaligen Forts zu betreten, wurde der Sieg groß besungen und der Tag (es war der 17. Januar) zum Nationalfeiertag erhoben. Er wurde, um das vorauszuschicken, kein einziges Mal begangen.

Der fettig-grauschwarze Rückstand der toten Goldenen Heiligen wurde untersucht, man stieß aber nur auf chemisch völlig unerklärliche Substanzen.

Der Beschluß, den Brückenkopf der Goldenen Heiligen anzugreifen und zu zerstören, war, wie nicht anders zu erwarten, nicht einhellig gefaßt worden. Erstens gab es immer noch und trotz des Massakers vom Brunnthal-Kreuz genug Anhänger des Wassermann-Zeitalters, die die Außerirdischen als Erlöser betrachteten. Auf das Massaker angesprochen, entschuldigten sie die Goldenen Heiligen mit ihrer Größe, die notwendigerweise eine gewisse verständliche, ja liebenswürdige Tolpatschigkeit mit sich brächte. Die meisten Wassermann-Adepten und Watte-Bonzen wischten das Massaker aber mit der Bemerkung hinweg: »daß die krude Realität für sensiblere Naturen kein Argument von Gewicht« sei, wie ein gewisser Tobias Seelewig im Fernsehen äußerte. Die Schwarzen Barone waren nur durch ihre oben erwähnte Nummer IV in Rage gebracht worden. Ein Teil der Schwarzen Barone änderte bald seine Meinung, weil er sich ausrechnete, daß durch den Holzschuhhandel eine Menge Geld verdient werden könnte.

Aber vorerst half alles nichts mehr: das *Fort* der Goldenen Heiligen war zerstört, die dort zurückgelassene Besatzung »niedergemetzelt«, wie sich Tobias Seelewig ausdrückte, der Krieg sozusagen erklärt.

Die Zerstörung dieses Forts war der einzige nennenswerte organisierte Widerstand, zu dem sich die hochtechnisierte, geistig überlegene, denkende Menschheit aufgerafft hatte. Es war ein Nadelstich, der die Goldenen Heiligen, wie sich bald zeigte, mehr erboste, als daß er ihnen schadete. Warum wurden nicht sofort, nachdem der *Krieg erklärt* war, Maßnahmen getroffen, daß künftige Invasionen mit einer unverzüglichen Lärmglocke empfangen würden? Ich erkläre es so, daß die Menschheit weit weniger hochtechnisiert, geistig überlegen und denkend war, als sie sich einbildete. Sie war dumm, unschlüssig und gelähmt, ihre Handlungsfähigkeit zerspalten und verrottet.

Selbst Wesen von weit geringerer Plumpheit als die Goldenen Heiligen, selbst nur Heuschrecken oder vielleicht plötzlich auftauchende giftige Ameisen hätten der Menschheit damals schon den endgültigen Genickschlag verpassen können.

Es passierte zunächst nichts. Der März, in welchem Monat die Goldenen Heiligen die Holzschuhe liefern bekommen wollten, verstrich. Manche begannen aufzuatmen. Die Schwarzen Barone wandten sich wieder dem Drogenhandel zu, die fundamentalistischen Wassermann-Verehrer dem Seelen-Leben, oder was sie darunter verstanden, dem Bio-Yoghurt und dem Blütenhimmel. Aber es entwickelte sich damals ein ganz besonderer fundamentalistischer Zweig der Fundamentalisten. Sie nannten sich Ikonoklasten oder, flapsig abgekürzt, wie alles damals: Ikis. Sie lehnten, weiß der Kuckuck weshalb, jede bildliche Darstellung ab, auch das Fernsehen. Ein paar Jahre lang machten die Ikis gewaltigen Lärm und hatten enormen Zulauf. Man muß sich dazu auch vergegenwärtigen, wie verunsichert die ganze Welt durch die pausenlos niederhagelnden Katastrophen war. Da glaubte man selbst einem Iki.

Die Ikis verlangten die Abschaffung des Fernsehens. (Die spärlichen Reste des katholischen Klerus, die es noch gab, stimmten zu.) Aber da kamen sie bei den Drogen-Baronen an die Falschen. Die Barone kontrollierten erstens die Anstalten und kassierten, und zweitens brachten sie die – immer seichter werdenden – Einlullungsprogramme. Aber die Barone unterschätzten wiederum auch die Sprengkraft der, wie sie sich selber nannten, »megafundamentalistischen« Ikis. Es kam zu einer Zuspitzung, einer Machtprobe, bei der sich die Zähnefletscher schon bedenklich nahe gegenüberstanden. Onkel Emanuel, der damals noch lebte (eigentlich: Großonkel Emanuel), sagte zu Tante Jessica: »Es wäre ja zu schön, aber nur, wenn sie sich im gleichen Augenblick auslöschten. Aber das ist nicht zu erwarten. Es wird einer übrigbleiben, und wer immer das sein wird: es kommt dann fürchterlicher als vorher. So ist es mir lieber, es bleibt, wie es ist, und sie halten sich gegenseitig ein wenig in Schach für die paar Jahre, die ich noch lebe.«

Zum offenen Ausbruch der Feindseligkeiten zwischen Schwarzen Baronen und den Ikis kam es nicht mehr, weil am 2. Juli, einem Freitag, die Goldenen Heiligen erneut landeten. Ich erlebte die Landung, wie fast jeder auf der nördlichen Welthalbkugel. Aus Wildwest-Filmen und dergleichen kennt man, wie es – angeblich – vor sich geht, wenn auf den amerikanischen Farmen Kälber gekennzeichnet werden. Das störrische Kalb, das so ahnungsvoll wie nutzlos seine Beine in den Dreck des Pferches spreizt, wird von Cowboys, denen seltsamerweise bei den heftig bewegten Bemühungen nie der breitrandige Hut vom Kopf fällt, festgehalten, niedergedrückt, einer glüht das Merkzeichen an einer langen Stange im offenen Feuer, zischend fahren die glühenden Buchstaben auf die Haut, das Kalb bäumt sich und brüllt auf, die Cowboys spreizen nun ihre sporenbedeckten Beine in den Dreck, verlieren immer noch nicht ihren Hut, wahrscheinlich stinkt es, was aber im Film nicht wahrzunehmen ist; das Zischen hört auf, der Rauch verzieht sich, das gebrandmarkte Kalb springt davon, die Cowboys spucken aus oder nehmen einen Schluck aus dem Flachmann.

So ähnlich ging es der Welt. Die Goldenen Heiligen drückten in den ersten Morgenstunden (bezogen auf die mitteleuropäische Zeit) ein Brandmal in Form eines Kranzes auf den Erdball etwa in Höhe des fünfzigsten Breitengrades: alle 100 oder 200 km ein Brandfleck, der die Erde aufzischen ließ und alles in Rauch und Asche verwandelte, was unter die glühenden Stempel geriet: Menschen, Tiere, Pflanzen, alles. Der Gürtel der Brandmale zog sich von Nordfrankreich aus östlich über Bayern, Böhmen, Galizien, Südrußland, Mittelasien, Mongolei, die japanische Insel Hokkaido bis ungefähr zu der Grenze zwischen Canada und den USA. Einige der Raumschiffe versuchten offenbar, im Meer zu landen, und versanken. Mit Ausfällen schienen die Goldenen Heiligen aber gerechnet zu haben. Sie waren auch sich selber gegenüber nicht zimperlich. Im übrigen wurde die Landung aber mit großer Präzision ausgeführt und so schnell, daß an irgendeinen Widerstand seitens der Erdbevölkerung nicht zu denken war. Es waren ja auch, wie erwähnt, keinerlei Verteidigungsvorbereitungen getroffen. Und von diesem 2. Juli an war es *aus*. Da waren wir im Sinn der Goldenen Heiligen domestiziert.

Ob die Goldenen Heiligen schon vorher von der Zerstörung des Brückenkopfes und der Vernichtung seiner Besatzung erfahren haben, vielleicht durch unbemerkte Aufklärungsflüge oder dadurch, daß vereinbarte Signale ausblieben, ob also die Invasion vom 2. Juli 2004 eine Strafexpedition oder von vornherein geplant war, steht nicht fest und ist wohl letzten Endes gleichgültig. Übrigens benutze ich – ich habe nichts mehr zu verlieren – bei einem Goldenen Heiligen, der umkommt, nicht das Wort *Tod*. Ich habe statt dessen Vernichtung gesagt. Der Tod, wenigstens er, und wenn es nur das Wort ist, soll in meinen Augen den Menschen vorbehalten bleiben. Mögen sie das ruhig lesen, die Goldenen Heiligen, wenn Nostradamus-Zwo, der alte rothaarige Affe, sie auch lesen gelehrt hat, oder sie in den Jahren, in denen sie jetzt schon die Welt beherrschen, lesen gelernt haben. Nur ein Mensch stirbt. Ein Goldener Heiliger wird vernichtet. *Krepiert* ist mir noch lieber.

Merkwürdigerweise, das hätte zu denken geben sollen, landete im Dezember eine weitere, nicht ganz so große Anzahl von Raumschiffen im Hochland von Mato Grosso. Das Durcheinander, die Konfusion und Auflösung, die alle Regierungen schon nach der Invasion vom 2. Juli ergriff, machte es unmöglich, ein klares Bild von der Lage zu gewinnen, und verhinderte auch, daß man den – allerdings geringfügigen Unterschied – bemerkte, der zwischen den Goldenen Heiligen bestand, die auf der

Nordhalbkugel gelandet waren, und denjenigen von Mato Grosso.

Aber zurück zum 2. Juli. Das Durcheinander war vollkommen. Was die Situation in Bayern betrifft, so kann ich mich selber sehr gut daran erinnern. Es war ein Mittwoch. Ich hatte Schule. Ich ging in die unterste Klasse des Gymnasiums in Starnberg, das sich in einem noch relativ günstigen Zustand befand. In der Gegend dort wohnten einige der Regionalpaten der Schwarzen Barone, und einige meiner Mitschüler waren solche »Patenkinder«, weshalb die Schule fast nie überfallen wurde. Auch der Drogenkonsum an dieser Schule hielt sich in Grenzen, weil die Schwarzen Barone naturgemäß nicht wollten, daß ihre Kinder das konsumierten, wovon die Väter lebten. Günstig war auch, daß – aus den gleichen Gründen – die Einquartierungen der immer zahlreicher werdenden Flüchtlinge aus den überschwemmten Landstrichen vom Kreis Starnberg möglichst ferngehalten wurden. Auch Zeltstädte wurden hier nicht errichtet wie anderswo.

Wir hatten Latein. Die Vormittagssonne brannte ins Klassenzimmer. Eine Fliege brummte. Der Lehrer, ein gebürsteter Anzugträger, den wir für altmodisch hielten, sprach von altrömischer Tugend und von der stoischen Errungenschaft des aequus animus. Es war, als schrieben wir nicht das Jahr 2004, sondern 1904. Da riß der stellvertretende Direktor die Tür auf und brüllte: »Ganz Percha ist beim Teufel. Der Unterricht ist für heute beendet!« und schlug die Tür wieder zu.

Der Lateinlehrer bewahrte den von ihm eben apostrophierten altrömischen Gleichmut und sagte: »Aequam memento rebus in arduis servare mentem!«, gab uns auf nachzuzählen, wieviel Säulen auf dem Umschlagbild des Lateinbuches abgebildet waren, und ging hinaus.

Der stellvertretende Direktor hatte sich inzwischen fast völlig entkleidet und verlangte von der Sekretärin des Direktorats, daß sie ihm ein Bad einlasse, und zwar – er wiederholte das betont und mehrfach – mit Fenchelölzusatz. Die Sekretärin rang die Hände und sagte: »Welches Bad? Wir haben doch gar keine Wanne hier?!« »Mit Fenchelölzusatz! Nicht mit Rosenöl-, nicht mit Melissenöl-, nicht mit Fichtenöl- nein: mit Fenchelölzusatz!« brüllte der stellvertretende Direktor. Aus dem Radio, den die Sekretärin laut gestellt hatte, kamen ununterbrochen die Meldungen und – meist sinnlosen – Verhaltensmaßregeln. Schüler schrien, Sirenen heulten, der Oberstudiendirektor versuchte mit dem Irrenhaus zu telephonieren, damit sein Stellvertreter abgeholt würde, der jetzt nicht mehr nach einem Bad mit Fenchelöl verlangte, sondern postulierte, er sei ein sterbendes Nilpferd. »Cuncta fluunt«, sagte der Lateinlehrer und kam in unsere Klasse zurück. Der Primus – es war einer von den »Patenkindern« – schrie: »Neunzehn!« »Was?« fragte der Lateinlehrer. »Säulen«, sagte der Primus. »Ach so, ja gut«, sagte der Lateinlehrer und fügte hinzu: »Tum tua res agitur, paries cum proximus ardet. Ihr könnt nach Hause gehen, aber wer in Percha wohnt, der wird sich wohl schwer damit tun.«

Ich wohnte, wie gesagt, in Berg. Percha liegt zwischen Starnberg und Berg. In Percha und einem größeren Areal, das sich östlich vom See hinzog, bis Wangen etwa, waren die Goldenen Heiligen gelandet und hatten alles niedergewalzt. Ich stand ziemlich ratlos auf der Straße. Die Menschenmassen drängelten und stießen. Feuerwehr, Polizei und Bundeswehr fuhren mit gellenden Signalen kopflos durch die Straßen und überfuhren viele. Im Osten war der obere Rand der »Mauer« zu sehen, der glitzernden Wand des neuen Forts der Goldenen Heiligen.

Man kümmerte sich dann doch noch um uns Kinder, und ich wurde mit einigen anderen um den See herum transportiert und gelangte heim zu meiner Großmutter. Berg war gerade noch vor der Zerstörung verschont geblieben, aber die glitzerende Mauer war so nahe, daß die Behörden empfahlen, den Ort zu räumen. Was die anderen Leute taten, weiß ich nicht. Meine Großmutter packte seufzend die wichtigsten Sachen zusammen, und wir brachten uns in das kleine Haus in Obermenzing, das jetzt Tante Jessica gehörte, in Sicherheit.

7

Warum gerade Tobias Seelewig sozusagen die Nachfolge meiner Mutter als – wie soll ich sagen: Anführer? Leitperson? Integrationsfigur? der Welt-Esoteriker übernommen hatte, entzieht sich meiner Kenntnis. Möglicherweise war er schon vorher in dieser Bewegung tätig gewesen, war von meiner Mutter nach dem – Tod hätte ich fast geschrieben, ich schreibe aber besser: Hinschwinden ihres Mannes Nostradamus-Zwo hinzugezogen worden. Immerhin stand sie ja in einer gewissen Beziehung zu ihm, die nicht zuletzt, es ist nicht zu leugnen, in mir bestand. Vielleicht hat er sich aber erst nach ihrem Tod zum Vorsprecher der führerlos gewordenen Obskur-Optimisten aufgeschwungen, womöglich unter Vorspiegelung aller möglichen falschen Tatsachen. Es sei dem, wie ihm wolle: er redete mit den Goldenen Heiligen. Im gewissen Sinn war diese Unterredung ein historischer Augenblick, wie man so sagt oder gesagt hat, als es noch eine Geschichte der Menschheit gab. (Heute ist diese Geschichte auf das zusammengeschrumpft, was *ich* tue. *Ich* bin die Weltgeschichte geworden. Der Wurmfortsatz der Weltgeschichte.) Bei dem historischen Augenblick war ich dabei, eine Auszeichnung des Schicksals, wenngleich es wohl nicht viele gegeben hat, die sie mir geneidet haben – und auch mir war nicht wohl bei der Sache.

Warum mich Tobias Seelewig zu der Unterredung mit dem Goldenen Heiligen mitgenommen hat, hat er mir nie gesagt. (Ich habe ihn auch nie gefragt.) Ich vermute heute, wo ich dies niederschreibe, daß er damit rechnete, direkt oder indirekt Nostradamus-Zwo zu begegnen, den sozusagen Dolmetscher der Goldenen Heiligen, und der, rechnete er sich aus, kannte ihn, Seelewig, nicht, wohl aber mich.

Tobias Seelewig, den selbst jetzt, lang nach seinem Tod, auch nur schriftlich als Vater zu bezeichnen mir scharf gegen den Strich geht, war damals ein kraushaariger, eher langer, konkaver Mensch, mit einem struppig nach vorn stehenden, unschönen Schnurrbart. Den Schnurrbart hielt er sich ohne Zweifel als Unterstreichung seines bedeutenden Aussehens, und in seinem Selbstverständnis wirkte der blonde Bart wie der eines englischen Kolonialoffiziers der alten Zeit. In Wirklichkeit sah der Bart aber aus wie eine gelbe Nagelbürste.

Die Goldenen Heiligen hatten in den ersten Tagen auf der ganzen Welt gewütet wie die Berserker. Sie hatten wahllos mit ihren Kreissägen-Strahlen um sich geschossen und im Umkreis jedes ihrer hundert oder zweihundert Stützpunkte rund um die Welt etwas angerichtet, was als Massenmord nur ungenau bezeichnet ist. Die Regierungen sahen sich außerstande, die Toten auch nur zu zählen. Die Schätzungen schwankten zwischen zwölf und vierzehn Millionen. »Der Druck der Überbevölkerung, der durch die Flüchtlingsströme noch vermehrt ist, wurde aber damit kaum gemildert«, hieß es in einer Studie der FAO; das nur nebenbei. Die andere Gruppe Goldener Heiliger, die in Brasilien, verhielt sich etwas gemäßigter. Sie massakrierten nur etwa eineinhalb Millionen Menschen; dabei hätte gerade Brasilien eine Entlastung am dringendsten nötig gehabt.

Ich habe auch nie erfahren, wie und von wem Seelewig beauftragt worden war, mit den Goldenen Heiligen zu sprechen. Ob die – völlig kopflose – Regierung oder der Oberbonze oder die Schwarzen Barone den Esoterik-Optimisten beauftragt hatten, oder ob sich Seelewig, was ich eher annehme, aus Wichtigtuerei selber angedient hat, weiß ich nicht. Jedenfalls fuhren wir, Seelewig und ich, nachdem er mich mit seinem Auto, einem wildschweinfarbenen Mercedes, in Obermenzing abgeholt hatte, durch die verwüsteten südlichen Vororte Münchens bis in die Nähe des ehemaligen Ortes Wangen. Eine weiße Fahne schwenkend, durch ein Megaphon ständig »Friede! Freundschaft!« brüllend, stapfte Seelewig durch das Unkraut, bis – in einiger Entfernung – die glitzernde Mauer vor uns auftauchte. Ich hielt mich in seinem Schatten.

Tatsächlich kam ein Goldener Heiliger heraus, das heißt: er löste sich aus der Mauer, so wie ein Stück Gletscher, wenn dieser kalbt.

»Hör auf mit dem Gebrüll«, sagte der Goldene Heilige, und: »Wo sind die Holzschuhe?«

»Ach so«, sagte Seelewig.

»Das ist keine Antwort.«

»Sie wollen Holzschuhe?«

»Wir haben es, denken wir, deutlich genug gesagt. Wir haben gesagt: März, jetzt ist es Juli.«

»Das ist mir sehr peinlich«, sagte Seelewig, »aber ich kann wirklich nichts dafür.«

»Wir sind nicht so«, sagte der Goldene Heilige.

»Das weiß ich.«

»Wir sind gütig, fromm, menschenfreundlich und freigebig.«

»Sehr wohl«, sagte Seelewig.

»Wiederhole es«, sagte der Goldene Heilige einen deutlichen Ton schärfer, wenngleich immer noch schwäbisch.

»Sie sind gütig, fromm, menschenfreundlich und freigebig.«

»Wir sind Philosophen und Weltenkenner.«

»Sie sind Philosophen und Weltenkenner.«

»Wir werden geliebt.«

»Sie werden geliebt.«

»Und wo sind jetzt die Holzschuhe?«

»Ich möchte nicht«, sagte Seelewig, »daß Sie das falsch verstehen, als Kritik vielleicht oder dergleichen, wenn ich mir die Frage erlaube: was in aller Welt wollen Sie mit so vielen Holzschuhen anfangen? Sie haben doch, wie ich sehe, keine Füße wie wir, und sonst sind doch Holzschuhe zu nichts zu gebrauchen.«

»Kümmere dich um das, was dich angeht«, sagte der Goldene Heilige, »wo sind die Holzschuhe?«

»Wir haben nicht gedacht, daß das mit den hunderttausend Holzschuhen Ihr Ernst ist.«

»Hundertfünfzigtausend.«

»Oder hundertfünfzigtausend.«

»Nicht unser Ernst?«

»Es war ein Fehler von uns. Wir geben es zu.«

»Das heißt also nichts anderes als: die Holzschuhe sind nicht da?«

»Wenn Sie es so ausdrücken wollen –«

»Ich will es so ausdrücken, du Wurm«, sagte der Goldene Heilige deutlich strenger, »und ich will nicht, daß du so kneifarschig herumredest: die Holzschuhe, die wir bestellt haben, sind nicht da?«

Ich weiß nicht, ob es Mut oder Dummheit, also Überschätzung seiner Situation war, die Seelewig die kühne, wenngleich in höfliche Form gekleidete Antwort geben ließ: »Wenn ich mir die Einwendung erlauben darf: Sie haben zwar die 150000 Holzschuhe bestellt, aber die vorausgegangene Lieferung noch nicht bezahlt.«

Der Goldene Heilige sagte nichts. Ich duckte mich hinter Seelewig tief ins Gras.

»Es ist üblich«, fuhr Seelewig fort, »zu bezahlen, bevor neu bestellt wird.«

»Bezahlen?« fragte der Goldene Heilige dumpf.

»Man kann ja mit uns reden«, sagte Seelewig, der offenbar glaubte, Oberwasser bekommen zu haben, »und wir sollten miteinander verhandeln wie Leute von Vernunft. Dann kommen wir auf einen grünen Zweig.«

»... grünen Zweig ...«, grollte der Goldene Heilige von seiner Turmhöhe herunter.

»Sie bezahlen die erste Lieferung, und wir werden dafür sorgen, daß die Produktion neuer Holzschuhe angekurbelt wird.«

»…angekurbelt…«

»Dabei ist noch etwas bei Ihrer Bestellung unklar: meinen Sie hundertfünfzigtausend Stück oder hundertfünfzigtausend Paar?«

»Paar«, sagte der Goldene Heilige.

»Und wie denken Sie sich die Bezahlung?«

»Ihr habt –«, der Goldene Heilige hob wieder seine Stimme, »– unser Haus zerstört und sechzehn Freunde umgebracht.«

»Ein Irrtum«, sagte Seelewig frech. Ich verhehle nicht, daß ich ihn im Augenblick etwas bewunderte.

»Schwamm drüber«, sagte der Goldene Heilige, »wann sind die Holzschuhe fertig?«

»Und die Bezahlung?«

»Hier«, sagte der Goldene Heilige. Ein blauer Gegenstand fiel Seelewig auf den Kopf und sprang weg in den Morast: ein Vierpaß, wie ihn Tante Jessica gehabt hatte. Seelewig hob ihn schnell auf.

»Das ist ungeheuer viel wert. Das Ding heißt *Treutling*, und du bist der einzige auf der Welt, der eins hat.«

»Danke«, sagte Seelewig.

»Also?! Wann?«

»Ich selber kann keine Holzschuhe machen. Nicht jeder kann Holzschuhe machen –«

»Was kannst du machen?«

»Hm – *machen*… in dem Sinn machen… ich mache nichts, also: ich stelle nichts her. Ich habe eine Apotheke und ein Reformhaus, aber die Zeiten sind schlecht für Geschäftsleute…«

»Quatsch nicht so viel. Wer macht Holzschuhe, wenn nicht du?«

»Wenn ihr wirklich Holzschuhe wollt«, sagte Seelewig fest und laut, »müßt ihr uns Zeit lassen. Drohen hilft nichts. Ihr könnt uns ausrotten, das wissen wir, aber dann bekommt ihr in alle Ewigkeit auch nicht einen Holzschuh. Also ist es besser, wir verständigen uns. Ich werde mich erkundigen, und heute in einer Woche bin ich wieder hier, und dann weiß ich, hoffe ich, mehr und Genaueres.«

»Hoffe ich auch«, sagte der Goldene Heilige und rollte zurück zur Mauer, die ihn aufschlabberte.

Die Schwarzen Barone erkannten die Chance. Die Produktion von Holzschuhen wurde von ihnen organisiert und angekurbelt. Vielleicht war es gut so, denn eine andere als eine derart an brutalem Profit orientierte Einrichtung hätte nie in so kurzer Zeit so viele Holzschuhe auf die – wenn man so sagen darf – Beine gebracht. Man wußte trotz Seelewigs Unterhandlungen nicht, ob die Goldenen Heiligen nicht vielleicht doch ungeduldig würden. Die Schwarzen Barone verkauften die Holzschuhe zu horrenden Summen an den Staat, der sie für Vierpässe an die Goldenen Heiligen abgab. Es galt bald als unabdingbar für einen Menschen von Rang, so einen Vierpaß, einen *Treutling*, zu haben. Wer in der höheren Gesellschaft keinen Treutling hatte, galt nichts. Lupenreine Stücke mit möglichst regelmäßigen Läusebeinen brachten Preise um die Milliarden. (Wobei einzuflechten ist, daß bei der seit 1993, also der Einführung des sogenannten Binnenmarktes, rasenden Inflation Milliarden nicht mehr so arg hohe Summen waren, aber immerhin noch hoch genug.) Man konnte mit Hilfe der Treutlinge Kuh-Muhen, Hundebellen und Wellensittichzwitschern hören, gelegentlich auch einen Vortrag über okkulte Dinge auf schwäbisch. Darin lag aber nicht der Wert der Treutlinge. Der Wert der Treutlinge bestand für ihre Eigentümer hauptsächlich in der Tatsache, daß sie ihn *hatten*.

Übrigens stimmte wahrscheinlich bereits damals die Behauptung des Goldenen Heiligen nicht, daß Seelewig der – vorerst – einzige auf der Welt war, der einen Treutling hatte. Wahrscheinlich um die gleiche Zeit kauften nämlich in einem feierlichen Vertrag die in Brasilien gelandeten anderen Goldenen Heiligen der brasilianischen Regierung gegen dreihundert Treutlinge die Provinz Mato Grosso ab. (Die dortigen Treutlinge schimmerten mehr ins Violette.) Mit militärischer Gewalt vertrieb die brasilianische

Regierung die Bevölkerung eines Gebietes von 1,4 Millionen Quadratkilometern. Die Goldenen Heiligen riegelten danach das Gebiet ab, und kein Mensch erfuhr, was sie dort machten, sowenig wie sich irgend jemand ein Bild davon machen konnte, was sie mit den Massen von Holzschuhen anfingen.

8

Ich sehe mich, wie man sich denken kann, außerstande, eine ganze Weltgeschichte, beginnend mit dem 12. oder 13. Oktober 1992 oder dem 2. Juli 2004, zu schreiben. Ich war damals ein Kind, das zwar bei zwei der wichtigsten Ereignisse dieser Menschheitsdämmerung anwesend war, dem im übrigen aber der Überblick fehlte. Was danach kam, ist kaum mehr Weltgeschichte zu nennen, und der Blickwinkel, aus dem ich alles erlebte, verengte sich zusehends.

Aber soviel war mir und jedem damals klar: der Hammerschlag, den die Goldenen Heiligen uns versetzt hatten, ließ die Welt taumeln. Wir waren ohnedies durch die Umweltkatastrophen, die Hungersnöte, Luftverschmutzung, das Ansteigen der Weltmeere angeschlagen: ein Kranker, der sich mühsam auf den Beinen hält. Dazu die schon längst offenkundigen Mafia-Metastasen und die stickige Luft des Wassermann-Fundamentalismus: und der Kranke bekommt einen Schlag mit dem Hammer auf den Kopf oder, meinetwegen, auch nur ans Schienbein. So muß man sich das vorstellen. Es brach alles zusammen, es funktionierte nichts mehr, die Regierenden, selbst Oberbonzen und Schwarze Barone, liefen nur noch durcheinander wie blinde Hühner. So etwas Kompliziertes wie das Weltgefüge, zerbrechlich wie ein Haus aus Porzellan, und da setzt sich eine fette galaktische Sau mit ihrem Hintern hinein, da *kann* der Postgiroverkehr nicht mehr funktionieren. Wir waren froh, wenn wenigstens der Sonnenaufgang noch funktionierte. Oder anders ausgedrückt: die primitiven Kotzbrocken von Goldenen Heiligen schleuderten uns mit einem einzigen Schlag in die Primitivität nicht gerade der Urmenschen zurück, aber auch nicht recht viel weniger weit.

Es fing damit an, daß Ende Juli 2004 eine Bande von Flüchtlingen, die in einer wilden Baracken- und Zeltstadt von unvorstellbarem Ausmaß und ebensolchem Dreck auf dem Gelände des ehemaligen Nymphenburger Parks hauste, die Häuser unserer Straße in Obermenzing überfiel. Ich kletterte geistesgegenwärtig aufs Dach unseres Hauses und versteckte mich hinter dem Kamin, so daß man mich von unten nicht sah. So passierte mir nichts. Tante Jessica und sogar die Oma wurden vergewaltigt, Onkel Ulrich (wie ich ihn nennen durfte oder mußte) wurde halb tot geprügelt, nachdem er seinerseits einen Flüchtling mit einer Zaunlatte niedergeschlagen hatte. In den Nachbarhäusern war es ähnlich, zwei gingen in Flammen auf. Im übernächsten Haus wohnte ein schon immer ziemlich rabiater pensionierter Senatspräsident, er hieß Schafburger, der schoß mit seiner Pistole, tötete zwei oder drei der Angreifer, wurde aber, nachdem er sein Magazin leergeschossen hatte, von den Flüchtlingen zerrissen. Seine Frau, die fürchterlich schrie, wurde auf eine Teppichstange gespießt. Am besten ging es noch denen, die sofort alles auslieferten und sich gegen die paar harmlosen Ohrfeigen nicht wehrten.

Die Polizei wurde zwar verständigt, als die Horde anrollte, kam aber nicht, nicht einmal danach, als der Terror vorbei war. Auch aus unserem Haus wurde alles, was irgend von Wert war, von den Flüchtlingen mitgenommen. Es befriedigte uns wenig, daß wir später hörten, die abziehenden Flüchtlinge seien sich, noch bevor sie ihre Baracken- und Zeltstadt erreichten, wegen der Beuteanteile in die Haare geraten und hätten untereinander fast noch mehr gewütet als gegen uns. Die Oma war wochenlang krank und redete nichts mehr. Tante Jessica erholte sich erstaunlich schnell, der gewisse Ulrich, Onkel Ulrich, hinkte noch mehrere Monate, die Beulen vergingen schneller. Er war es, der die, wie er es nannte, Bürgerwehr organisierte. Wo Onkel Ulrich, der, wie ich bei der Gelegenheit erfuhr, Reserveoffizier war, die Waffen besorgte, weiß ich nicht. Es mag sein, daß er von einem Depot der Bundeswehr wußte... jedenfalls war die *Bürgerwehr* Obermenzing-West nach kurzer Zeit bewaffnet. Onkel Ulrich war der Chef, sein Stellvertreter war ein Freund von mir, Rechtsanwalt Katzer, ein liebenswürdiger Mensch mit einem schönen Schnurrbart, der früher, als es das noch gab, aus Hobby einer Oberländer Schützenkompanie angehört hatte.

Onkel Ulrich entwarf eine Fahne, Rechtsanwalt Katzer, der auf der Zither spielte, verfaßte einen Bürgerwehrhymnus. Er wurde zu einem traurigen Anlaß zum ersten Mal gesungen: als man die verewigte Senatspräsidentin zusammen mit ihrem Mann im Garten ihres abgebrannten Hauses begrub. Einen Trauerzug zum Friedhof hätte man nicht mehr wagen können.

Von da an lebten wir in einem Gemeinwesen, das einer belagerten Festung, einer mittelalterlichen Kleinstadt und einer Insel im Chaos gleichzeitig glich. Da die Medien verschwanden, fehlte der Überblick selbst für Leute, die, im Gegensatz zu mir damals, erwachsen waren. Ich nehme an, daß sich überall solche Inseln bildeten, die sich wie wir auf den vorindustriellen Stand zurückentwickelten. Unser befestigtes »Dorf« wies zunächst 5000 oder 6000 Einwohner auf, später schlossen sich ein paar solcher »Dörfer« im Westen des ehemaligen München zusammen, und es entstand ein halbstädtisches Gebilde mit etwa 20000 Einwohnern. »Befestigt« ist nicht nur metaphorisch gemeint, es wurde im Lauf der Zeit tatsächlich eine Mauer, die Tag und Nacht bewacht wurde, um »Groß-Menzing« gezogen. Draußen wüteten Gewalt und die Pest. Freilich gründeten auch Flüchtlinge – es kamen immer mehr, das Wasser am Meer hörte ja noch nicht zu steigen auf – solche »Dörfer«, traten sogar in Verbindung mit uns, aber im großen und ganzen vegetierten sie nur vor sich hin, zumal die Afrikaner, von denen immer mehr kamen, alle Aids hatten und wegstarben wie die Fliegen, nicht ohne vorher noch rasch andere angesteckt zu haben. Trotz aller hermetischen Abriegelung ließ es sich nicht vermeiden, daß einzelne Aidsfälle auch bei uns im Dorf auftauchten. Die Unvernunft und Rücksichtslosigkeit wurde durch keine Mauer abgehalten. Da griff aber Onkel Ulrich energisch durch. »Nicht umsonst«, sagte er, »haben wir uns ins Mittelalter zurückentwickelt: ohne Auto, ohne Orangen und ohne Fernsehen. An Hexen glauben wir zwar nicht mehr, aber an Aids.« So wurde jede und jeder, der sich angesteckt hatte, verbrannt. Die Scheiterhaufen standen im Hof des Blutenburger Schlosses.

Wovon lebten wir? Von den Goldenen Heiligen. Wir schnitzten Holzschuhe. In jedem Haus, auch bei uns, wurden tagaus, tagein Holzschuhe geschnitzt. Die Schwarzen Barone hatten mit der Auflösung der staatlichen Strukturen offenbar den Ast abgesägt bekommen, auf dem sie gesessen waren. Die Goldenen Heiligen kamen selber, um sich ihre Holzschuhe abzuholen. Sie bezahlten mit Treutlingen, aber auch mit Kühen, Ziegen, Saatgut und dergleichen, das sie wahrscheinlich anderswo requiriert hatten. Bald gab es in Groß-Menzing wieder Ackerbau und Viehzucht und, wenn die Ernten schlecht waren, Hungersnöte. Wie im schönen Mittelalter. Einen Bischof hatten wir auch: es war der ehemalige Stadtpfarrer von *Leiden Christi*, der sich allerdings selber weihte. Da er ein loyaler Mann war, betonte er immer, daß er sich als Bischof nur unter dem Vorbehalt späterer Bestätigung durch den Papst betrachte. Ob es aber überhaupt noch einen Papst gab, ließ sich von unserem Gemeinwesen aus nicht mehr feststellen. Der Bischof versuchte unter der Jugend künftige Priester zu gewinnen, hatte aber nicht viel Erfolg damit.

Eine Schule gab es – leider – auch. Die leitete Tante Jessica, was sie davon befreite, Holzschuhe schnitzen zu müssen. Auch Onkel Ulrich und Rechtsanwalt Katzer schnitzten natürlich keine Holzschuhe, denn sie mußten ja Groß-Menzing regieren.

9

Als quasi Stiefneffe des regierenden Ulrich hatte ich zwar auch keinen Überblick über das, was draußen vorging, den hatte niemand, wohl aber Einblick in die inneren Angelegenheiten.

Es war zu einer Zeit, als wir vielleicht vier oder fünf Jahre in unserem befestigten Mittelalter gelebt hatten, also 2008 oder 2009 (ich war fünfzehn oder sechzehn Jahre alt und unterrichtete schon die kleineren Kinder im Lesen und Schreiben als Hilfslehrer Tante Jessicas), da kam mitten in der Nacht einer der in Lederwämsen uniformierten Mauerwächter aufgeregt vor unser Haus gelaufen und klopfte an der Tür.

Sie haben richtig gelesen: Lederwämse. So was hat es seit tausend Jahren nicht mehr gegeben. Na ja – vielleicht vierhundert Jahre, Lederwämse. Es gab schon welche, die trugen Barette oder so geschlitzte Hosen wie die Landsknechte. Wir rasten ins Mittelalter zurück, wie gesagt, aber daß wir deshalb gleich wieder Lederwämse tragen mußten, war nicht zwangsläufig, aber es war logisch, und man versteht das, wenn man sich vor Augen hält: über die Astrologie führte das Bircher-Müsli direkt zum Lederwams, Wassermann-Zeitalter, Seelenwanderungs-Fundamentalismus. »Mystik macht uns frei.« Nur nicht denken, dann fühlt sich der neue Mensch im Lederwams wohl. Für die Mauerwächter war das Lederwams übrigens Vorschrift.

Ich wachte als erster auf.

»Der Admiral!« schrie der Wächter.

»Der Admiral schläft«, schrie ich, »es ist halb zwei in der Nacht.« (Ulrich, der ohne eigentlich gewählt worden zu sein, der Chef zunächst unserer Bürgerwehr wurde und dann nach dem Zusammenschluß der Selbstschutzgemeinden fast wie von allein zum Chef des Ganzen aufgerückt war, hatte lange nach einem Titel gesucht. *Bürgermeister, Präsident, Kanzler* fand er unschön. *König* wagte er wohl nicht. Sein Stellvertreter Katzer schlug ihm *Feldmarschall* vor, da fiel Ulrich seine nie erwiderte Liebe zur Marine ein, und er entschied sich für *Admiral*, obwohl das einzige, was in Menzing irgendwie mit Schiffen zu tun hatte, das Restaurant *Gondola* in der Verdistraße war. Katzer wurde Vize-Admiral.)

»Weck ihn, es steht einer vor dem Tor.«

»Vor dem Tor steht oft einer. Immer steht irgendeiner vor dem Tor. Da könnte der Admiral nie schlafen.«

»Bist du der Menelik?«

»Ja«, sagte ich.

»Er will auch dich sprechen. Er ist dein Papa.«

»Wie? Was?«

»Er sagt, er ist dein Papa, und er will dich und den Admiral sprechen.«

Ich weckte Onkel Ulrich. Er lag neben Tante Jessica im Bett und war nur mit einem unordentlichen Leintuch zugedeckt. (Es war, wie fast immer, sehr heiß.) Tante Jessica lag auf dem Bauch und hatte lange schwarze Strümpfe an. Sie war nicht zugedeckt. Onkel Ulrichs Gesicht war nicht zu sehen, weil eine Zeitung darüber lag. Er las gern Zeitungen – alte Zeitungen, neue gab es längst nicht mehr. Er trauerte einem Phänomen nach, das Bundesliga hieß, was immer das gewesen sein mochte. Über der Lektüre, die ihn offenbar nicht mehr interessiert hatte als Tante Jessica in langen schwarzen Strümpfen, war er eingeschlafen. Die Kerze war heruntergebrannt. Ich zog die Zeitung weg. Onkel Ulrich schnarchte mit offenem Mund. Ich wußte, daß Onkel Ulrich sehr schwer zu wecken war, faltete aus der Zeitung eine Tüte, blies sie auf und knallte. Tante Jessica schrie auf, sah mich und riß dem Onkel Ulrich das Leintuch weg, um sich zuzudecken. Onkel Ulrich strich sich mit beiden Händen über den hochragenden Bauch und sagte dumpf:

»Hast du sie?«

Tante Jessica giftete mich an und schrie: »Was fällt dir ein?«

Später bekam ich heraus, daß Onkel Ulrich gemeint hatte, Tante Jessica hätte eine von den seit Jahren häufiger werdenden fast spatzengroßen grünen Fliegen erschlagen. Vielleicht hatte er grad von solchen Fliegen geträumt. Als er dann soweit war, daß er begriffen hatte, was man von ihm wollte, zog er sich an, zündete eine Laterne an, und wir gingen mit dem Wächter auf die Mauer an jene Stelle, wo Seelewig, mein angeblicher Vater, wartete.

Ich sage »mein angeblicher Vater«. Ich sehe, wenn ich heute die Augen schließe, das Bild noch vor mir: der konkave Mensch mit dem nagelbürstenartigen gelben Schnurrbart... Hat meine Mutter, die, abgesehen von ihrer etwas piepsigen Stimme, doch recht attraktiv war, besonders in ihren engen, glänzenden Hosen, wirklich keinen anderen gefunden als den da? Ich sehe an mir keine Ähnlichkeit mit diesem Tobias Seelewig, weshalb ich – vielleicht nur aus Trotz – bei dem Epitheton »mein angeblicher Vater« bleibe.

»Ulrich!« schrie Seelewig herauf.

»Ja? Seelewig? Und?«

»Ist das –«, Seelewig deutete auf mich, »der Gorbi?«

»Ich heiße schon seit Jahrzehnten Menelik«, sagte ich.

»Gut«, sagte Seelewig, »darf ich hineinkommen? Ich habe etwas Wichtiges mitzuteilen.«

»Hast du Aids?« fragte Ulrich.

»Nein«, sagte Seelewig.

»Wenn einer Aids hat, dann sieht er bei uns ziemlich alt aus.«

»Wie stellt ihr das fest?« schrie Seelewig herauf. »Könnt ihr die Tests noch machen?«

»Unsere Hebamme merkt es«, sagte Ulrich, »die braucht einem nur in die Augen zu schauen.«

»O je«, sagte Seelewig.

»Es kann sein«, sagte Ulrich, »daß wir ab und zu einen zuviel verbrannt haben. Einen zuwenig nicht. Not kennt kein Gebot. Aber was willst du überhaupt mitten in der Nacht?«

»Wir haben eine Chance«, rief Seelewig, »aber das kann ich nicht hier die Mauer hinaufschreien. Entweder laßt mich hinein oder bequemt euch heraus, aber dann bringt ein paar Stühle mit.«

Der Admiral überlegte. Die Hebamme schlief natürlich, und wenn sie nicht schlief, war sie unterwegs zu einer Entbindung. »Also gut«, sagte der Admiral. Er befahl der Wache, daß drei Stühle vor das Tor gestellt wurden, und wir begaben uns hinaus.

»Was für eine Chance?« fragte Ulrich.

»Die Goldenen Heiligen haben Feinde«, sagte Seelewig.

»Wen?«

»Die Goldenen Heiligen.«

»Das verstehe ich nicht.«

»Es gibt zwei Sorten von Goldenen Heiligen: die, die blaue Treutlinge verteilen, und die, die eher ins Violette spiegelnde Treutlinge verteilen.«

»Ich weiß«, sagte der Admiral, »die Violetten sind damals in Brasilien gelandet.«

»Sie haben sich längst weiter ausgebreitet. Viel weiter, als den Blauen lieb ist.«

»Aha«, sagte der Admiral, »ich verstehe.«

»Mein Freund, ein Goldener Heiliger mit Namen Rolf – er heißt natürlich nicht wirklich Rolf, er nennt sich nur mir zuliebe so, sein echter Name in der Goldenen-Heiligen-Sprache ist so anders und fremd für unsere Begriffe, daß wir ihn nicht übersetzen, nicht einmal aussprechen könnten. Er nennt sich also mir zuliebe Rolf.«

»Du bist mit einem Goldenen Heiligen befreundet?«

»Ja«, sagte Seelewig und blähte sich trotz seiner konkaven Konstitution.

»Wie geht das? Kann man das?«

»Die Goldenen Heiligen sind nicht so, wie ihr immer tut. Sie sind uns fremd, sicher, das müssen wir gewissermaßen ins Kalkül ziehen.«

»Kalkül, so«, sagte der Admiral, »was ist das? Red deutsch.«

»Die Goldenen Heiligen«, verdeutlichte Seelewig, »haben einen Verstand, und man kann vernünftig mit ihnen reden. Und letzten Endes *haben* sie uns erlöst.«

»Erlöst von was?«

»Von der Übervölkerung. Es wäre doch so nicht mehr weitergegangen, noch dazu, wo das Meer steigt und das Land wegfrißt. Heute hat die ganze Erde nur noch circa fünfhundert Millionen Einwohner. Und das Ozonloch wächst nicht mehr. Und die Schwarzen Barone sind verhungert, und die Bonzen auch. Das verdanken wir alles den Goldenen Heiligen.«

»Woher weißt du das?«

»Ich habe den Durchblick. Schließlich ist Rolf mein Freund. Er informiert mich.«

»Und *er* weiß alles?«

»Die Goldenen Heiligen haben ung*eheuer*liche Möglichkeiten.« Seelewig blähte sich wieder. »*Ich* partizipiere davon.«

»Wie schön für dich«, sagte der Admiral, »aber ich verstehe immer noch nichts. Was für eine Chance?«

»Die Violetten müssen vertrieben werden«, flüsterte Seelewig.

»Das geht uns doch nichts an.«

»Doch. Das heißt: schon, wenn wir wollen. Die Goldenen Heiligen, also die Blauen, zu denen mein Freund Rolf gehört, sind damit einverstanden, wenn wir ihnen helfen.«

»Ich verstehe immer: *einverstanden?!* Ich kann mich nicht erinnern, daß wir um etwas gebeten hätten.«

Seelewig schüttelte unwillig den Kopf und fuchtelte mit seinen Händen: »Wir sollen ihnen helfen.«

»*Wir?*« sagte Ulrich, »*ihnen?*«

»Sie können eins nicht: laute Töne machen. Sie sind eben so ungemein dezente Wesen. Alles können sie, nur *laut* sein können sie nicht.«

»Dann sollen sie mit ihren Kreissägen-Strahlen aufeinander schießen.«

»Die haben die anderen auch. Außerdem gibt es dagegen ein Mittel. Nicht aber gegen den Lärm. Kurzum: ich habe meinem Freund Rolf gesagt – Rolf, habe ich gesagt, ich kenne die Leute von Groß-Menzing; dort lebt mein Sohn, ich setze mich dafür ein, daß die euch helfen. Ich allein, verstehst du, richte nichts aus.«

»Du lebst allein?«

»So gut wie allein. Rolf hat mir ein kleines Häuschen eingerichtet.«

»Wir sollen Lärm machen?«

»Bis die Violetten zerfallen.«

»Und was bringt uns das?«

»Die Goldenen Heiligen werden sich nicht lumpen lassen. Außerdem: wenn ihr es nicht macht, machen es die Neger von da draußen. Die können womöglich noch lauter schreien, wenn's drauf ankommt.«

10

So zogen wir also als Söldner der Goldenen Heiligen/Blau in den Krieg. Ich war dabei. Es war ganz lustig, auch wenn es *Ausfälle* gab, um mich militärischer Ausdrucksweise zu bedienen.

Wie schon erwähnt, war unser Vize-Admiral, der Rechtsanwalt Katzer, früher bei den Gebirgs-Trachten-Schützen gewesen und spielte Zither. Er spielte aber auch Trompete, und da Admiral Ulrich eine große Vorliebe für Blasmusik hatte, wurde schon im zweiten Jahr in Groß-Menzing ein Spielmannszug gegründet, der ziemlich laut blasen konnte. Durch Seelewigs Vermittlung wurden wir,

also die Bewohner von Groß-Menzing, von der Ver-
pflichtung zur Holzschuhlieferung freigestellt, und wir
beschäftigten uns von Stund an mit der Herstellung von
Lärminstrumenten: Rasseln, Donnerblechen, Glocken,
Waschbrettern, vor allem aber Sirenen aller Bauarten. Ein
gewisser Sommerklee, ein älterer Mann, der in der Elfrie-
denstraße wohnte und schon viele Sachen erfunden hatte,
zum Beispiel eine zusammenlegbare Badewanne, eine
Wespenfalle und ein Verfahren, mit dem man Zucker aus
Löwenzahn gewinnen konnte, warf sich mit lebhafter
Energie auf die Entwicklung einer gigantischen Sirene,
einer, wie er es nannte, *Atom-Sirene*, sozusagen einer
Dicken Berta der Lärmerzeugung, einer Wunderwaffe
von unwiderstehlicher Durchschlagskraft. Sommerklees
Atom-Sirene wurde (nachdem der Bischof sie geweiht
hatte) auf eine gewaltige Lafette gehoben und vor die
Mauer gezogen. Ein Tor mußte abgebrochen werden, da-
mit das Lärm-Monstrum hinausgeschafft werden konnte.

Seelewig war zufrieden. Er durfte natürlich längst in die
Festung hinein. Die Hebamme hatte ihm Aids-Freiheit at-
testiert. Ab und zu brachte Seelewig Rolf mit, der aber
draußen vor der Mauer stehenblieb und nur drüber-
schaute. »Daß mir in der Zeit, wo Seine Exzellenz da ist, ja
kein Lärm gemacht wird.«

In der Zeit dieser Lärm-Aufrüstung wurden wir glän-
zend versorgt. Tonnen von köstlichsten und rarsten Sachen legten uns die Goldenen Heiligen vor die Tore: Gold
und Edelsteine, Stoffe und Tuche, Leder, Gewürze, Salz
und vieles mehr. Woher sie das nahmen? Wir erfuhren es
von Seelewig, der ja den Durchblick hatte: die Goldenen
Heiligen zerquetschten andere Gemeinwesen und brachten uns, was sie dort erbeuteten.

Die Atom-Sirene wurde draußen erprobt. Natürlich
war Rolf nicht dabei, und auch die anderen Goldenen Heiligen von der blauen Sorte zogen sich weit zurück. Zwölf
Männer – die stärksten von ganz Groß-Menzing – mußten
die Kurbel drehen. Als der Ton einsetzte, spaltete er

Bäume, und die Wolken am Himmel zerteilten sich. Mehrere baufällige Häuser stürzten ein, einem Kind fielen die Haare aus, und im Zwinger eines gewissen Laisentrizius, der Schäferhunde züchtete, krepierten alle Tiere.

Die violetten Goldenen Heiligen hatten sich, wie Seelewig, der den Überblick hatte, erzählte, von Brasilien aus rasend schnell ausgebreitet, schneller als die Blauen – »unsere«, so Seelewig – auf der Nordhalbkugel der Erde, und »haste nicht gesehn«, so Seelewig, waren sie schon in Florida und in Spanien und Persien und an anderen Stellen gelandet, und nun drangen sie durch die Schweiz und das Rheintal nach Norden vor, was die Blauen absolut nicht mehr hinnehmen konnten.

Das alles erzählte uns Seelewig an einem Nachmittag im November 2010, als er dem Admiral Ulrich und dem Vizeadmiral Katzer die Landkarten mit den geheimen Angriffswegen und die Befehle der Chefs der Goldenen Heiligen/Blau übergab. Ich sah an diesem Tag das erste Mal den speziellen *Walkman*, den er von seinem Freund Rolf bekommen hatte. In diesen *Walkman* paßte ein Treutling. Ob er Musik von sich gebe? fragte ich. »Musik nicht«, sagte Seelewig, »aber etwas viel Schöneres. Unbeschreibliches. In seiner Schönheit unbeschreiblich. Nur wer es hört – wobei *hört* schon zu wenig ist –, der weiß es.« Die Goldenen Heiligen benutzten es ständig und seien dadurch so stark. Mir war die Sache unheimlich, aber Ulrich hätte sich gern einmal probeweise den Treutling-Walkman aufgesetzt; Seelewig gestattete es nicht. Er meinte, Rolf wäre das sicher nicht recht.

Am Mittwoch, dem 1. Dezember 2010 früh um halb sieben Uhr zogen wir los, alles in allem etwa 4000 Mann. Es war nicht kalt. Kalte Winter gab es nicht mehr, weil durch den Treibhauseffekt das Weltklima längst um drei, vier Grad gestiegen war. (Der Zusammenbruch des Dreckausstoßes hatte den Treibhauseffekt zwar angehalten, die Wirkung aber nicht rückgängig gemacht, jedenfalls nicht so schnell. In acht Millionen Jahren, rechnete einer der wenigen aus, die darüber noch nachdachten, würde es sich eingependelt haben.) Ein Gespann von sechzehn Pferden zog die Atom-Sirene. Oft mußten Bäume gefällt werden, weil der gewaltige Apparat zwischen ihnen nicht durchkam. Der Zug ging langsam. »Natürlich können die Goldenen Heiligen, also *unsere* Goldenen Heiligen, die Blauen, uns mit einem Ruck in ihrem Raumschiff oder auf Transportstrahlen an Ort und Stelle befördern, samt Pferd und Wagen und Atom-Sirene, aber dann wäre der Überraschungseffekt dahin. Mit allem rechnen die Violetten, nur nicht mit irdischen Hilfstruppen. *Unsere* Goldenen Heiligen setzen auf den Überraschungseffekt. Auf ihn, vor allem.«

Die Straßen waren verwildert, die Städte verbrannt, die Häuser eingestürzt. An vielleicht einem Dutzend Ansiedlungen kamen wir vorbei, die ähnlich befestigt waren wie unser Groß-Menzing. Einige Male wurden wir beschossen, obwohl wir keinerlei feindliche Anstalten zeigten. Admiral Ulrich verfügte daher, daß unserem, möglicherweise tatsächlich furchteinflößenden Heerwurm eine weiße Fahne vorausgetragen würde und einer, quasi ein Herold, durch ein Megaphon freundliche Grüße brüllte, sobald wir uns einer Befestigung näherten. Es half nichts, wir wurden trotzdem beschossen. Da kam der, wie schon erwähnt, immer fröhliche Rechtsanwalt und Vize-Admiral Katzer, der musikalische Zitherspieler, auf die Idee: wir müßten von Ferne schon akustische Fröhlichkeit verbreiten. »Und wie stellst du dir das vor?« fragte Ulrich.

»Wir haben doch genug Blasmusik dabei«, sagte Katzer. Also marschierte eine Kapelle voraus und schmetterte den ›Bayrischen Defiliermarsch‹ oder ›Die lustigen Holzhakkerbuam‹. Tatsächlich hatte das Erfolg. Die Leute hinter den Mauern schossen nicht mehr, ab und zu winkte einer sogar. Herausgekommen, um uns zu begrüßen, ist aber keiner. Angst und Mißtrauen hatten sich auf die Welt gelegt wie das zunehmende Steppenklima auch.

Von den Goldenen Heiligen – den blauen wie den violetten – sahen wir auf dem Heerzug wenig. Rolf kam manchmal am späten Nachmittag angewalzt und unterhielt sich – perlmuttfarben phosphoreszierend – weit außerhalb des Zeltlagers mit Seelewig. Ab und zu leuchtete ganz in der Ferne eine Ansiedlung der Goldenen Heiligen: turmhohe Glanzmauern, über denen manchmal Strahlenbündel schwebten, die sich nach oben in den unendlichen Himmel verloren.

Wir sollten, sagte Seelewig, froh sein, daß wir den – wie er sich ausdrückte – *Kampfauftrag* von den Goldenen Heiligen bekommen hätten, denn für die Herstellung der bei ihnen so beliebten holländischen Holzschuhe bräuchten sie niemanden mehr oder jedenfalls nicht mehr viele von uns. Ein – wie nicht anders zu erwarten – holländischer Ingenieur namens Klops habe, erzählte Seelewig, eine automatische Holzschuhfabrik erfunden, die Tag und Nacht Holzschuhe schnitze und fast von allein laufe.

»So?« fragte Admiral Ulrich, »und wie soll das gehen? Wo es keinen elektrischen Strom mehr gibt? Und nichts? Drehte der Ingenieur Klops ununterbrochen an der Kurbel?«

»Die Nicht-Genug-Zu-Verehrenden«, sagte Seelewig kühl, »brauchen keine Kurbel und keinen Strom. Von den Möglichkeiten, die die Nicht-Genug-Zu-Verehrenden haben, um Energie zu gewinnen, habt ihr ja keine Ahnung.«

»Aber du schon, Seelewig!«

»Erlaube mir, *in etwa* eingeweiht zu sein«, sagte Seelewig.

Nur ab und zu, fuhr Seelewig fort, sei eine Schraube nachzuziehen oder irgendwo etwas zu schmieren, das mache der Ingenieur Klops mit einem Gehilfen. Dafür werde er von den Goldenen Heiligen gut gehalten und gefüttert und dürfe in einem Schloß wohnen und von Silber essen. Die Fabrik arbeite so, daß Arbeits-Goldene-Heilige (es gäbe Abstufungen, sagte Seelewig; Rolf gehöre natürlich nicht der Arbeitsschicht, sondern der Befehlsschicht an) – daß also Arbeits-Goldene-Heilige in die Wälder walzten, Baumstämme abbissen, zur Fabrik schleppten – was ihnen keine Mühe bedeutete – und auf der einen Seite in die Maschine schichteten, worauf auf der anderen Seite, grob gesagt, geschnitzte Holzschuhe herauskämen.

»Ich möchte immer noch wissen«, sagte Admiral Ulrich, »was zum Kuckuck die Goldenen Heiligen mit den Millionen und Abermillionen Holzschuhen anfangen.«

»Tja ja«, sagte der konkave Seelewig.

»Weißt du es?«

»Logo«, sagte Seelewig, »aber mir ist Schweigen auferlegt.« Seelewig schürzte die Lippen bedeutend, so daß sich sein gelber Nagelbürstenbart senkrecht stellte und einige Haare in die Nase fuhren. Ich glaube übrigens nicht, daß Seelewig es wirklich wußte.

Die Route, die uns durch den Marschbefehl vorgegeben war, war offenbar so gewählt, daß wir von den Ansiedlungen der Goldenen Heiligen fernblieben. Wahrscheinlich hatten sie Angst, daß unsere Atomsirene unwillentlich losgehen könnte, was aber unsinnig war. Wir zogen zunächst nach Norden bis zur Donau, dann donauaufwärts immer dem Fluß entlang, bis wir bei Ulm die ehemalige Autobahn erreichten. Sie war zum Teil noch intakt, wenn auch schon brüchig und überwachsen. Ein paar Brücken waren eingestürzt, aber im großen und ganzen kamen wir gut vorwärts. Bei Karlsruhe, von dem nur noch Ruinen standen, schwenkten wir nach Süden und zogen den Violetten entgegen. Rolf kam dort das letzte Mal herangewalzt und gab Seelewig noch eine Landkarte, auf der die letzte Vormarschposition der Violetten eingetragen war. Es wäre gelogen, wenn ich behauptete, es wäre uns nicht mulmig gewesen. Sie, die Violetten, standen, hieß es, zwischen Offenburg und Lahr. Von weitem sahen wir die Brände.

Das Land, durch das wir zogen, und wahrscheinlich alles andere Land auch, war, wie ich schon erwähnte, verwüstet, verbrannt oder verwildert und überwuchert. Zwischen hochaufgeschossenen, fast vorweltlich anmutenden Büschen ragten die Ruinen der Städte. Hohläugiges Gesindel huschte davon, wenn wir uns näherten. Ab und zu wagte es ein Rudel nackter Kinder, unserem Zug zu folgen, um zu betteln. Der Admiral verbot, etwas zu geben. »Sonst spricht es sich herum, und wir schleppen einen Rattenschwanz von Elendsgestalten hinter uns her.«

Die Ströme von Flüchtlingen, die wahrscheinlich nicht unerheblich durch Hunger und Epidemien dezimiert worden waren, waren offenbar kreuz und quer geflossen, hatten die Unglücklichen von Land zu Land gespült, und niemand wollte sie haben. Der Zusammenbruch aller staatlichen Gewalten löste, wie nicht anders zu erwarten, unter den bald so gut wie wild lebenden Flüchtlingen die schiere Anarchie aus. Faustrecht und Grobheit regierten; für die Goldenen Heiligen waren diese Wilden wertlos, weil sie keine Holzschuhe herstellen konnten. Sie schossen sie aus Jux mit ihren Kreissägestrahlen ab, erzählte Seelewig, habe ihm Rolf berichtet.

»Essen sie sie dann auf?« fragte ich.

»Tja ja«, sagte Seelewig, »mir ist Schweigen geboten.«

Aber ich glaube nicht, daß die Goldenen Heiligen irgend etwas zu sich nehmen, wie wir essen. Es ist bei denen alles ganz anders.

11

Seelewig, der zwar formal nicht den Oberbefehl über die Truppe – wenn man den Haufen so nennen kann – hatte, den hatte selbstredend der Admiral Ulrich, der aber, obwohl konkav, durch geblähtes Auftreten und durch seine Freundschaft mit Rolf den Oberkommandierenden quasi kommandierte, schickte am Neujahrstag 2011 einen Spähtrupp aus, der sich durch das Dickicht auf eine Anhöhe des Schwarzwaldes schlagen sollte, um zu erkunden, wie weit die violetten Goldenen Heiligen noch weg waren. Einen Monat hatten wir also gebraucht, um von Groß-Menzing, ab und zu den Bayrischen Defiliermarsch vorneweg geblasen, an den Oberrhein zu kommen. Eine großartige logistische Leistung des Admirals und des Vize-Admirals, wird man sagen – aber sie war nicht so großartig. Sicher: das Durcheinander beim Aufbauen der Zelte und bei der Sicherung des Lagers hielt sich, nach dem Chaos der ersten Tage, in Grenzen. Die Lebensmittel aber fanden wir in ausreichender Menge nach den Tagesetappen sauber geschichtet vor. (Nur manchmal waren Mäuse und Ameisen und solches Viehzeug drübergekommen, das sich in dem neuen warmen Klima deutlich vermehrte.) Die Goldenen Heiligen, unsichtbar für uns, hatten das besorgt. Es war uns über Rolf und Seelewig von vornherein zugesichert worden, anders hätten wir gar nicht ausmarschieren können.

Der Spähtrupp bestand aus vier Mann, die mit Feldstechern ausgerüstet waren. (Gewehre und Maschinenpistolen hatten sie auch dabei, aber nicht als Waffen gegen die Goldenen Heiligen, sondern gegen Räuber und sonstiges Gesindel und wilde Tiere. Es gab wieder Bären.) Ich wäre liebend gern mitgegangen: ich war achtzehn Jahre alt und froh, daß nach dem langen, öden Trott mit dem ewigen Bayrischen Defiliermarsch endlich etwas los war. Aber mein »Vater« war besorgt um mich, und ich mußte im Lager zurückbleiben. Tatsächlich war das mein Glück.

Es wurde unversehens dramatisch.

Von den vier Spähern kam nur einer zurück, und zwar »mit der Zunge auf der Weste«, wie Tante Jessica zu sagen pflegte. Er hatte Gewehr und Feldstecher weggeworfen und schrie: »Da! Da! Da!«

Hinter ihm wälzte sich der erste violette Goldene Heilige aus dem Dickicht, vielleicht einen Kilometer entfernt.

»ALARM!« schrie der Admiral.

Wir hatten unterwegs den »Ernstfall«, wie Seelewig sagte, geprobt. Trotzdem gab es plötzliche Verwirrung, aber die erste Musikkapelle fing doch schon nach wenigen Minuten an zu schmettern. Was an und für sich ein Organisationsfehler war, wurde zum unerwarteten Erfolg: die Noten waren durcheinandergeraten, und so spielte jeder

Musiker etwas anderes als die anderen, aber alle spielten, wie uns klar war, um ihr Leben und also enorm laut, und durch die vermischten Stimmen klang die Musik greulicher und lauter als unter geregelten Umständen.

Inzwischen hatte sich ein weiteres Dutzend Goldener Heiliger/Violett aus dem Busch gewälzt, zuckte aber, als der Lärm sie erreicht hatte, zurück. Zwar sandten sie ihre Kreissägestrahlen aus, die den einen oder anderen Musiker den Kopf kosteten, aber es waren weit weniger Strahlen, als wir befürchtet hatten. Vor allem hatten wir Zeit, die anderen Lärminstrumente in Stellung zu bringen und anzuwerfen. Die ersten Sirenen heulten, Kuhglockenbatterien dröhnten, die riesigen Bleche wurden geschüttelt. Die zwölf Spezialisten legten sich in die Riemen und begannen die Atom-Sirene in Bewegung zu bringen.

Erst pfiff nur der Wind, dann schlängelte sich ein dünner Ton nach oben und wehte weg, dann ächzte die Sirene stoßweise, die Töne wurden länger und dicker, immer schneller, schwollen an, erreichten die Dicke von Baumstämmen, die Maschine schleuderte vorn akustisch zugespitzte Balken, rotierende Steinbrockentöne, schleuderte alles nach vorn, sprühte Sterne von Lärm, zerriß die Luft in gelbe, rote, purpurne Fetzen, fuhr in Tönen wie turmdicke Schlangen am Boden hin und her, riß brüllende Rachen auf, die nach allen Seiten hinausfuhren, und erfüllte das Weltall bis hinter Sonne und Mond mit solchem sehrenden Lärm, daß selbst Gott-Vater sich die Ohren zuhielt. So laut war die Atom-Sirene, an der die zwölf stärksten Männer von Groß-Menzing im Schweiße ihres Angesichtes drehten.

Die Goldenen Heiligen blieben zunächst stehen, dann wichen einige zurück, die vordersten fingen an zu schmelzen. Admiral Ulrich schrie: »Vorwärts!« Der Fuhrknecht, der die sechzehn Zügel der sechzehn Pferde in den Händen hielt, die – mit verstopften Ohren – vor die Lafette mit der Atom-Sirene gespannt waren, zog die Zügel straff, die Pferde drückten ihre Hufe in den Grund und zogen an.

Die Sirene heulte weiter, die zwölf gewaltigen Sirenen-kurbler brauchten nur noch ab und zu neuen Schwung zu geben, auch im Fahren. Unterstützend heulten und brüll-ten die anderen Lärminstrumente und Blaskapellen. So stießen wir vor.

Die Violetten wichen jetzt nicht mehr nur zurück, sie ergriffen die Flucht – hätten die Flucht ergriffen, wenn sie dazu noch in der Lage gewesen wären. Sie schmolzen von unten, was wahrscheinlich ihr Verhängnis war. Sie klebten dadurch am Boden fest. Unter gräßlichen Zuckungen ver-schmorten sie zu schwärzlich-schwammiger, nach Karbid riechender Masse.

Mit äußerster Mühe zogen die Pferde, unterstützt von Leuten, die in die Speichen griffen, die Atom-Sirene über den Hügel. Mächtige Holzknechte fällten die Bäume, die im Weg standen. Die wackeren Bläser und Lärmer mar-schierten nebenher. Hinter dem Hügel in einer unbewal-deten Senke saßen oder standen Tausende von Goldenen Heiligen. Sie waren wie gelähmt. Wir fuhren mitten in sie hinein. Sie machten nicht den Versuch einer Gegenwehr. Sie klebten schon am Boden. Als sich der Abend auf das Schlachtfeld senkte, gab es jedenfalls hier im Oberen Rheintal keinen Goldenen Heiligen der violetten Sorte mehr.

Der Karbid-Gestank war allerdings grauenerregend. Wir zogen uns wieder nach Norden zurück und bauten unser Lager. In der Nacht kam Rolf, perlmutter-phospho-reszierend, und wartete, wie üblich, in einiger Entfernung. Seelewig ging hinaus zu ihm. Als er nach einer Stunde zu-rückkam, hatte er einen goldenen Hut auf und sagte: »Un-sere Nicht-Genug-Zu-Verehrenden sind sehr zufrieden mit uns.«

12

Warum schreibe ich das alles? Nur, weil mir Jupp, der Goldene Heilige, es aufgetragen hat? Warum hat er es mir aufgetragen? Wollen sie – die Goldenen Heiligen – wirklich wissen, wie die Sache aus unserer Sicht, also aus der Sicht der Menschen aussieht, oder besser gesagt: ausgesehen hat, aus der Sicht einer Spezies, die seit dem 12. oder 13. Oktober 1992, spätestens seit dem 2. Juli 2004 allenfalls den Stellenwert von Regenwürmern hatte? Interessiert Jupp und seine Artgenossen das wirklich?

»Schreib alles auf«, sagte er, »du bist der letzte.«

»Der letzte Mohikaner«, sagte ich und lachte zahnlos. Anders als zahnlos lachen kann ich nicht, weil ich keine Zähne mehr habe.

»Schreib ruhig alles auf, schreib hin, was du willst, laß deinem Haß freien Lauf«, sagte Jupp.

»Darauf können Sie Gift nehmen«, sagte ich.

Natürlich ist es den Goldenen Heiligen völlig *schnurzegal*, was der letzte Mohikaner, Menelik Hichter, ein einbeiniger, zahnloser Datterich in seinem neunundachtzigsten Lebensjahr, über die Goldenen Heiligen denkt.

»Hier hast du einen Schreibcomputer und Papier, damit du es ausdrucken kannst«, sagte Jupp, »schreib alles nieder. Schreibe es ungeniert. Es wird dir nichts passieren. Schimpfe auf uns. Es wird nicht einmal deine Essensration gekürzt.«

Hat Jupp ein Herz? Schlägt in seinem perlmuttglitzernden Körper, wenn dieser Ausdruck für die wabernde Masse von buchstäblich außerirdischem Ausmaß erlaubt ist, ein Herz? Ein Herz für den letzten Mohikaner? Für den einbeinigen, zahnlosen Menelik Hichter, der ich da sitze und das alles in meinen Computer tippe? (Neulich blieb eine Taste hängen – *shift* –, da kam gleich einer von den Unter-Arbeits-Goldenen Heiligen, wahrscheinlich ein völlig inferiores Element, und reparierte die Taste. So werde ich bedient. Es ist großartig.) Hat Jupp ein Herz? Ist der Auftrag, daß ich das alles niederschreiben soll, eine Beschäftigungstherapie für mich, für die paar Jahre oder womöglich nur Monate, die ich noch lebe? Weiß Jupp, daß ich mich vor allem langweile? Lesen? Die paar Bücher, die hier sind, kenne ich auswendig. Gegen mich selber Schach zu spielen ödet mich an. Die Patience-Karten sind so durchgewetzt, daß sie kaum noch zu gebrauchen sind. Ich rupfe Grashalme aus und sortiere sie nach der Größe. Ich zeichne den Straßenplan von Obermenzing in den Sand an der Ache unten, soweit ich mich erinnere. Ich sitze auf meiner Bank und singe Lieder, aber es fallen mir nicht mehr viele ein. Die Langeweile ist entsetzlich.

»Du kannst deinem Haß auf uns freien Lauf lassen«, hat er gesagt, »je gehässiger, desto lieber ist es uns, weil wir dann wissen: es ist die Wahrheit.«

Könnt ihr haben, habe ich mir gedacht. Ich habe tatsächlich zunächst erwogen, ihnen, also den Goldenen Heiligen, einen Haßgesang an den Kopf zu schleudern.

»Der Himmel möge sich noch einmal der Erde erbarmen,
Der armen, geschundenen, dreimal geprüften Erde,
Der Himmel möge mich hören, den letzten der Menschheit;
Der Himmel schleudere Krätze und Tollwut und Grind
Und den läusewimmelnden Aussatz, den juckenden,
Und schleudere Blutsturz und Blindheit und Zahnweh
Auf diese qualligen, angeblich goldenen-heiligen Leiber!
Oh, hätt' ich Wörter, unerhörte gewaltige Wörter, Wörter,
die nie noch dem Mund des Menschen entschlüpft sind,
Wörter, die stechen, die kratzen, die beißen, verletzen und
Denen, den angeblich goldenen, angeblich heiligen Bonzen
Von allen Seiten die fettigen, phosphoreszierenden Leiber
zerschinden...«

Hätte ich so schreiben sollen? Vielleicht mit angehängter Elegie.

»Aber auch ihr, o Genien, die einstmals die Dichtkunst bewachten,
Ihr auch seid tot und vergangen und wortlos ist Liebe und Haß,
Und wortlos ist selbst die unendliche letzte Trauer geworden...«

Nein. Sie haben ja keinen Kopf, an den ich das schleudern könnte. Also schreibe ich wirklich nur das auf, was sich – aus der Sicht der Menschheit – seit der ersten Ankunft der Goldenen Heiligen ereignet hat, woran ich mich erinnere.

»Gut«, hat Jupp gesagt, »aus der Sicht der ehemaligen Menschheit. Das ist es, was wir wollen. Eine historische Quelle.«

»Bin ich die Menschheit?« fragte ich.

»Zumindest bist du es *jetzt*«, sagte Jupp, »weil es keinen anderen Menschen mehr gibt.«

So schreibe ich also. Ich zweifle daran, daß es jemals Leser dieses Berichtes geben wird. Ich nehme nicht an, daß sich die Goldenen Heiligen wirklich für das interessieren, was ich da eintippe und ausdrucken lasse. Aber ich kann nicht anders, als mir einen – mindestens einen – Leser zu imaginieren. Schreiben heißt: reden. Mit dem imaginierten Leser reden. Ich rede mit einem imaginierten Leser, der in alle Ewigkeit keine Ohren hat. Ich darf gar nicht daran denken, sonst schreibe ich nicht weiter.

Die Menschheit geht mir nicht ab, aber der Leser geht mir ab. Ich tue so, als gäbe es ihn.

Also: geneigter Leser, menschlicher, wenngleich imaginierter Leser, du wirst dich schon gefragt haben, woher ich diverse Einzelheiten, die ich im ersten, noch in der dritten Person geschriebenen Teil dieser Erzählung niedergelegt habe, weiß? Zum Beispiel das mit den stark nach Salmiak riechenden Kochtöpfen und der Guzzi-California mit Beiwagen des Monsignore, später: Erzbischof Altmögen?

Der Salmiakgestank übertönte, wenn man so sagen kann, selbst den Karbidgeruch der immer mehr zerfallenden Restbestände (ich billige ihnen die Bezeichnung *Leichen* nicht zu) der violetten Goldenen Heiligen. Der Mensch, der aus dem Dickicht trat, stank gut und gern zehn Meter gegen den Wind. Zunächst hielt ich ihn für einen großen Pilz, der sich bewegte. Es hätte einen ja nichts mehr überrascht in dieser abwegigen Zeit, selbst daß Pilze sich bewegen. Es war aber kein Pilz, es war ein Mensch, der mülltonnenfarbig gekleidet und nur so groß wie ein durchschnittliches Volksschulkind war und einen Pfadfinderhut trug. »Ich heiße Burschi«, sagte er, »und das habt ihr nicht ganz schlecht gemacht.«

Zuerst wollte keiner mit Burschi etwas zu tun haben, weil er so nach Salmiak stank, und die Wachen, die die *Restbestände* zur Vorsicht im Auge behielten, während wir das Schlachtfeld räumten, um uns nach Norden zurückzuziehen, schickten ihn weg. Er folgte aber dem Heerwurm, und irgendwie gelang es ihm, in die Nähe von Seelewigs Sänfte zu kommen und Seelewigs Aufmerksamkeit zu erregen. Die Sänftenträger erzählten sich später nur, daß Burschi eine Zeitlang neben der Sänfte hergelaufen sei und zu Seelewig hingezischt habe. Leider, sagten die Träger, hätten sie die Sänfte nicht anders als jeweils mit beiden Händen tragen können, weshalb sie daran gehindert waren, sich die Nasen zuzuhalten.

Nach einer halben Stunde habe dann Seelewig angehalten und Burschi in seine Sänfte steigen lassen. (Es war eine große, doppelsitzige Sänfte; eine Couchsänfte; Seelewig pflegte gelegentlich darin zu schlafen, während er getragen wurde.) Das Gewicht sei nicht spürbar angestiegen, klar, bei der spindeldürren Zwergenfigur dieses Pilzmenschen. Seinen Plunder, den er offenbar immer bei sich trage, sagten die Sänftenträger, und der wahrscheinlich das Schwerste an dem ganzen Kerl gewesen sei, habe er vorher auf Anweisung Seelewigs auf einen hinterherfahrenden Wagen gelegt.

Trotz des Protestes von Admiral Ulrich und Vize-Admiral Katzer behielt Seelewig von da an Burschi bei sich, und er bekam ein eigenes schönes Zelt zugewiesen. »Der Mensch«, sagte Seelewig, »hat doch tatsächlich unter den violetten Goldenen Heiligen gelebt. Die haben es gar nicht bemerkt. Die haben ihn vielleicht wirklich für einen Pilz gehalten. Er versteht sogar ein bißchen von dem Gezwitscher der Goldenen Heiligen. Der Mensch ist von unschätzbarem Wert.«

Übrigens wandelte sich die Abneigung des Vize-Admirals schon in den nächsten Tagen in Zuneigung, ja, in Freundschaft, denn es stellte sich heraus, daß Burschi, dessen wahrer Name, wie er behauptete, Tschenett lautete, über einen nahezu unergründlichen Schatz von längst vergessenen Alpenliedern verfügte, die ehemals in den hintersten keltischen Tälern gesungen worden waren. Der Vize-Admiral holte seine Zither hervor, Burschi sang dazu. Ich erinnere mich nur an die vier Zeilen eines einzigen Liedes:

»Ein so runder Kuhdreck, der ist für vieles gut, im Sommer als ein Brustfleck, im Winter als ein Hut.«

Besonders schaudervoll war es, wenn Burschi zur Zither jodelte: »Holdiriariariiariho...« Ich glaube bemerkt zu haben, daß sich einmal in der im übrigen eher lauen Sommernacht der Mond verdüsterte.

Aber auch ich freundete mich mit Burschi an. Ich überwand die Abneigung gegen den Salmiakgeruch, gewöhnte mich sogar daran, und ich bereute es nicht. Burschi erzählte mir düstere Sagen von ganz alten Königen und Seligen Fräulein, von schönen Hexen, die in seiner, Burschis, Heimat, über die Almwiesen schwebten, er erzählte von Wölfen, die mit ihm lateinisch geredet hätten, von einem grünen See in einem schon seit jeher menschenleeren Tal, hinter dessen Wassern die verborgenen Weltenbaumeister gelebt hätten.

»Aber die sind jetzt auch tot«, sagte er. Und er erzählte mir, daß er dabeigewesen wäre, als die Goldenen Heiligen zum ersten Mal gelandet waren – oder: *fast* dabei. »So gut wie dabei. In der Nacht vom 12. auf den 13. Oktober 1992.«

»In dieser Nacht bin ich zur Welt gekommen«, sagte ich.

»Das hat etwas zu bedeuten«, sagte Burschi.

13

Die, wie man im militärischen Jargon scheinbar sachlich, aber in Wirklichkeit verharmlosend sagt, *Verluste* beliefen sich bei unserer »Truppe« auf weniger als fünf Prozent. Für die, die es erwischt hatte, war der Verlust hundertprozentig. Größere *Ausfälle,* um ein weiteres Verharmlosungswort von Strategen und Taktikern zu gebrauchen, ereigneten sich erst auf dem Rückmarsch. Der Februar wurde vorübergehend kalt, und eine Grippe-Epidemie raffte binnen weniger Tage über tausend Mann hinweg. Medikamente gab es nur noch wenige, und zwar das, was zufällig in geplünderten Apotheken gefunden wurde. Später – um das vorwegzunehmen – wuchs eine neue Generation heran, die sich nicht mehr an die Zeit vor den Goldenen Heiligen erinnerte, eine *Reservats*-Generation sozusagen. Die kochte sich wieder Tee aus Kräutern, zerrieb Wurzeln, machte aus Ameisen Pasten und trank und schluckte das oder rieb sich damit ein. Es gab dann schon wieder Medizinmänner, die bei Neumond oder Vollmond, je nachdem, fuchsschwanzgeschmückt ihre Patienten umtanzten. Auch Medizinfrauen gab es – es ist wohl nicht schwer zu raten, wer eine der ersten war.

Aber die meisten meiner Generation und vor allem der vorangegangenen, die noch im Zeitalter des sozusagen heißen Medizinfortschritts gelebt hatte, waren in dieser Hinsicht hysterisch. Daß sie keinen französischen Champagner mehr bekommen konnten, war für manche schmerzlich, aber darüber redete man bald nicht mehr. Daß in unserer Burg-Stadt Groß-Menzing (und wohl auch in anderen solchen Gemeinwesen) kein Kaffee und kein schöner weißer Würfelzucker mehr zu haben waren, sondern nur noch Sommerklees Löwenzahnsirup, wurde auch bald verschmerzt. Man gewöhnt sich an alles, und vielen half die Tatsache über die Verluste und Einbußen hinweg, daß die Künste des Alkoholbrennens und des Bierbrauens nicht vergessen wurden. Aber die Tabletten...

Sicher: auch ich trauerte, milde gesagt, zumindest an jenem Tag, als mir ein Zahn ohne Narkose gezogen wurde, gewissen Errungenschaften der Medizin nach. Aber manche wurden förmlich wahnsinnig, weil sie keine Medikamente mehr bekommen konnten.

Damals auf dem Rückmarsch, als die Grippe grassierte, wurden welche rasend und rannten im Fieberwahn umher, um irgendwo noch eine nicht geplünderte Apotheke zu finden. Wir waren damals schon ins ehemalige Schwäbische gelangt und da hatten sie, die Tablettenwahnsinnigen, das Pech, nicht nur eine nicht geplünderte Apotheke, sondern eine zwar verfallene, aber nicht zerstörte, mitten in der Produktion stehengebliebene Arzneimittelfabrik zu finden. *Themisto* stand, noch gut leserlich, auf dem Gelände. Die Grippekranken, obwohl sie sich kaum auf den Beinen halten konnten, stürmten die Fabrik und fraßen alles an Tabletten, was sie vorfanden. Was sie nicht fraßen, fraßen die – noch – Gesunden vorbeugend. Ich weiß nicht, wogegen die Medikamente wirken sollten, die die Firma *Themisto* hergestellt hatte. Burschi und ich waren beim Sturm auch dabei – nur aus Neugierde – und ganz hinten.

»Vielleicht findest du noch irgend etwas Schriftliches«, sagte Burschi, »die müssen doch auch Schachteln gelagert haben und solche Beipack-Zettel.«

Aber die Schachteln und die Beipack-Zettel hatten die Ratten gefressen; die Tabletten nicht.

Ich vermute, daß auf die Tabletten ungefähr gleich viele *Ausfälle* zurückzuführen waren wie auf die Grippe-Epidemie.

Nachzutragen wäre in diesem Zusammenhang, daß die Goldenen Heiligen uns zwar alle möglichen Lebensmittel und Bedarfsgegenstände im Gegenzug zur Lieferung von Holzschuhen und jetzt als Belohnung für unsere Söldnerdienste herbeischafften, nie aber Medikamente.

Man kann sich den Grund leicht zusammenreimen: sie wollten uns aussterben lassen. Mit Gewalt allein, wie sie es anfangs probiert hatten, ging es nicht. Ein Wildschwein, das sich in einen Ameisenhaufen setzt, zerstört zwar die komplizierte Struktur des Haufens, zerquetscht eine Menge Ameisen, aber längst nicht alle. Die ersten Goldenen Heiligen waren solche Wildschweine, die zweite Welle der Kolonisation, denke ich mir, brachte subtilere Herrschaften herbei, die offenbar nachdachten und ausgefeiltere Methoden anwandten, um uns kleinzukriegen, oder vielmehr: noch kleiner.

Ich wurde nicht krank, Burschi auch nicht. Seelewig hatte sich, als die ersten Anzeichen der Epidemie auftauchten, sofort aus dem Staub gemacht. Rolf, sagte er, nehme ihn auf einem Transportstrahl mit; wichtige Geschäfte warteten. Admiral Ulrich und Vize-Admiral Katzer erwischte es zum Glück nur leicht. Daß ich nicht krank wurde, verdanke ich Burschi. Er sagte nur, daß ich nur ja keine Medizin nehmen solle, denn Medizin sei »an und für sich eh schon immer Schwindel gewesen«. Er hatte unter seinem Plunder einen Ledersack, den er, sagte er, von einem gewissen Micheler (er betonte den Namen auf der zweiten Silbe) geerbt habe. Er erzählte mir sehr viele Geschichten von diesem Micheler, der in Tirol gelebt habe »und praktisch ein Wundermann gewesen ist. Der wenn noch leben täte, dann hätten die Goldenen Heiligen keinen guten Tag.«

Der Micheler habe weit hinten in einem Hochtal, fast schon am Fuß der Gletscher, gelebt und wenige Schüler gehabt, außer ihm, Burschi, eigentlich nur einen jungen Menschen namens Simeon Zingerle. Es sei auch sehr schwer gewesen, dem Unterricht des Micheler zu folgen, weil er so gut wie keine Zähne mehr gehabt und einen Dialekt gesprochen habe, der mit *urig* schon nicht mehr ganz zutreffend umrissen sei.

»Wenn du«, sagte der Burschi, »eine Schaufel voll nassen, groben Kies auf einen Haufen nassen, groben Kies schüttest, gibt es ein Geräusch: und genauso hat es geklungen, wenn der Micheler geredet hat.«

Aber mit der Zeit habe er, Burschi, den Micheler dann doch leidlich verstanden, und nach seinem Tod habe er diesen Ledersack voll Heilkräuter geerbt.

Burschi machte mir eine Kompresse. Sie stank stark nach Salmiak, aber sie half. Burschi bot auch anderen seine Behandlung an; nur wenige machten Gebrauch davon. Die wenigen wurden auch tatsächlich nicht krank.

»Und wenn die Kräuter verbraucht sind?« fragte ich.

»Der Micheler hat mir schon gezeigt, wo sie wachsen«, sagte Burschi. »Im Sommer gehe ich wieder dorthin.«

»Durch den Wald? Wo das Gesindel ist und die Bären und Wölfe? Du allein?«

»Ich«, sagte Burschi, »komme überall durch. Es hat auch Vorteile, wenn man klein ist und nach Salmiak stinkt.«

Obwohl, wie gesagt, *Ausfälle* zu verzeichnen waren – sie beliefen sich letzten Endes immerhin auf ein Viertel der Truppe –, wurden wir, es war Mitte Februar, bei unserer Heimkehr triumphal begrüßt. Wir zogen durch das westliche Tor ein. Die vereinigten Musikkapellen spielten unter der Leitung des Vize-Admirals den Bayrischen Defiliermarsch in einer Lautstärke, die schon beinahe an die Atom-Sirene herankam. Auch Seelewig war wieder da. Rolf wäre beinahe vom Defiliermarsch überrascht worden, konnte grad noch rechtzeitig fliehen. (Das gab eine unschöne Debatte zwischen Seelewig und Katzer.)

Ein großartiges Besäufnis wurde veranstaltet. Die Goldenen Heiligen hatten kräftig Fässer mit so feinem Schnaps herbeigeschafft, wie wir ihn selber nicht mehr herstellen konnten. Die Atom-Sirene wurde nochmals als Freuden-Jubel in Gang gesetzt und dann eingemottet. Admiral Ulrich ernannte sich selber zum Groß-Admiral.

Es gab aber noch eine Belohnung von den Goldenen Heiligen. Man erinnert sich vielleicht an den speziellen *Walkman*, den Seelewig im November vor dem »Feldzug« (so Groß-Admiral Ulrich) in Groß-Menzing bei sich gehabt hatte, den *Walkman*, der nur äußerlich so aussah wie die *Walkmen*, mit denen ehemals die Turnschuh-Leute herumgerannt waren, den *Walkman*, in den der Treutling paßte und den Rolf seinem Freund Seelewig geschenkt hatte. Solche *Walkmen* – nicht sehr viele, vielleicht zwei Dutzend – brachte Seelewig daher, jeden in einem Karton von bläulicher Farbe und eigenartiger Konsistenz: halb Pappendeckel, halb Glas, also – laut Seelewig – von außerirdischer Herkunft. Der gelbe Nagelbürstenbart meines angeblichen Vaters, des ehemals biologisch-dynamischen Warenhändlers, sträubte sich, als er die Kartons feierlich übergab: »dieses Geschenk der Nicht-Genug-Zu-Verehrenden an die tapferen Groß-Menzinger.«

Burschi, der bei der Übergabe auch dabei war, sagte zu mir: »Laß die Finger davon!« Ich folgte seinem Rat, obwohl ich neugierig war.

Die Übergabe fand im Saal des Schlosses Blutenburg, der Residenz des Groß-Admirals Ulrich, statt. Das heißt: nachdem Seelewig die Dinger mit Grüßen von Rolf gebracht und nun der Groß-Admiral auch hineingehorcht hatte, beschlossen die beiden, eine förmliche Übergabe in feierlicher Form zu veranstalten. Ulrich war keiner, der eine Gelegenheit zu einem Besäufnis ausließ. Von dem kostbaren Schnaps war noch genug da.

Anfang März also waren die Honoratioren von Groß-Menzing und die herausragenden Veteranen des Feldzuges gegen die Goldenen Heiligen/Violett im Saal des Schlosses Blutenburg versammelt. Vize-Admiral Katzer spielte höchstselbst auf der Zither das Lied: »Mir san net vo Pasing, mir san net vo Loam, mir san von dem Lustigen Menzing dahoam.« Seelewig war natürlich da, Tante Jessica in einem düngerfarbenen, sehr tief ausgeschnittenen Abendkleid, acht von den ehemals zwölf Atom-Sirenen-Drehern (vier waren bei der Grippe-Epidemie gestorben), Burschi, wie schon gesagt, der Bischof von *Leiden Christi* und viele andere, insgesamt an die hundertfünfzig Personen. Auch ich war dabei, zwar ohne Verdienste, aber als Sohn Seelewigs und Stiefsohn des Groß-Admirals. (Die Protektion spielte eine große Rolle in unserer mittelalterlich gewordenen Welt.) Übrigens wollte mich – schon wieder einmal einer – der Groß-Admiral adoptieren. Ich hätte dann *Bockmayer* geheißen. Da er keine Kinder hatte und von Jessica, die um die Zeit schon auf die Fünfzig zuging, keine mehr erwartete, dächte er, sagte er einmal zu mir, an mich als einstigen Nachfolger. Wie schön von ihm; ich hatte aber keinen Ehrgeiz dazu. Ob es ihm wirklich Ernst damit war, weiß ich nicht. Er sagte: »Bockmayer ist auch nicht häßlicher als Hämmele oder Hichter, und außerdem würde ich dich zum *Erb-Admiral* ernennen.« Er hatte, als er das sagte, schon einige Gläser Weißbier getrunken und kam später auf die Sache nicht mehr zurück. Aber immerhin respektierten mich die Leute von Groß- Menzing als einen dem Chef so Nahestehenden.

Ich war also auch dabei. Nicht dabei war leider Rolf, freilich, er hätte nicht in den Saal gepaßt, und der Lärm, der bald entstand, hätte ihm sicher geschadet.

Erst spielte also der Vize-Admiral, dann hielt Groß-Admiral Bockmayer eine Rede, dann hielt Seelewig eine Rede, dann spielte wieder der Vize-Admiral. Ein Toast wurde ausgebracht, danach ernannte der Groß-Admiral den Seelewig zum *Konsul.* Seelewig, hatte ich den Eindruck, platzte fast. Zum Schluß übergab Seelewig die zwei Dutzend Glas-Kartons und unterstrich nochmals die Bedeutung dieser Geschenke und der Freundschaft Groß-Menzings mit ihm, Konsul Seelewig, dem Goldenen Rolf und den Goldenen Heiligen überhaupt.

Die Feier endete, muß ich leider sagen, unwürdig. Burschi, der zwar achtundzwanzig Weiß- und Freibier trank, aber vollkommen nüchtern blieb, zog mich in Sicherheit, als die große Schlägerei anfing. Wir flohen in den Park und konnten beobachten, wie ab und zu einer durch ein Fenster herausflog. Wie durch ein Wunder gab es nur einen Toten.

Die Schlägerei entwickelte sich nicht, weil die anwesende Crème von Groß-Menzing betrunken gewesen wäre – das war sie auch –, sondern wegen der Verteilung der Treutling-*Walkmen*. Selbst der Bischof von *Leiden Christi* beteiligte sich. Er ergatterte übrigens einen. Seelewig, der von einem der Atom-Sirenen-Dreher, einem gewaltigen Trinker namens Rucks, fürchterliche Prügel bezogen hatte, konnte die Gemüter zum Schluß dadurch etwas beruhigen, daß er versprach, Rolf um weitere Walkmen zu bitten. Nur Rucks war damit nicht zufrieden, weil er nämlich inmitten des Kampfgetümmels plötzlich eingeschlafen war, von der Auseinandersetzung offenbar weitergeträumt hatte und nun in dem Glauben aufwachte, sie dauerte noch an, und dem Seelewig eine Ohrfeige gab, von dem Wort begleitet: »Und die ist für'n Konsul.« Die Ohrfeige war so verheerend, daß Konsul Seelewig noch konkaver wurde, an einem der mit Kerzen bestecken Wagenrad-Leuchter hängenblieb und Feuer fing. Er konnte mit Bier gelöscht werden. Sein Unmut wurde dadurch beseitigt, daß ihn Groß-Admiral Bockmayer unverzüglich zum General-Konsul beförderte. Rucks wurde veranlaßt, um Entschuldigung zu bitten, was der an sich gutmütige Gigant dann auch gern tat. Dennoch blieb ein Rest von Distanz zwischen Seelewig und Rucks zurück.

14

Es war Anfang März und noch kühl. Burschi und ich hüllten uns in die dicken Samtvorhänge. Die Vorhänge waren am Boden gelegen, weil einige der Kämpfenden sie heruntergerissen hatten, um an die schweren Vorhangstangen zu kommen, die sich als Waffen eigneten. Burschi hatte, als er mich ergriff und nach draußen zog, ein paar von den Vorhängen an sich gerafft.

»Es kann für Die Dort gut sein«, sagte Burschi, »für unsereins nicht.« Burschi nannte unsere *Entdecker* nie »die Goldenen Heiligen« und schon gar nicht »die Nicht-Genug-Zu-Verehrenden«, sondern immer nur »Die Dort«.

»Und was hat es mit diesen Walkmen auf sich?« fragte ich.

»Das wird sich bald herumsprechen. Was genau es ist, weiß ich auch nicht. Ich weiß nur, daß es schlecht ist.«

»Ist alles, was von den Goldenen...«, ich verbesserte mich Burschi zuliebe, »... von Denen Dort kommt, schlecht?«

»Die Dort sind anders als wir.«

»Das ist mir auch schon aufgefallen«, lachte ich.

»Willst du, daß ich dir ernsthaft etwas sage, oder nicht?«

»Entschuldige.«

»Ja. Also. Der Unterschied zwischen, sagen wir, einer Ameise und einer Katze ist nichts gegen den Unterschied zwischen uns und Denen Dort.«

»Aber sie sind doch denkende Wesen? Und sie reden? Oder zwitschern zumindest.«

»Was heißt schon: denken. Sagen wir einmal so: sie wissen im großen und ganzen, was sie wollen. Und sie wollen die Welt. Unsere Welt. *Vormals* unsere Welt.« Burschi schaute zum Sternenhimmel auf – es war eine klare Nacht – und fügte fast wie verträumt an: »Firma Chaos, vormals Menschheit.« Dann wandte er sich wieder an mich: »Natürlich ist *für uns* alles schlecht, was von Denen Dort kommt, weil sie, Die Dort, so ganz anders sind. Es paßt nicht. Verstehst du? Gut oder schlecht – das gibt es eigentlich gar nicht. Es kommt nur drauf an, ob es paßt oder nicht. Es ist immer nur die Frage: paßt etwas oder paßt etwas nicht!! Und es paßt uns nichts, was von Denen Dort kommt.«

Und er redete weiter:

»Von einer Erlösung kann gar keine Rede sein. Ein Messias kommt nicht. Das haben wir uns jahrhundertelang, was sage ich: jahrtausendelang eingeredet. Wir haben uns auf der Welt so aufgeführt, daß die Welt *von uns* erlöst werden muß.«

»Was wir so gehört haben, mit unseren Ohren, haben das Die Dort schon weitgehend geschafft: die Welt von uns zu erlösen.«

»Insofern, aber *nur* insofern sind Die Dort der Messias. Wenn wir uns anständig aufgeführt hätten, dann wäre es ihnen, also Denen Dort, nicht gelungen. Wir haben der Welt Risse zugefügt, und durch diese Risse sind Die Dort eingedrungen. Bildlich gesprochen, aber das verstehst du vielleicht noch nicht.«

»Das verstehe ich schon«, sagte ich.

»Der Micheler hat es schon gewußt, damals. Der Micheler. Der schon. Dem Micheler haben es die Wölfe in den Winternächten ganz hinten im Tal der Lausa, kann auch sein im Tal von Duron auf lateinisch erzählt, und die Wölfe hatten es von den Geheimen Weltenbaumeistern. Ich war einmal an dem See, hinter dem die Geheimen Weltenbaumeister leben sollen, aber der Kahn, der versprochene, war nicht da, und da konnte ich nicht hinüberrudern, und einen anderen Zugang gibt es nicht, weil lauter Felsen sind. Das war schon später, lang nach dem Tod vom Micheler.«

»Wer hat dir den Kahn versprochen?«

»Das tut wohl nichts zur Sache«, sagte Burschi. »Aber ich habe mit dem Micheler darüber gesprochen.« Burschi lachte. »Der Micheler! Der alte Heide. *So* krumme Zehen hat er gehabt. Echte *rätische* Zehen, aber krumm. Mit einem Fuß mit solchen Zehen kannst du sogar einem wilden Dämon einen Fußtritt geben. Aber der Micheler ist tot, lang schon tot, seit zwei- oder sogar dreihundert Jahren schon.«

»Wieso kannst du ihn dann gekannt haben?«

»Ja – Ja ... so. Es sind andere Jahre und andere Zahlen. Die anderen Jahre zählen sich anders. Es tut auch nichts zur Sache.«

»Immer wenn es interessant wird, sagst du: es tut nichts zur Sache.«

»Warum, meinst du wohl, war ich vor neunzehn Jahren in Paderborn? Warum wohl? Sehe ich vielleicht aus wie einer, der an und für sich in Paderborn etwas zu suchen hat? Oder wie oder was? Einer wie ich, ein Kelte, der denkt überhaupt nicht im Traum daran, irgendwohin zu fahren, wo Paderborn liegt. Aber – der Micheler hat es mir gesagt. Nicht lang vor seinem Tod: Pimpl, hat er gesagt, fahre am 12. Oktober 1992 nach Paderborn. Du wirst klarer sehen.«

»Pimpl?«

»Pimpl hat er mich immer geheißen. In Wirklichkeit heiße ich aber Kurt. Aber sagen tun sie zu mir Burschi; *haben* gesagt, wie es sie noch gegeben hat.«

»Wer? *Sie?*«

»Die anderen halt«, sagte Burschi. »Fast habe ich ihn vergessen, den 12. Oktober 1992. Wer denkt auch schon jahrzehntelang ständig an irgendein Datum? Ich bin sicher, daß es eine Fügung war, die der Micheler vorsorglich eingerichtet hat, daß mir in dem gewissen Stehausschank, wo ich –«, er machte eine gewandte Geste, »– zu verkehren pflegte, ein Mensch, der, wenn ich mich recht erinnere, Professor Brüsicking geheißen hat, ein langer und struppiger – aber hochgebildet, bitte! –, einen Kalender hat liegenlassen, und ich schlage auf, und zufällig fällt mein Blick auf den 12. Oktober, und der gewisse Professor Brüsicking hat da hineingeschrieben: *Milch, Eier*, wahrscheinlich, weil ihm seine Frau aufgetragen hat, an dem betreffenden Tag, also am 12. Oktober, Milch und Eier aus der Stadt mitzubringen. Ein Professor, der naturgemäß alles vergißt, wie man weiß, muß sich ja sogar so was aufschreiben. Oder anders ausgedrückt: *grad* so was muß er sich aufschreiben. Also: Milch – Komma – Eier. Und ich lese, flüchtig hinschauend, was? Was lese ich? Ich lese statt *Milch Eier: Micheler.* Das war am 10. Oktober. Wo ist, habe ich sofort die Elfriede gefragt, was die Chefin im Stehausschank war, wo ist Paderborn? Sie hat sich umge-

hört, und nach weniger als einer Stunde haben wir herausbekommen gehabt, wo Paderborn war, und ich bin hingefahren und war, ich habe es dir schon erzählt, als erster
dort.«

Die Rauferei im Saal drüben ging ihrem Ende zu. Es flogen nur noch wenige durch die Fenster. Übrigens sausten
die meisten, die hinausgeflogen waren, nachdem sie sich
geschüttelt, durch die seitliche Tür wieder hinein. Man
hörte den General-Konsul Seelewig reden.

»Wenn wir sauber gewesen wären«, sagte Burschi, »du
verstehst: *sauber* – wenn alle sauber gewesen wären, alle
auf der Welt *sauber*, dann hätten uns Die Dort nicht gefährlich werden können. Aber jetzt ist es, fürchte ich, zu
spät. Trotzdem sollte man es probieren.«

»*Sauber*–?« sagte ich. »Dann wären Die Dort eine Strafe
des Himmels?«

»Trotzdem sollte man es probieren. *Noch* geht es vielleicht. Sie haben es uns ja selber gezeigt. Sie sind nicht so
Golden, und *Heilig* schon gar nicht.«

»Und was hat es nun mit den Walkmen für die Treutlinge für eine Bewandtnis?«

»Es träufelt ins Ohr. Es ist sehr angenehm, muß man sagen. Klar. Angenehm und verführerisch. Man braucht
nicht mehr zu essen und braucht keine Leidenschaften,
wenn du weißt, was ich meine, und braucht nicht mehr zu
denken.«

»Ist es eine Art Musik?«

»Nur in dem Sinn, daß es ins Ohr träufelt. Aber vom
Ohr aus verbreitet es sich im ganzen Leib. Es erzeugt
Risse. Unsichtbare Risse. Risse zwischen Herz und Leber
und Leber und Magen und Hirn und Blut und überhaupt,
kreuz und quer Risse. Man kommt sich größer vor, grob
gesprochen, aber man kann nicht mehr zurück. Es saugt
einen hinein wie in ein Loch. Die Risse fressen das andere
auf, und zum Schluß bist du innen Staub.«

»Woher weißt du das?«

»Die Violetten, bei denen ich mehrere Jahre war, die, die

mich für einen Pilz gehalten haben, haben das auspro-
biert.«

»An Menschen?«

»Freilich. An wem sonst? An Hunderten. In Ghettos.
Die sind fröhlich pfeifend zu Staub zerfallen. Sie haben
sich nicht einmal mehr für den Geschlechtsverkehr interessiert.«

»Hast du – probiert?«

»Klaro.«

»Aber –? Du sagst: man kommt nicht mehr los?«

Er deutete auf seinen Ledersack, den er fast immer bei
sich hatte. »Ich bin ein Schüler vom alten Micheler. *Mir*
macht es nichts. Jedenfalls das eine Mal hat es mir nichts
gemacht. Aber du! – *du* halt dich weg von dem Zeug.«

15

Wir erfuhren immer nur, was Rolf im Wege über seinen
Freund und Boten Seelewig (General-Konsul) uns an
Nachrichten zukommen ließ. Die Goldenen Heiligen/
Violett hätten, so wurde uns gesagt, durch die vernich-
tende Niederlage am Oberrhein einen solchen heillosen
Schrecken bekommen, daß sie sich kampflos auf die Süd-
halbkugel der Erde zurückgezogen hätten. Eine weitere
Gefahr drohe von ihnen nicht.

Von uns drohte den blauen Goldenen Heiligen auch
keine Gefahr, wenngleich wir ja nun wußten, wie ihnen
beizukommen gewesen wäre. Es gab Stimmen, sogar im
engeren Kreis um den Groß-Admiral, die raunten: ob man
nicht mit der Atom-Sirene gegen die »Nicht-Genug-Zu-
Verehrenden« marschieren solle. Als Seelewig Wind davon bekam, machte er sofort ein großes Geschrei und
blökte: wir sollten *ja* froh sein, wenn er das nicht seinem
Freund Rolf erzähle. Wir würden dann, noch bevor die
Atom-Sirene auch nur einen einzigen Ächzer von sich ge-

ben würde, »eine gewischt bekommen« (so General-Konsul Seelewig wörtlich), »daß ihr ziemlich alt aussehen würdet.« Auch unter uns Groß-Menzingern warnten manche vor dem Risiko. Es gab einfach schon zu viele Goldene Heilige auf der Erde. Ein Feldzug, wie der an den Oberrhein, war uns nur noch als Hilfstruppe der Goldenen Heiligen möglich. Das war sicher richtig: man erinnere sich nur daran, daß wir von ihnen auf dem Marsch versorgt wurden. Selber hätten wir mit unseren mittelalterlich gewordenen Mitteln die Logistik nicht sicherstellen können. Und natürlich: die Bequemlichkeit. Wer wie wir längst keinen Durchblick mehr hat, zieht sich gern auf das zurück, was ihm sicher scheint. Und es ging uns ja wieder relativ gut.

Und der Fundamental-Wassermannismus – den darf man nicht vergessen. Es gab immer noch genug, die sich gern unterwarfen, weil Die Dort *von oben* kamen. Vom Großen Müsli.

Die Jahre vergingen. Das Leben in Groß-Menzing wurde eintönig. Die Privilegierten dämmerten an ihren Treutling-Walkmen dahin. Ulrich Bockmayer war der erste, der zu Staub zerfiel. Ein neuer Groß-Admiral wurde gewählt. Seelewig kam und brachte den Wunsch Rolfs vor, daß unter keinen Umständen jener gewalttätige Rucks gewählt werden dürfe, weil sonst die Nicht-Genug-Zu-Verehrenden ihre schützende Hand von uns ziehen würden.

Ich schlug Burschi vor. (Die Versammlung der stimmberechtigten Bürger Groß-Menzings fand auf der großen Wiese neben dem Schloß Blutenburg statt.) Aber es ertönten höhnische Schreie: »Wir wollen keinen Pilz!«, und gleichzeitig Burschis grelle Stimme, daß er die Wahl von vornherein ablehne. Eigentlich war die Mehrheit ohnedies für Seelewig, aber der sagte, daß er gar nicht in Groß-Menzing wohne und inzwischen bereits zum Ehren-Nicht-Genug-Zu-Verehrenden erhoben worden und damit als über der Menschheit stehend zu betrachten sei. Jessica Hichter, meine Tante, kam, da Frau, nicht in Frage. Ich war damals vielleicht 24 Jahre alt – zu jung. So wurde der seinerzeitige Anführer der Atom-Sirenen-Dreher, ein vierschrötiger Mann namens Pauli, zum neuen Admiral gewählt. Seelewig war es zufrieden.

Mit Pauli schloß dann Rolf den Vertrag. Das war am 20. März 2017, einem Montag. Rolf rollte in Begleitung mehrerer anderer Goldener Heiliger an. Sie ließen sich vor der Mauer im Halbkreis nieder und surrten leise vor sich hin. Seelewig vermittelte und dolmetschte. »Die Nicht-Genug-Zu-Verehrenden«, sagte er, »sind der Meinung, daß die Rechtsbeziehungen zwischen ihnen und der bisherigen Bevölkerung der Welt geregelt werden müßten.«

»Da sind sie früh dran«, brummte Burschi, »fünfundzwanzig Jahre nach ihrer ersten Landung.« Admiral Pauli und seine vier Berater sowie der infolge Treutling-Mißbrauchs vor sich hindämmernde Vize-Admiral Katzer saßen vorn an der Mauerkante auf drei Sofas, die man hinaufgetragen hatte. Alle anderen saßen oder standen auf der Mauer, ich saß vor Burschi, der sich auf meine Schultern stützte. Seelewig stand unten in der Mitte zwischen dem Halbrund der Goldenen Heiligen und der Mauer und war gebläht. »Die Nicht-Genug-Zu-Verehrenden sind zwar der Meinung, daß die Besiedlung der Erde durch die sogenannte Menschheit auf reinem Zufall beruhte und deshalb kein dauerndes Wohnrecht begründete, sie sind aber dennoch bereit, einen Vertrag abzuschließen. Die Nicht-Genug-Zu-Verehrenden kaufen euch die Erde ab.«

»Bravo«, zischte Burschi mir ins Ohr.

»Ein Vertragspapier ist vorbereitet. Seine Exzellenz, Herr Admiral Pauli, ist aufgefordert zu unterschreiben. Die Bezahlung erfolgt in Treutlingen und Walkmen.«

»Aha«, zischte Burschi.

»Wieso *aha*?« flüsterte ich.

»Die Dort kaufen uns etwas ab, was uns erstens nicht gehört und was sie zweitens ohnedies schon haben, weil mit Gewalt genommen.«

»Also ein übler Trick?«

»Das kannst du laut sagen. Nur: cui bono? wie wir Lateiner zu sagen pflegen.«

»Seit wann bist du Lateiner?«

»Ich bin kein sehr guter Lateiner, aber was *cui bono* heißt, weiß ich.«

»Cui bono – na ja«, sagte ich, »es ist ein Trick, daß sie das Zeug unter uns ausstreuen.«

»Dazu brauchen sie keinen Trick. Wo doch alle wild drauf sind, daß sie ihre Seele verkaufen würden. Nein, nein. Da steckt etwas anderes dahinter. Ich weiß nur noch nicht, was.«

Es folgte, wie nicht anders zu erwarten, ein Besäufnis. Zahlreiche Spanferkel und zwei, drei Mastochsen wurden auf dem Platz vor dem Schloß geröstet. Am Abend spazierten wir, Burschi und ich, nochmals zum Schloß. Die Bier- und Schnapsleichen lagen herum, noch mehr lagen herum, die sich ihre Treutling-Beträufelung hineingesogen hatten. An den Bratspießen hingen die abgefieselten Reste der Spanferkel und Mastochsen. Ein sehr scharfer, sehr unangenehmer Geruch mischte sich schlierenweise unter den Bratenduft.

»Nicht hinriechen«, sagte Burschi.

»Wie verbrannte Haare«, sagte ich.

»Logisch«, sagte Burschi, »logisch riecht es nach verbrannten Haaren. *Auch* nach Haaren, weil sie sie ihnen vorher nicht abgeschnitten haben.«

»Wem?«

»Wem schon?«

Ich wußte natürlich längst, was mit denen geschieht, von denen behauptet wurde, sie hätten Aids. Aber gerochen hatte ich es noch nie. Ich hatte es immer verstanden, bisher, mich fern zu halten. Was man nicht sieht, kehrt man leichter unter den Teppich.

»Wie viele?« fragte ich und versuchte, so wenig wie möglich zu atmen.

»Drei«, sagte Burschi, »*jetzt* spüren sie nichts mehr.«

»Wie lange haben sie gebrannt?«

»Wenn du dir auch nur den Finger verbrennst, weißt du, daß auch eine Sekunde zu lang ist.«

»Bleiben ihre Schmerzen auf der Welt, auch wenn die Gequälten tot sind?« fragte ich.

»Eine merkwürdige Frage«, sagte Burschi, »und ich würde da lieber nicht hinübergehen. Es dürfte kein schöner Anblick sein.«

Wir gingen schnell. Der Geruch blieb mir noch für Stunden in der Nase.

»Ich habe es«, sagte Burschi, »damals nicht verstanden. Damals: als es mir der Micheler gesagt hat. Heute verstehe ich es. Es ist eine Strafe.«

»Strafe wofür?«

Burschi deutete auf die verkohlten Leichen.

»Die Kranken?« fragte ich.

»Nicht die Kranken«, sagte Burschi, »sondern die, die sie verbrennen. Denen nichts anderes einfällt als verbrennen. Erst die Ketzer, dann die Hexen, dann die Kranken. Von den anderen, die sozusagen mehr oder minder unabsichtlich *mitbehandelt* worden sind, ganz zu schweigen. Es ist uns zu wenig eingefallen, hat der Micheler gesagt.«

»Was hat er damit gemeint?«

»Uns ist eine Menge eingefallen. Eine ganz ungeheure Menge von Sachen ist uns eingefallen, hat der Micheler gesagt. Die Relativitätstheorie, zum Beispiel, oder die Gefriertruhe, oder dem Goethe der *Faust*, aber nicht das... hm... halt das, worauf es ankommt.«

»Und worauf kommt es an?«

»Wir haben gemeint, hat der Micheler gesagt, daß es nur so selbstverständlich ist, daß wir Menschen sind. Ein Aff' ist selbstverständlich ein Aff', und eine Wildsau ist selbstverständlich eine Wildsau, aber der Mensch muß jeden Tag... ach was«, sagte Burschi, »was hat es für einen Sinn zu predigen.«

»Der Mensch muß jeden Tag«, sagte ich, »aufs neue ein Mensch werden?«

»So ungefähr«, sagte Burschi und machte eine wegwerfende Handbewegung. »Es hat alles keinen Zweck. Sie hören mit dem Verbrennen nicht auf. Und der letzte verbrennt den vorletzten.«

»Ich werde mir's merken, falls ich der letzte sein sollte.«

»Man soll nicht... ach was, Schwamm drüber. Ich glaube gar nicht, daß die da, die Verkohlten, überhaupt Aids gehabt haben.«

»Man soll nicht *predigen*, meinst du?«

»Alles ein Blödsinn. Weil wir Ungeziefer sind. Welt-Ungeziefer. Das hat der Micheler wörtlich gesagt: wir sind das Welt-Ungeziefer.«

»*Waren* oder *sind*?«

»Ob etwas Ungeziefer ist oder nicht, ist vor allem eine Frage der Menge. *Eine* Maus ist putzig. *Mäuse* sind lästig und womöglich eine Plage. Jetzt ist die Menschheit von zuletzt fünf Milliarden auf eine halbe geschrumpft. Geschrumpft *worden*, von Denen Dort. Das heißt: die Zahl hat uns der Seelewig vor einigen Jahren genannt. Inzwischen sind es wahrscheinlich noch weniger geworden, obwohl ihr euch hier in Groß-Menzing wie die Karnickel vermehrt. Aber alles, was draußen herumgelaufen ist, ist umgekommen, ersoffen oder von Denen Dort abgeknallt worden. Ich schätze, daß es auf der ganzen Welt keine 100 Millionen mehr von uns gibt.«

»Wer weiß, wofür es gut war.«

»Und jetzt dezimieren sie euch mit den Treutling-Walkmen.«

Burschi stieß mit dem Fuß gegen einen solchen Treutling-Träumer. Er fiel wie ein Sack zur Seite und blieb in unbequemer Haltung liegen, merkte aber nichts. »Eine Schnapsleiche wacht irgendwann wieder auf. *Der* nicht mehr. Er interessiert sich für nichts mehr. Er pflanzt sich nicht mehr fort. Merkst du was? Merkst du, was Die Dort mit den Treutling-Walkmen bezwecken?«

»Freilich«, sagte ich.

»Halte dich weg davon. Wenigstens du.«

»Warum ich?«

»Der Micheler hat mich immer dazu bereden wollen, Säulensitzer zu werden. Weil ich so klein bin, hat er gemeint, wäre ich ausgezeichnet zum Säulensitzer geeignet. Er hat es mir ausgemalt: mit meinem Hut als Abschluß des Kapitells... einfach ein grandioses Bild, vor allem bei untergehender Sonne. Ich wäre nicht dagegen gewesen, aber es ist daran gescheitert, daß ich das Geld für eine Säule nicht aufgebracht habe. Weißt du, was eine Marmorsäule gekostet hätte? Ein Vermögen. Da war gar kein Drandenken. Ich habe mich dann nach einer Holzsäule erkundigt, die man marmoriert bemalt hätte können: aber auch die war zu teuer, besonders das Bemalen. So bin ich schweren Herzens auf dem Erdboden geblieben.«

»Es liegen Säulen von zerstörten Kirchen haufenweise herum. Ich habe es selber gesehen. Ich könnte Seelewig, zu dem ich ja immerhin verwandtschaftliche Beziehungen habe, bitten, daß er seinen Rolf eine herfahren läßt und hier aufstellen. Im Park drüben, wo früher das Gesindel war.«

»Jetzt ist es zu spät«, sagte Burschi. »Ich bin zu alt. Ich komme nicht mehr hoch. Aber du!?«

»Ich werde es mir überlegen.«

Wir gingen weiter.

»Ich hab's«, sagte Burschi nach einer Weile, »ich hab's, was für ein Trick das ist. Sie teilen die Welt.«

»Wer mit wem?«

»Die Blauen/Die Dort mit den Violetten/Die Dort. Sie brauchen den Rechtstitel nicht *uns* gegenüber, sondern *untereinander*. Verstehst du?«

»Nicht ganz.«

»Jede Gruppe, oder wie man das nennen soll, würde liebend gern die andere von unserer Welt vertreiben. Sie haben es versucht. Keiner ist es gelungen.«

»Haben wir nicht die Violetten besiegt?«

»Nur zurückgedrängt. Dafür haben die Blauen irgendwo anders auf der Welt eine Schlappe einstecken müssen. Nein: keine von beiden ist stark genug, die andere endgültig hinauszuwerfen, und so haben sie erkannt, daß sie drauf angewiesen sind, sich zu arrangieren.«

»Ich verstehe«, sagte ich, »sie schließen Verträge und respektieren sie sogar. Ich verstehe: wenn sie uns das Land abkaufen, dann gilt das ihren Konkurrenten gegenüber.«

»So ist es.«

»Das läßt aber doch hoffen?!«

Burschi lachte. »Es wäre falsch, daraus zu schließen, daß sie die Verträge auch uns gegenüber respektierten. Die werden sie brechen, sobald es ihnen nützlich ist. Wir sind ja die Schwächeren.«

»Aus eigener Schuld.«

»Müßten es nicht sein«, sagte er.

»Wie das?«

»Sie haben uns ja selber ihre verwundbare Stelle gezeigt: ihre Lärmempfindlichkeit. Wenn wir alle, die wir noch übrig sind, für ein paar Tage, vielleicht nur ein paar Stunden Lärm machen würden, dann wären Die Dort erledigt. Alle. Aber –«, Burschi machte wieder seine wegwerfende Handbewegung, »– da müßten sich ja alle einig sein. Das ist schon unter weniger schwierigen Bedingungen nicht erzielt worden.«

Burschi wurde nachdenklich. Er sagte nichts mehr. Auf dem ganzen Heimweg sagte er nichts mehr, und in den Tagen danach kam er immer wieder darauf zu reden, daß wir *einig* sein müßten. Ende März war Burschi plötzlich verschwunden.

16

Tante Jessica kleidete sich seit dem Tod Groß-Admiral Bockmayers nur noch in Schwarz. Sie galt sozusagen als Staatswitwe und wurde hoch geachtet. Sie benutzte auch einen Treutling-Walkman, aber ihr machte es offenbar nicht so viel aus. Ihre Konstitution war eisern, gestählt durch lebenslanges Studium in der Akademie des Leidens. Sie war nun über sechzig, war wieder dünn, sogar womöglich noch dürrer geworden als vorher, und unverwüstlich krank.

Die Wirkung des Treutling-Walkman auf den einzelnen war in der Tat unterschiedlich. Erstens hingen die Folgen davon ab, wie oft und ausgiebig sich der betreffende Mensch dem Gemütsgeträufel hingab. Es waren da welche, die steckten sich die Dinger ins Ohr, sogen das Zeug in sich hinein und hörten nicht auf, bis sie krepierten. Etwas Schlauere genossen in kleineren Dosen und waren willensstark genug, gewisse zeitliche Abstände einzuhalten. Denen ging es besser, und die konnten oft jahrelang fast normal unter uns weiterleben. Dennoch fing auch bei denen eines Tages der Zersetzungsprozeß an, und dann ging es meist ganz schnell zu Ende.

Zweitens kam es auf die persönliche Leistungsfähigkeit an. Es gab welche, die vertrugen enorme Dosen und wakkelten dann nur etwas, andere waren schon nach zwei, drei Tagen Beträufelung hinüber.

Drittens war es nicht so, daß die Wirkung der Treutlinge gleichblieb. Sie wurde mit der Zeit schwächer. Nach einigen Wochen träufelte es nicht mehr so stark, und nach nochmals vierzehn Tagen zerfiel der Treutling. Aber die generösen Goldenen Heiligen lieferten nach, ließen sich aber bitten.

Wie Burschi erwähnt hat, vermehrten wir uns wie die Kaninchen. *Wir:* die Groß-Menzinger. (Ich, nebenbei gesagt, vermehrte mich nicht. Das hatte zwei Gründe. Der eine davon war der, daß ich keinen Sinn mehr darin sah, Kinder in die Welt zu setzen, die letzten Endes nur noch Sklaven der Goldenen Heiligen sein würden. Ob ich den anderen Grund mitteile, weiß ich noch nicht.) Nach dem Zusammenschluß zählte Groß-Menzing ungefähr 20 000 Einwohner. Sie wurden nie exakt gezählt, weil es niemanden interessierte. Nach zehn Jahren war die Zahl trotz der

»Ausfälle« im Feldzug, den Aidskranken-Verbrennungen und der immer primitiver werdenden medizinischen Versorgung auf 40 000 angewachsen. Seelewig brachte Glückwünsche von Rolf, aber entweder waren die Glückwünsche nicht echt, oder aber Seelewig hatte gelogen. Ich kann mir nicht denken, daß sich die Goldenen Heiligen gefreut haben, daß wir uns wieder zu vermehren anfingen.

Dann kam das Jahr des Vertrages, 2017, und es kamen die Treutling-Walkmen und die grassierende Treutling-Schwindsucht. Entweder haben die Goldenen Heiligen die Wirkung ihrer Treutlinge über- oder unsere Konstitution unterschätzt. Die Bevölkerung von Groß-Menzing ging insgesamt nicht zurück, wenn sich auch die Kurve abflachte. 2027 hatte Groß- Menzing 50 000 Einwohner aufzuweisen. (Das war allerdings der Zenit der Bevölkerungszahl. Von da ab ging es rapide abwärts. Im Lauf der nächsten drei Jahre ging gut die Hälfte der Einwohnerschaft zugrunde.)

Größere Probleme stellten sich nicht. Die Goldenen Heiligen ließen uns in Ruhe, sofern wir nicht zu viel Lärm machten und uns in den Grenzen unseres Territoriums hielten. Geriet einmal, was öfters vorkam, ein Besäufnis außer Kontrolle, und dröhnte der Lärm zu stark, kam Seelewig durch eins der Tore herein und richtete leicht drohende Grüße von Rolf aus. Das wirkte immer.

Außerhalb unseres Territoriums begaben wir uns ohnedies nicht. Das war viel zu gefährlich. Zwar gab es keine Flüchtlinge und Wilden mehr, die marodierend die Gegenden unsicher gemacht hätten, wohl aber andere Gefahren. Die Flüchtlinge und Wilden hatten die Goldenen Heiligen vertilgt. Ihre Knochen lagen vielfach noch in den wuchernden Savannen herum. Wenige lebende Exemplare – grausige, ausgemergelte Gerippe mit wirren Bärten und nicht weniger grausige hängebrüstige Chimären mit einem Balg im Arm – hausten in Höhlen und schauten hohläugig und mißtrauisch durch das Gestrüpp heraus. Das sahen wir, wenn wir auf die Jagd gingen. Im Herbst aber machten die Goldenen Heiligen Jagd. Da war es, trotz der guten Jagdzeit, nicht ratsam, sich aus der umfriedeten Sicherheit zu entfernen. Die Goldenen Heiligen jagten die restlichen Wilden. Sie lockten sie mit Ködern aus den Höhlen, ergriffen sie dann, warfen sie in die Luft und zersägten sie mit ihren scharfen Strahlen, bevor sie herunterfielen. Wir konnten das manchmal von der Mauer aus beobachten. Wenn ein Unvorsichtiger von uns um diese Zeit draußen blieb, so standen die Wetten, daß er unzersägt zurückkam, nicht gut für ihn. Das ist, teilte uns Seelewig mit, kein böser Wille von den Goldenen Heiligen. Sie können uns nur nicht voneinander unterscheiden.

Aber zu den anderen Jahreszeiten konnte man sich schon unter gewissen Vorsichtsmaßnahmen aus Groß-Menzing hinausbegeben. Es war ratsam, dies in Gruppen zu tun und natürlich bewaffnet, denn die Welt, soweit wir sie überblicken konnten (und soweit wir sie nicht überblicken konnten wohl auch), hatte sich verändert: ob zu ihrem Vorteil oder zu ihrem Nachteil, kommt auf den Blickwinkel an, aus dem man die Dinge betrachtet. Wir bewohnten mit dem Anfang der zwanziger Jahre, dem Zeitpunkt der letzten Vergrößerung von Groß-Menzing und der Errichtung des letzten und größten Mauerringes, das Gebiet zwischen Würm im Westen, der ehemaligen Eisenbahntrasse im Süden, der Linie Hirschpark-Westfriedhof im Osten und der ehemaligen Trasse des Rangierbahnhofs im Norden. Das alles war dicht besiedelt, außen herum verfiel die Stadt, und es war bemerkenswert, wie schnell sie verfiel. Den unbeschreiblich schönen Einsturz des Hotels *Deutscher Kaiser* beobachtete ich zufällig und konnte ihn in allen Phasen verfolgen. Unkraut und Gestrüpp wucherten überall. Ich darf in dem Zusammenhang daran erinnern, daß das Klima sich erwärmte. Winter gab es so gut wie nicht mehr. Es gediehen auch subtropische Pflanzen. An wilden Tieren tauchten nicht nur Bären und Wölfe auf, sondern auch Luchse, Adler, Hyänen und sogar Nilpferde. Ich erinnere mich an den 12. September

2014, einen Freitag, da sah ich von der Mauer südlich des Hirschgartens aus (ich wohnte dort in der Nähe) das erste Rudel Gazellen, und etwa ein Jahr später hörte ich in der Nacht den ersten Löwen brüllen.

Die Goldenen Heiligen hielten sich fern von uns oder vielmehr: sie hielten uns fern von sich. Von den Wachtürmen der Mauer aus – als Mauerinspektor hatte ich immer Zutritt – konnte man weit hinter der Stelle, wo Dachau gewesen war, die gigantische gleißende Wand bemerken, schätzungsweise an die vier-, fünfhundert Meter hoch, die Siedlung, wenn man so sagen kann, der Goldenen Heiligen, die sich nach Osten und Westen hinter den Horizont verlor. In der Nacht waren dicke Bündel von Strahlen zu beobachten, die über dieser Siedlung schwebten. Wie es dort aussah und was die Goldenen Heiligen dort machten, hat nie ein Mensch erfahren. Nie war ein Mensch dort, nicht einmal General-Konsul Seelewig, obwohl er gelegentlich durchschimmernde Bemerkungen machte, aus denen zu entnehmen sein sollte, er wäre dort gewesen. (»Ich darf selbstverständlich nichts sagen. Als Eingeweihter bin ich verpflichtet…« und so fort.) Aber er log ja meistens. Seelewig wohnte offenbar zusammen mit einer Frau (oder möglicherweise mit mehreren Frauen) und einigen Kindern und Bediensteten in einem Schloß weiter im Norden. Vielleicht war es Schleißheim. Die Frau oder die Frauen, die Kinder und die Bediensteten hat nie jemand gesehen (bis auf einen, Onko Seelewig, von dem später die Rede sein muß), und auch in dem von den Goldenen Heiligen protegierten Schloß war nie einer aus Groß-Menzing. Es war uns verboten, nördlich der Stadt zu streifen und zu jagen. Wir durften nur nach Süden. Das war auch in jenem Vertrag vom 20. März 2017 geregelt, und Seelewig warnte uns vor einem Übertreten des Verbots. Natürlich marschierten schon wenig später ein paar Burschen im Suff nach Norden hinaus. Es bekam ihnen nicht gut. Ihr Ende war so grausig, daß selbst die Besoffensten in Zukunft davon absahen, gegen das Verbot zu verstoßen.

Wir jagten also nach Süden. Dort durften wir vordringen, so weit wir wollten. Weiter als einen Tagesmarsch entfernte sich aber in der Regel keine Gruppe. Das Campieren dort im Freien war, wie aus den geschilderten Vorgängen ersichtlich, eher unangenehm.

Das Leben in Groß-Menzing darf man sich nicht zu idyllisch vorstellen. Ich erinnere daran, daß es keinen elektrischen Strom mehr gab und die Wasserversorgung sehr primitiv war. Von den hygienischen Verhältnissen will ich schweigen. Die Straßen und Gassen waren finster. Nur ganz drastische Polizeimaßnahmen konnten die Ordnung und Sicherheit einigermaßen aufrechterhalten. (Die Polizeitruppe, der mächtigste Faktor der Stadt, war aus den Veteranen jenes glorreichen Feldzuges an den Oberrhein hervorgegangen.)

Sicher: die Verschmutzung der Umwelt ließ nach, und Plastik gab es nicht mehr. Die Mondnächte waren lang und romantisch, und wenn ein hübsches Mädchen in kurzem Rock mit einem Krug in der einen und einer Laterne in der anderen Hand über die Straße ging, um an der Gassenschänke für ihren vielleicht erschöpften Liebhaber ein Bier zu holen, so war das ein lieblicher Anblick. Aber wenn wieder einmal eine Feuersbrunst ausbrach und die Brunnen leer waren, wenn ein Notzüchter schrie, der am Steuber-Platz gedärmt, oder ein Semmeldieb, dem die Hand abgehackt wurde, wenn die Latrinen bei dumpfer Witterung zum Himmel stanken und wenn, wie fast jedes Jahr, die Große Grüne Fliegenplage über Groß-Menzing kam, so sahen die Dinge ganz anders aus. Die hübschen Butzenscheiben an den kleinen Häusern der Kemnathen-Straße waren gut und schön, aber wenn ein Zahnbrecher dahinter ohne Betäubung operierte und das Gebrüll des Patienten weit über den Schloßpark dröhnte, dann sagten sich diejenigen, die sich noch an die alte Zeit erinnerten, daß es trotz allem besser gewesen wäre, wenn uns die Goldenen Heiligen nicht »erlöst« hätten.

17

Tante Jessica, die Staatswitwe, wechselte wenige Jahre nach dem Groß-Menzinger Vertrag aus dem Lager der Leidenden in das der Heilenden über. Was der Anlaß dazu gewesen war, weiß ich nicht, denn mein Kontakt mit ihr lockerte sich, nachdem ich (das war am Sonntag, dem 1. Dezember 2019) zum Mauerinspektor ernannt worden war und eine eigene kleine Wohnung in der Rüdiger Straße bezogen hatte. Tante Jessica, die um diese Zeit 54 Jahre alt war, nahm eine entfernte Verwandte, die Tochter einer Cousine, ins Haus, ein damals fünfzehnjähriges Mädchen namens Sieglinde Herwarth. Die führte ihr den Haushalt, während Jessica sich dem Heilen zuwandte.

Wie erwähnt, hatte Tante Jessica bald nach Errichtung von Groß-Menzing eine Schule gegründet. (Ihr Designer-Beruf war selbstverständlich nach dem Zusammenbruch nicht mehr der Rede wert gewesen.) Das war nicht durch einen sich in ihr spät entwickelten pädagogischen Eros zu erklären, sondern vielmehr aus der Tatsache, daß eines Tages Herr Dr. Vorbesser-Maitingen – abgemagert und abgerissen – aufgetaucht war. Trotz des damals noch lebenden Ulrichs Mißtrauen hatte Tante Jessica ihren ehemaligen Liebhaber versorgt, und zwar durch die Gründung dieser Schule oder besser gesagt: Wiedergründung, denn sie veranlaßte nichts anderes, als daß die schon leicht verfallene Spitzweg-Realschule aufgeräumt, hergerichtet und wiedereröffnet wurde. Das rang sie dem regierenden Admiral Ulrich ab.

Die Schule unter der Leitung des Herrn Dr. Vorbesser-Maitingen war, schlicht gesagt, eine Katastrophe, wie sich denken läßt, wenn man an seinen chaotischen Charakter denkt. Ich habe ein Jahr noch diese Schule besucht und so etwas wie ein Abitur dort gemacht. Die Zustände waren grotesk, aber das waren sie ja überall, sofern man *mittelalterlich* nicht als normal betrachtete. Nur Vorbesser selber erholte sich bald und wurde wieder so dick wie vorher. Er verfiel allerdings dann dem Treutling-Walkman und zerbröselte an einem sehr heißen Apriltag des Jahres – glaube ich – 2021. Die Schule war zu der Zeit bereits wieder eingegangen. Das lag nicht nur an dem von Dr. Vorbesser-Maitingen verantworteten Chaos, sondern vor allem an der Tatsache, daß es keine Schulpflicht mehr gab. Die wenigsten Leute schickten ihre Kinder in die Schule. Das Interesse an Bildung ging auf das zurück, wo es der Natur der Menschheit nach heimlich immer angesiedelt war: auf Null. Im Schulgebäude wurde jetzt eine Herberge für Treutling-Süchtige im letzten Stadium eingerichtet.

Gegen die Treutling-Sucht gab es kein Mittel. Gegen die anderen Krankheiten (sofern man die Treutling-Sucht als Krankheit bezeichnet) gingen die Leute, wie schon im Zusammenhang mit der Grippe-Epidemie geschildert, entweder mit Natur- und Hausmitteln vor oder mit den naturgemäß immer rarer werdenden Restbeständen von Medikamenten. Seltsamerweise stieg die Sterblichkeit nicht an, jedenfalls nicht die, die auf natürliche Ursachen zurückzuführen war. Die Natur- und Hausmittel verordneten Sterndeuterinnen, Handleserinnen und sonstige Wahrsager und Leute, die noch lesen konnten. Es kursierten auch noch alte Bücher aus dem beginnenden Wassermann-Zeitalter, das ja derartigen Hokuspokus hoch einschätzte. Vielleicht ist hierin auch der Ansatzpunkt für Tante Jessicas Wandlung zu suchen, denn auch sie hatte so ein Buch: »Xipe Totec. Die Geheimnisse der aztekischen Astral-Medizin.« So verordnete sie bei hartnäckiger Schlaflosigkeit: Stehen auf einem Bein bei Neumond, bei Ohrensausen: Versenkung des Lieblingsringes in ein Glas Bier, über Nacht stehen lassen und am nächsten Tag (ohne Ring!) austrinken und dergleichen.

Gerechterweise muß man sagen: es half alles, genausogut wie früher die Tabletten, Salben, Bestrahlungen und Operationen. Vielleicht ist es gleichgültig, welchem Aberglauben sich der Kranke hingibt: den Astralwellen und dem Sauerampfer oder der Pharmakologie.

Ärzte gab es freilich schon auch noch, Nachwuchs allerdings nicht mehr. Wo hätte er ausgebildet werden sollen? Die Ärzte ordinierten noch, manche machten ihre Pillen, so gut es ging, selber. Die anderen hüteten ihren immer kostbarer werdenden Medikamentenschatz und gaben ihn nur noch in Gold aufgewogen ab. Die restlichen Ärzte waren, da sie nichts mehr verschreiben konnten, ratlos und suchten sich andere Beschäftigungen.

Mein Kontakt zu Tante Jessica war, wie gesagt, locker geworden, aber ich hatte damals einen Freund, er hieß Wörgler, der wohnte in Tante Jessicas Nähe, und mit ihm spielte ich einmal in der Woche Schach. (Wörgler war einer der letzten, die Jura studiert hatten. Er war einer der vier in Groß-Menzing amtierenden, noch vom Groß-Admiral Bockmayer eingesetzten Richter.) Mein Weg zu Wörgler führte hinten am Haus von Tante Jessica vorbei, und einmal, nachdem wir ziemlich viele Partien bis spät in die Nacht hinein gespielt hatten, ging ich erst gegen Mitternacht nach Hause, wie immer hinten, also auf der Gartenseite, an Tante Jessicas Haus vorbei, meine Blendlaterne in der Hand.

An Tante Jessicas Garten stockte ich: in ihrem Haus war noch Licht, die Tür zum Garten stand offen. Sieglinde, in ein weißes, wallendes Gewand gekleidet, lief im Gras herum und hantierte hier und dort irgend etwas. Ich blendete mein Licht ab und trat näher. Da merkte ich, daß Vollmond war. Tante Jessica kam mit einem Licht aus dem Haus und führte eine junge, sichtlich schwangere Frau an der Hand. Beinahe hätte ich Tante Jessica nicht erkannt, obwohl der Vollmond die Szene hell erleuchtete, denn Tante Jessica war komplett in Fuchsfelle gekleidet und hatte etwas auf dem Kopf, das wie eine rustikale Salatschüssel aus Holz aussah. Jetzt sah ich auch, daß Sieglinde aus Steinen einen Kreis ins Gras legte. Als sie damit fertig war, entkleidete sie die Schwangere, die leise zu wimmern anfing. Tante Jessica stand breitbeinig daneben und wackelte von einem Fuß auf den anderen wie ein Elefant, der sich langweilt, brummte dabei laut. Nun rasierte Sieglinde die Schwangere an Kopf und Scham, während Tante Jessica langsam den Steinkreis zu umtanzen begann. Als die Schwangere glattrasiert war – sie wimmerte immer noch –, drückte Sieglinde sie ins Gras, deckte sie mit einem Netz aus Grasfäden zu und sprang selber aus dem Kreis. In dem Augenblick begann Tante Jessica zu heulen:

»Nimm es, o Kaira Khan,
Herr der Trommeln mit sechs Buckeln…«

An diesen Vers erinnere ich mich. Das Lied ging aber noch viele Strophen weiter. Etwas schwach fand ich, daß Tante Jessica ihr zunehmend heiseres Gebrüll immer wieder unterbrach, um seitlich in einem Buch nachzulesen, das auf einem Notenständer lag. Nachdem sie gelesen hatte, sprang sie zurück und brüllte und stampfte und hüpfte weiter um die Schwangere im Steinkreis herum.

Es ging lang. Aus dem Fenster eines Nachbarhauses beugte sich eine alte Frau im Nachthemd und schrie: »Ruhe!« Da tanzte Tante Jessica ein paar Schritte in Richtung gegen jenes Fenster und stieß einen so fürchterlich gurgelnden Urlaut aus, daß die alte Frau hintenübersank und verschwand. Ich wartete das Ende nicht ab. Ich schlich weg; noch fernhin hörte ich den grauenhaften Gesang. Ein paar Tage danach besuchte ich Tante Jessica und sprach sie darauf an. Sie zeigte mir das Buch. Es war eine Sammlung altaischer Texte, die sie von der Tochter eines unlängst verstorbenen ehemaligen Buchhändlers gegen eine Milchkuh und zwei Stallhasen eingetauscht hatte. Am Eingang des kleinen Hauses war an dem Tag bereits ein geschnitztes Schild befestigt: »Ausbildung zu Medizinfrau/Medizinmann«.

Tante Jessica bot mir an, mich, weil ich ihr Neffe war, kostenlos auszubilden, aber ich lehnte ab. Ich sagte, ich fühle mich nicht begabt dazu. Sie meinte nach einigem Nachdenken, daß das wohl stimmen dürfe.

Die Medizin, habe ich einmal gelesen, hatte um das Jahr 1980, nachdem ausgefeilte Pharmazie, eine nicht mehr überbietbare chirurgische Technik und diagnostische Möglichkeiten ungeahnten Ausmaßes zum Segen der Menschheit erwachsen waren, alles in allem einen Heilungsquotienten von 35 oder 40%. Daß dieser Quotient nicht höher war, beruhte darauf, daß ständig durch unerwünschte Nebenfolgen der Behandlung neue Krankheiten bei den Patienten hervorgerufen wurden. Man rechnete damals zurück und stellte fest, daß die Medizin um das Jahr 1860 den höchsten Heilungsquotienten erzielt hatte, nämlich 60%. Danach ging es trotz aller (oder eben wegen der) Errungenschaften abwärts. 60% Heilungschancen erreicht aber, auch das hatte man damals erforscht, der Schamane durch brüllendes Umtanzen. Insoweit kann man also Tante Jessica als gerechtfertigt betrachten.

Ich allerdings hielt mich an Burschis Kräutervorrat, den er mir (nebst Rezepten in seiner Krähenklauen-Schrift) zurückgelassen hatte. Er selber tauchte erst einige Jahre später für kurze Zeit wieder in Groß-Menzing auf, und das sollte nicht nur katastrophale Folgen haben, sondern auch das Ende Groß-Menzings mit sich bringen.

DRITTER TEIL

I

Ich erzähle es doch. Ich merke, daß es mich heute noch, heute, wo ich ein alter Mensch bin und keine Zähne mehr und nur noch ein Bein (das linke) habe, daß es mich heute noch bewegt.

Burschi war nicht der einzige, der außerhalb befestigter Ansiedlungen lebte. Es gab, das wußte ich von verschiedenen Jagdausflügen, Halbwilde, wohl Abkömmlinge von Flüchtlingen (sie wurden deshalb *Holländer* genannt), die hausten in Höhlen oder in verfallenen Gebäuderesten, fingen Feldhasen mit den Händen und aßen sie roh. Es gab aber auch Desperados, die in kleinen Gruppen herumzogen und ein, wie sie zu Recht oder zu Unrecht, ich weiß es nicht, annahmen, freies Leben führten. Daß es besser war, solchen Figuren nicht über den Weg zu trauen, brauche ich wohl nicht zu betonen. Und es gab Leute, die hatten ein Gewerbe, das sie zwang herumzuziehen. Es gab einen, der hieß Franzspeck, und er war ein alter, aber sehr starker Mann, der konnte gute Pfannen machen. Für ihn wäre bei uns in Groß-Menzing zu wenig zu tun gewesen, und er hätte sein Brot nicht verdient. Aber er kam alle drei, vier Monate, schmiedete am Romanplatz Pfannen, soviel gebraucht und gekauft wurden, und zog dann wieder ab. Mich interessierten – im Gegensatz zu den Groß-Menzinger Treutling-Genießern – solche Menschen, und ich redete oft mit Franzspeck, was schwierig war, denn er war maulfaul. Immerhin erfuhr ich von ihm und seinesgleichen einige Informationen über die anderen Ansiedlungen und überhaupt, was auf der Welt draußen vorging, soweit die Welt nicht von den Gold-Fett-Ärschen der Heiligen besetzt war. Auch Franzspeck zog allein durch die Gebirge und Savannen, aber er sagte, er erwürge jeden Desperado und jeden Bären, der ihn angreife, mit der Hand. Ich weiß nicht, ob das stimmte, jedenfalls kam er viele Jahre hindurch, das letzte Mal etwa um die Zeit, als Burschi mich heimlich besuchte. Danach kam er nicht mehr wieder. Vielleicht ist er doch einem Bären begegnet, der stärker gewesen ist als er.

Ein anderer kam in ähnlichem Turnus und fabrizierte Zündhölzer. Einer kam nur immer einmal im Jahr, der konnte relativ schmerzlos Zähne ziehen. Der hatte zu seinem Schutz eine förmliche Leibgarde bei sich und einen Harem von vier oder fünf sehr schönen Weibern, die er am Abend, wenn die Zahnzieherei vorbei war, nackend tanzen ließ. Der Zulauf trotz der gesalzenen Preise war enorm. Die Leibwache führte sich das erste Mal, als der Zahnzieher bei uns in Groß-Menzing auftauchte, dermaßen auf, daß der Magistrat beim nächsten Mal Maßnahmen ergriff: nur der Zahnzieher und seine schönen Weiber durften herein, die Leibgarde mußte vor dem Tor campieren.

Und Leute, die uns mit anderen Dingen unterhielten, kamen in die Stadt und gingen weiter. So Maras Eltern und ihre Schwester. Maras Vater war Zauberer – also kein echter Zauberer; wir sanken zwar in mittelalterliche Zustände zurück, aber einer, der wirklich zaubern konnte, wie sie es – angeblich – in jenen grauen Vorzeiten gegeben hat, tauchte nicht wieder auf. (Lebten wir damals, lebe ich heute in *grauen Nachzeiten?*) Maras Vater, er hieß Rivano, aber er war kein Italiener, war Zauberkünstler, also Taschenspieler. Er beherrschte unheimliche und verblüffende Tricks. Er konnte Kugeln in der Luft verschwinden lassen, er konnte Eier aus den Ohren der Zuschauer ziehen, er konnte Hühner aus Blumensträußen zaubern, und er konnte einem Zuschauer ein Seil in den Mund stecken und daran einen Stab herausziehen, der sich Hokuspokus in einen Hut verwandelte, den der Zauberer aufsetzte, worauf ein Feuerwerk nach oben herausschoß und als Apotheose die Schrift »Rivano grüßt Groß-Menzing« bildete.

Rivano zog mit seiner Frau und den zwei Töchtern auf einem Wagen, der von einem weißen Pferd gezogen wurde, durch die Welt von Ansiedlung zu Ansiedlung und verdiente sich und seiner Familie durch die Zaubervorstellungen den Lebensunterhalt. Er kam aber nur dreimal nach Groß-Menzing in all den Jahren. Das erste Mal noch vor dem Vertrag mit den Goldenen Heiligen – da war Mara ein Wickelkind und ihre Schwester noch gar nicht geboren –, das zweite Mal im Jahr 2023. Das war ein Jahr mit extrem guter Ernte, in dem meine Hühner ganz besonders fett geworden waren. Aber nicht deshalb erinnere ich mich so gut an das Jahr.

Rivanos ältere Tochter Mara war, als der Zauberer mit seiner Familie das zweite Mal nach Groß-Menzing kam, elf Jahre alt und ein schönes Kind. Auffallend waren ganz dichte schwarze Haare, die nicht in Locken – das mag ich nicht –, sondern in breiten Wellen fielen, auffallend war der Mund, der schon der einer Frau war, und auffallend waren ihre großen Augen. Ich hatte überhaupt das Gefühl, sie war schon eine fertige Frau.

Ich war bei der ersten Vorstellung, die Rivano gab, nicht anwesend, ich hörte nur davon von Wörgler. Rivano war nicht nur ein Meister seiner Kunst, er war außerdem so geschmackvoll, daß er seine Tochter nicht als Dekoration für die Zauberstücke mißbrauchte. Mara saß also unter den Zuschauern. (Übrigens konnte Mara selber auch schon verschiedene Tricks, die sie zum Teil ihrem Vater abgeschaut, zum Teil aber selber erfunden hatte.) Ein paar Tage danach lud aber der damalige Groß-Admiral Pauli den Zauberer Rivano ein, vor einem kleineren Kreis geladener Gäste – unter denen Tante Jessica, der unvermeidliche Seelewig und ich waren – seine Kunst im Schloß Blutenburg vorzuführen. Es war ein großartiger Abend. Rivano war auf der Höhe seiner Kunst. An die Vorstellung schloß sich ein Bankett, auf dem der uralte Professor Stramenz, der aussah wie Dschingis-Khan mit Zahnlücken, eine nicht anders als flammend zu nennende improvisierte

Eloge in lateinischer Sprache auf Rivano und seine Kunst hielt. Es hätte niemand erwartet, aber ausgerechnet Rivano verstand das Latein und antwortete mit einem launigen Toast. Groß-Admiral Pauli, der damals schon durch Treutling-Abusus ziemlich zerrüttet war, raffte sich nur zu einem: »Salute!« auf und schlief dann ein. Die übrigen zechten bis tief in die Nacht hinein, und es ging so laut her, daß man vom Tumult draußen nichts hörte: der Gasthof, in dem Rivano und seine Familie abgestiegen war, war abgebrannt. Brände waren in Groß-Menzing häufig, namentlich in den ersten Jahren. Die Leute waren den Umgang mit dem offenen Licht nicht mehr gewohnt.

Es war also ein ernüchterndes Ende des fröhlichen Abends. Zum Glück waren Rivanos Töchter nicht im Gasthof zurückgeblieben. Sie waren noch beim Bankett dabeigewesen, dann hatte sie die Mutter unten in einem stillen Raum neben den Dienstmägde-Kammern schlafen gelegt. Zum Glück war das wertvolle Zaubergerät gerettet, da Rivano das selbstverständlich für die Gala-Vorstellung bei sich gehabt hatte. Einige Verluste an Kleidern und dergleichen waren zu verzeichnen, aber der Wagen mit den meisten Koffern und auch das Pferd waren unversehrt. Nur wußten die Rivanos jetzt nicht, wohin sie in der Nacht ihren Kopf legen sollten.

Professor Stramenz, Tante Jessica und ich hatten die Rivanos begleitet. Als Mauerinspektor hatte ich Anspruch auf einen Burschen, der eine Laterne trägt. Wir standen also jetzt hinter der gaffenden Menge, die die glosenden Balken des niedergebrannten Gasthofes anstarrte. Die kleinere der Rivano-Töchter begann zu weinen. Die größere gab mir die Hand und schaute mich mit einem Blick an, den ich noch nie an einem Kind gesehen hatte.

Stramenz bot an, daß er das Zimmer, in dem er hauste, mit der Familie Rivano teilen wolle, aber das kam nicht in Frage. Ich kannte Stramenz' äußere Verhältnisse. Wurde in Groß-Menzing schon für die Bildung im allgemeinen nichts getan, so erst recht nicht für einen alten Professor, der so etwas gelehrt hatte wie Latein. Tante Jessica verfügte deshalb: »Der Professor hat zu wenig Platz. Frau Rivano und die Kleine schlafen bei mir. Du, Menelik, nimmst den Zauberer und die Große zu dir.«

»Menelik heißt du?« fragte Mara und schaute mich wieder mit Augen an, wie ich sie noch nie gesehen hatte.

»Ja«, sagte ich, »Menelik.«

»Ich habe noch nie jemanden gekannt, der Menelik heißt. Aber jetzt kenne ich einen.«

Ich quartierte Rivano im oberen Zimmer ein und richtete für Mara in der Küche eine provisorische Schlafstelle her. So gewandt Rivano bei seinen Tricks war, so ungeschickt schien er mir bei allen anderen Verrichtungen zu sein. Er wollte helfen, Maras Bett aufzuschlagen, aber er bewies dabei nur, daß er zwei linke Hände hatte und an denen lauter Daumen.

»Laß nur, Papa«, sagte Mara, »wir machen das schon, Menelik und ich.«

Und dann wollte Mara noch baden. »Es ist zwei Uhr in der Nacht«, sagte ich, »um zwei Uhr in der Nacht willst du baden?«

»Sie geht nicht schlafen, ohne in ein Wasser getaucht zu sein«, sagte Rivano. »Es ist oft schwierig mit ihr. Sie ist so eigensinnig.«

Ich war damals einunddreißig Jahre alt. Ich hatte, wie man so sagt, *meine Erfahrungen;* nicht viele, ich war nie ein Casanova. Zwei Jahre lang hat es in meinem Leben eine Gabriele gegeben. Sie war die Tochter eines Baumeisters, und eine Zeitlang hatte es den Anschein, als ergäbe sich aus der Sache eine Ehe. Es kam nicht dazu. Gabriele verfiel später dem Treutling-Genuß, aber daran war sicher nicht ich schuld, sondern eher ein gewisser Michael; (nicht identisch mit jenem *gewissen Michael* Tante Jessicas, der damals längst in die Tiefe der Jahre hinabgesunken war). Gabriele war vier Jahre älter als ich und hinterließ nicht lange eine Lücke in meiner Seele. Ich will nicht herzlos sein, aber ich schreibe es hin, so wie es war. Wenn man so alt ist wie ich, betrachtet man alle Dinge so sachlich, daß es manchmal herzlos erscheint; *fast* alle Dinge.

Man sieht, daß ich Umwege mache, bevor ich erzähle, was geschah, als die elfjährige Mara aus dem Bad kam. Vorauszuschicken wäre noch, daß ich den Luxus eines Brunnens im Garten hatte. Die meisten Groß-Menzinger mußten das Wasser an öffentlichen Brunnen holen. Ein Wünschelrutengänger (auch einer von denen, die ab und zu von draußen kamen) hatte aber in meinem Garten eine Wasserader gefunden, und ich nutzte meine Position als Mauerinspektor, um mir von einigen Arbeitern – die ich, das möchte ich betonen, aus eigener Tasche bezahlte – einen Schacht graben und einen Brunnen aufmauern zu lassen. So hatte ich quasi fließendes Wasser im Haus, allerdings natürlich nur kaltes. Für Mara heizte ich mitten in der Nacht meinen Badeofen. Die inzwischen außen ziemlich verrostete Badewanne stammte noch aus der Zeit vor unserer *Entdeckung*.

Ich mache also Umwege, schiebe hinaus. Es ist dann auch gar nichts passiert, was anstößig wäre. Ich bin kein Päderast, und die knospende Mädchenblüte hat mich nie interessiert, schon weil ich, wie ich einräume, mich zu erinnern glaube, daß mich schöne feste und etwas füllige Brüste eher ansprachen. (Auch diese Brüste sind in die Tiefe der Jahre versunken. Ich bin zu alt, um ihnen nachzutrauern. Nur manchmal tauchen sie noch vor meinen inneren Augen auf.)

Ich hatte nie Kinder, ich weiß daher nicht, wie man mit Kindern umgeht, und ich weiß nicht, wie Kinder sind. War Mara ein Kind? Wann wird ein Kind weiblichen Geschlechts eine Frau? Ich glaube doch, obwohl ich das in Unkenntnis der kindlichen Psyche nicht abschließend beurteilen kann, daß Mara eine Ausnahme war. Nie habe ich solche Augen wie die Maras gesehen. Hatte sie diese Augen nur für mich?

»Ich schaue nur dich so an«, sagte sie in der Tat.

Sie kam nackt aus dem Bad. Ich lag schon im Bett, ein Talglicht brannte, und ich las – ich weiß es noch – ein zerfleddertes Exemplar von Friedells Kulturgeschichte. »Ich bin *splitternackt*«, sagte Mara und kam unter die Decke.

Es passierte, um das nochmals zu betonen, nichts, jedenfalls nicht das, was vielleicht der Leser erwartet. Mara schmiegte sich nah an mich und zog nur die Hand an ihre weiblichste Stelle. Das war alles.

»Ich habe dich«, sagte das Kind, »seit Jahrzehnten gesucht.«

Ich lachte: »Du bist erst ein Jahrzehnt alt.«

»Und ein Jahr dazu!«

Sie lachte auch.

Dann sagte ich: »Es gibt auch noch etwas, was man so in dieser Lage machen kann. Ich könnte mir vorstellen, daß du es lustig findest.«

»Und?«

»Da mußt du noch acht Jahre drauf warten.«

»Sieben«, sagte Mara.

Wir schliefen ein. Am nächsten Tag zog Rivano mit seiner Familie weiter.

2

Es war ein besonders schlechtes Jahr. Die Ernte war verregnet, wir wußten, daß wir, wenn nicht ein Wunder eintrat, vom Herbst an den Gürtel enger schnallen müßten. (Daß wir ihn dann *so* eng schnallen mußten, ahnten wir im Sommer noch nicht.) Ein unsichtbarer Wurm verursachte ein Rindersterben. Viele Tiere mußten notgeschlachtet werden. Es war nicht genug Salz da, um alles einzupökeln. So wurden gigantische Fressen veranstaltet, wovon aber selbstverständlich keiner im kommenden Winter satt werden würde. Ich selber hatte keine Rinder. Ich war ja Mauerinspektor und erhielt mein Ernährungsdeputat aus dem städtischen Haushalt. Aber ich hatte Hühner. Der unsichtbare Wurm verschonte zwar die Hühner, aber Ende August griff der Hühner-Pips um sich, und eines Tages lagen meine Eierlieferanten mit zum Himmel gestreckten Beinen im Garten. Es war ein Jahr wie verhext; es war das Jahr 2030.

Übrigens vertrugen nicht alle das wurmverseuchte Rindfleisch. Die, die zuviel davon gegessen hatten oder besonders anfällig waren, erkrankten an inneren Krämpfen, und viele starben, obwohl Tante Jessica, auch schon Sieglinde und ein paar andere ihrer Schüler und Schülerinnen, die bereits soweit waren, tanzten, was das Zeug hielt.

Überflüssig zu sagen, daß den ganzen Sommer über schlechtes Wetter war, dumpf-feucht und grau.

In den ersten Septembertagen, als die Jagdsaison der Goldenen Heiligen grade noch nicht angefangen hatte, ging ich meinerseits auf die Jagd. Wörgler und zwei Neffen Wörglers gingen mit. Wir ritten. (Ich hatte als Mauerinspektor Anspruch auf die Benutzung des städtischen Gestüts. Außerdem hielt sich Wörgler selber ein Pferd.) Wir ritten nach Süden, die Würm aufwärts. Hohe Büsche mit violetten Blüten säumten den Fluß. Dort, wo früher Starnberg gewesen war, weidete eine Herde von Tapiren im fetten Gras zwischen den Trümmern. Wir ritten am See entlang. Stellenweise mußten wir uns mit dem Messer den Weg durch die Büsche bahnen. Am Ufer wuchsen Kakteen und gedieh Blumenkohl so hoch wie Bäume. Unsere Beute war mäßig: eine Gazelle, vier Hasen und zwei Fasane. (Wörgler und ich schossen mit Gewehren, die Neffen mit Armbrüsten.) Gegen den Spätnachmittag hin begann es schon wieder zu regnen, wir kehrten um und ritten nach Hause.

Die Nebel stiegen aus dem Fluß, und die Hyänen schrien.

Wörgler und seine Neffen trennten sich von mir, nachdem wir das Stadttor an der ehemaligen Laimer Bahnunterführung passiert hatten. Ich ritt die Wotanstraße hinauf, und als ich in die Walhallastraße einbog, sah ich an der nächsten Ecke neben einem Strauch einen Pilz, der mir wohlbekannt war.

»Burschi«, schrie ich, »wo kommst denn du her? Wo warst du die ganze Zeit? Warum bist du davon? Wie geht es dir? Was hast du gemacht die ganzen Jahre? Wie lang ist es her, seit du weg bist? Zwölf Jahre?« Ich sprang vom Pferd.

»Pst«, sagte Burschi, »dreizehn, und wenn ich nur die Hälfte Ihrer Fragen beantworten müßte, käme ich nicht dazu, mein Anliegen zu unterbreiten. Ich muß eigentlich heute in der Nacht noch fort.«

»Seit wann sagst du *Sie* zu mir?«

»Naja – nachdem Sie Groß-Admiral geworden sind.«

»*Ich*? Groß-Admiral? Spinnst du?«

»Sie sind nicht Groß-Admiral geworden?«

»Nein. Aber selbst wenn ich Groß-Admiral geworden wäre, würde ich mir ausbitten, daß du *du* zu mir sagst.«

Burschi stand auf. Er schaute ernst. »Nicht Groß-Admiral? Das ändert die Situation natürlich entscheidend«, sagte er. »Können wir ins Haus gehen? Es ist vielleicht nicht gut, wenn wir das alles auf der Straße besprechen.«

»Ist was passiert? Du schaust so komisch?«

»Später«, sagte er.

Ich versorgte mein Pferd. Inzwischen legte sich Burschi aufs Sofa und trank einen Schnaps. Auch ein Stück kaltes Huhn lehnte er nicht ab. Danach zündete ich ein Talglicht an und setzte mich zu ihm.

»Wer ist Groß-Admiral geworden?«

»Ein gewisser Jungheinrich«, sagte ich. »Er ist ziemlich dick, ein paar Jahre jünger als ich und hat künstlich gekräuselte, fette Haare, die ihm in einer Art Breitschwanz über den Nacken hängen. Außerdem hat er einen Schnurrbart, und er hält immer den Mund leicht offen. Seine sportlichen Fähigkeiten haben ihm die Gunst der Wähler errungen.«

Burschi schaute mich an. »Du kannst ihn nicht leiden?«

»Ich geh' ihm aus dem Weg.«

»Ist er… ich meine: wie steht er zu Seelewig?«

»Ein Herz und eine Seele.«

»O je. Dann kann ich eigentlich gleich wieder gehen.«

»Das hoffe ich nicht. Du wolltest mir doch ein Anliegen vortragen?«

Burschi trug mir sein Anliegen vor. Er war damals aus Groß-Menzing davon, weil er die politische Situation, das heißt: die Unterwürfigkeit des Magistrats und damit vieler Bewohner dem Seelewig gegenüber nicht mehr ertragen hatte. Er schlug sich allein über die Berge bis in die Po-Ebene durch.

»Alleine? Du bist der reinste Selbstmörder«, sagte ich.

»Ach«, sagte Burschi, »ich schlüpfe *unten durch*, und Die Dort halten mich für einen Pilz, der sich bewegt.«

In der Po-Ebene, gegen den nördlichen Rand hin, gab es zwei Gemeinwesen, dem unseren hier in Groß-Menzing vergleichbar, eins etwas kleiner, eins aber fast doppelt so groß.

»Hauptsächlich ehemalige Italiener, selbstverständlich, aber als Kelte aus dem Vinschgau kann ich genug Italienisch. Ich habe ihnen eine Menge erzählt.«

Die Siedler dort hatten von unserem Feldzug vom Jahr 2010 nichts gewußt, vor allem hatten sie nicht gewußt, daß *Die Dort* durch Lärm verwundbar, ja vernichtbar sind. Burschi sei, sagte er, auf offene Ohren für seinen Plan gestoßen: einen Lärmfeldzug gegen Die Dort zu unternehmen; Tag und Nacht Lärm zu machen, jede Minute, jede Sekunde, ununterbrochen Lärm. Lärm, Lärm, Lärm. Lauter Lärm; noch lauterer Lärm. Solange Lärm die Luft erfüllt, ja zerreißt, sind Die Dort machtlos. Sie sind hilflos. Sie müssen hilf- und machtlos zusehen, wie sie zu überriechendem, fettig-rußigem Gekröse zerfallen. Wenn nur dafür gesorgt wird, daß ununterbrochen Lärm herrscht. Er habe, erzählte Burschi, ein *totales Tag- und Nacht-Lärm-System* entwickelt, das einem garantiert, daß auch kein Bruchteil einer Sekunde ohne Lärm bleibt, ein System von Tag- und Nachtwachen, nahtlosen Ablösungen, Vorsorgen für Fälle von Ermüdung, Erkrankung oder sonstigem Ausfall der *Lärmatoren* oder wenn, was ja nicht ausgeschlossen sei, Wahnsinn bei diesem oder jenem ausbreche, Wahnsinn aufgrund des eigenen Lärms. Ja, sagte Burschi, natürlich sei diese Gefahr groß, vielleicht sogar sehr groß, daß nämlich aufgrund des eigenen, des von einem selber erzeugten Lärms Wahnsinn eintrete. »Aber: wo gehobelt wird, fallen Späne«, das wisse jeder, damit müsse man rechnen, das sei in Kauf zu nehmen, und was seien letztlich, fuhr Burschi fort, ein paar Wahnsinnige in Anbetracht der vielleicht allerletzten Chance, Die Dort *niederzubügeln* – so Burschi wörtlich: »niederzubügeln« –, die Welt von Denen Dort zu befreien.

Burschi redete sich in große Begeisterung, schwenkte in großartigem Bogen das Schnapsglas und goß sich öfters nach. Der große Pfadfinderhut beschattete sein Gesicht, nur die Augen glühten.

»Ihr müßt mitmachen!« rief er, sank aber dann zusammen und sagte: »Aber wenn das so ist, wenn praktisch der Seelewig regiert, werdet ihr nicht mitmachen.«

»Ich bin öfters dort.«

»Wo?«

»Naja. Im Schloß. Du weißt. Ich habe die Ehre«, sagte ich und bemühte mich um einen ironischen Ton, »ab und zu vom Hohen Magistrat und dem Herrn Groß-Admiral zu einem Bankett eingeladen zu werden. Ich weiß auch nicht, wie ich zu der Ehre komme.«

»Red nicht so dumm daher, ich weiß doch, wie du zu Seelewig verwandt bist.«

»*Möglicherweise* verwandt. *Angeblich* verwandt.«

»Darüber reden wir jetzt nicht. Was ist bei diesen Banketten?«

»Tante Jessica, wie du vielleicht weißt, hat im Gegensatz zu ihrer Schwester, meiner Mutter, und gewissen anderen Leuten immer schon die Meinung vertreten, daß Die Dort böse sind. Und Tante Jessica, als Staatswitwe, darf das sogar heute noch auch in Gegenwart von Seelewig und seiner

Kreatur Jungheinrich sagen. Und sie sagt es auch gelegentlich, ziemlich scharf sogar. Natürlich nur im kleinen Kreis und nachdem sich die Zungen im Lauf des Abends schon ein wenig gelockert haben.« Ich versuchte, den Seelewig nachzumachen: »Was habt ihr gegen die Nicht-Genug-Zu-Verehrenden? Sind nicht die Nicht-Genug-Zu-Verehrenden unsere Freunde? Geht es uns nicht besser so, wie wir jetzt leben? – Nein, Burschi«, sagte ich wieder mit meiner normalen Stimme, »das ist völlig aussichtslos.«

»Dann gehe ich auf die Straße und predige den Kreuzzug. Es wird doch noch ein paar geben, die keine Sklavenseelen haben.«

»Das wird nicht lange gutgehen. Der Groß-Admiral hat seine Schergen überall. Man wird behaupten, du hättest Aids, schließlich bist du von draußen gekommen, und was dann passiert, weißt du.«

»Also lauter Sklavenseelen?«

»Die träufeln sich die Treutlinge in den Geist. – Nein, Burschi, behalte es hier in Groß-Menzing für dich. Ich hoffe, es hat nicht schon einer Verdacht geschöpft, sonst würde man womöglich Die Dort auch noch warnen.«

»Du meinst, du hast recht?«

»Ich meine, ich habe recht.«

»In Südfrankreich gibt es auch noch ein paar Ansammlungen, und auch dort, wo früher Jugoslawien war. Ich war überall. Alle machen mit.«

»Dann kommt es ja auf Groß-Menzing gar nicht an.«

»Doch. Ihr habt die Atom-Sirene. Die Atom-Sirene ist ein entscheidender Faktor in meinem *Totalen Lärm-Plan*. Du meinst, es ist sinnlos, darum zu bitten, daß ihr sie uns wenigstens leiht?« Burschi beantwortete seine Frage selber dadurch, daß er den Kopf traurig senkte.

Das Talglicht war heruntergebrannt. Ich ging in die Küche und holte ein neues. Ich stellte es in meinem Wohnzimmer auf den Tisch, zündete es am alten, verlöschenden an. Burschis Kopf war tief, fast bis auf den Tisch heruntergesunken.

»Bist du eingeschlafen?« fragte ich.

Er schaute auf: »Eingeschlafen? Wieso? Ich habe nur meine Füße angeschaut. Ich glaube, ich brauche bald einmal neue Schuhe.«

»Du bist viel herumgekommen, Burschi, weiß man irgend etwas, wie viele von Denen Dort schon auf unserer Erde leben?«

»Ich weiß nicht, ob *leben* der richtige Ausdruck ist.«

»Sind sie Maschinen?«

»Das auch wieder nicht. Trotzdem verwende ich lieber den Ausdruck: sie funktionieren. – Wie viele auf der Erde funktionieren? Viele, viele Millionen.«

»Genaueres weiß niemand?«

»Die Dort werden es schon wissen.«

»Du verstehst doch die Sprache von Denen Dort.«

»Erstens hüte ich mich trotz allem, ihnen zu nahe zu kommen, und zweitens verstehe ich zwar ihre Sprache, aber ich kann sie nicht sprechen. Es ist so ein Gezwitscher, ein Quietschen. Du kannst auch nicht mit einem ungeölten Wagenrad reden. Also höre ich nur das Zufällige. Nie haben sie darüber geredet, wie viele sie sind.«

»Sind sie überall?«

»Ich habe Gegenden gesehen, da liegen sie zu Tausenden auf dem Boden und wälzen sich. Ich habe Gegenden gesehen, da türmen sie sich aufeinander, himmelhoch.«

»Auf unserer Erde.«

»Die wir verspielt haben.«

»Hat dein Lärm-Aufstand unter den Umständen überhaupt eine Chance?«

»Das weiß ich nicht. Ich weiß nur, daß wir keine Chance haben, wenn wir den Lärm-Aufstand nicht machen.«

»Burschi«, sagte ich, »haben dich viele gesehen, wie du hereingekommen bist?«

»Kennst du deinen Burschi nicht? Keiner hat mich gesehen.«

Ich ging wieder in die Küche und kam mit zwei Schlüsseln zurück. »Hier«, sagte ich und gab sie Burschi.

3

Sieben Jahre gingen vorbei, ohne daß Rivano wiedergekommen war. Vier Jahre nach Rivanos Galaabend flog die Nachricht durch die Stadt, daß ein Zauberer angekommen sei und am Sanderplatz seine Bühne aufgeschlagen habe. Ich eilte hin, aber es war ein anderer Zauberer. Er zeigte hervorragende Kunststücke, zum Beispiel ließ er einem anwesenden Glatzkopf einen Zopf wachsen, aber das war es nicht, wie man sich denken kann, was ich erwartete.

Drei weitere Jahre gingen ins Land. Ein neuer Groß-Admiral wurde gewählt, es war der schon erwähnte Jungheinrich. Und er war eine Kreatur Onko Seelewigs.

Onko Seelewig war ein Sohn des alten Tobias und also – angeblich – mein Stiefbruder. Der alte Seelewig war zu Tode gekommen (so wurde unter der Hand verbreitet), als sich sein Freund Rolf versehentlich auf ihn setzte. Rolf übertrug aber sogleich die Funktionen des alten Seelewig auf den Sohn, und der Magistrat beeilte sich, Onko zum General-Konsul zu ernennen. Zur Feier seiner Ernennung verteilte Onko Seelewig freigebig frische Treutlinge, und im übrigen war er ein junger Schnösel, der sich ziemlich viel auf seine Funktion einbildete.

Ich muß allerdings gerechterweise sagen, daß er mich mit einem gewissen Respekt behandelte und anfangs sogar zu den Besprechungen einlud, die er mit dem Magistrat führte, das heißt: zu den Audienzen, bei denen er die Wünsche Rolfs vortrug, die natürlich Befehle waren. Dabei war stets unklar und für uns nicht nachprüfbar, ob diese *Wünsche* wirklich die Wünsche Rolfs und der Goldenen Heiligen oder nur die der Familie Seelewig waren, von der wir allerdings außer General-Konsul Onko nie jemanden sahen. Der alte Seelewig habe, so wurde kolportiert, acht Frauen und insgesamt dreißig Kinder gehabt. Onko Seelewig, der offenbar das Oberhaupt des immer noch weit draußen in dem bewußten Schloß wohnenden Clans war, begnügte sich mit vier Frauen – vorerst. Er suchte sie sich in Groß-Menzing aus, und er nahm die schönsten. Wenn ich sage: er *nahm* sie, so ist das wörtlich zu verstehen. Es sei, behauptete er, der Wunsch Rolfs, daß ihm jene Barbara, jene Thekla, jene Christine und jene Anna mitgegeben würden. Es war wie ein Sklavinnenkauf. Ich kannte die vier Mädchen nicht, aber ich habe von den Tragödien erfahren. Sie mußten mit Gewalt geholt werden, und Annas junger Ehemann, ein körperlich eher schwächlicher Erwin, er war Magistrats-Schreiber (einer der wenigen seiner Generation, die lesen und schreiben konnten), versuchte eine Revolte anzuzetteln, und beinahe wäre es ihm gelungen, Onko Seelewig zu erschlagen, aber der und der Magistrat streuten rasch Treutlinge und auch Goldstücke unter die maulende Menge, und so blieb der unselige Magistratsschreiber allein, wurde verhaftet und verhungerte in den Kellern von Schloß Blutenburg, wo er in seinen letzten Hungerphantasien noch das miterleben mußte, was mit seiner schönen Frau in Onko Seelewigs Schloß geschah.

Es war bei dieser Gelegenheit, daß ich den Fehler machte und dem damaligen Vize-Admiral gegenüber äußerte: ich sei mir nicht sicher, ob Die Dort gar so in allen Einzelheiten um die Fortpflanzungslust meines Herrn Halb-Bruders besorgt seien.

Der Vize-Admiral fuhr mir sofort über den Mund und sagte: »Erstens bitte ich mir in meiner Gegenwart die korrekte Bezeichnung aus: Die Dort heißen immer noch Die-Nicht-Genug-Zu-Verehrenden.«

»Und zweitens?«

»Wenn Herr General-Konsul den Wunsch der Nicht-Genug-Zu-Verehrenden übermittelt, daß er vier Frauen haben soll, so wird das schon seine Richtigkeit haben.«

Und drittens wurde ich von da ab nicht mehr zu den *Besprechungen* eingeladen. Die Bemerkung war also ein Fehler von mir gewesen. Ich erfuhr wichtige Dinge entweder überhaupt nicht mehr oder zu spät.

Im August 2030 wurde ich dann verhaftet. Es kam für

mich nicht unerwartet. Der Verdacht, daß ich beim Verschwinden der Atom-Sirene meine Hand im Spiel gehabt hätte, tauchte schon bald auf, wurde mir zwar nie ins Gesicht hinein gesagt, aber hinter meinem Rücken geäußert. Wörgler, mein Freund, der Richter, hinterbrachte es mir warnend. Aber was sollte ich tun?

Burschi hatte damals die Schlüssel aus meiner Hand ergriffen und eingesteckt wie weggeschleckt, war nach hinten in den Garten geschlüpft, war über den Zaun geglitten und weg. Selbstverständlich hatte Burschi sofort begriffen, was das für Schlüssel waren. (Als Mauerinspektor unterstand mir auch der riesige, draußen neben dem Nordost-Tor angebaute Hangar der Atom-Sirene. Dafür war der eine Schlüssel. Der andere Schlüssel war der für eine fast nur mir bekannte eiserne Tür, eher nur eine Luke, am Ost-Tor.)

Ein paar Tage später war die Atom-Sirene verschwunden. Ich hatte jeden Tag nachgeschaut, was ich bei meinen Inspektionsgängen unauffällig einrichten konnte. Aber ich wußte ohnedies, daß nun die Sirene abtransportiert war, weil ich am Morgen die beiden Schlüssel vor der Tür liegen fand, die hinten an meinem Haus in den Garten führten. Burschi hatte an alles gedacht: auch daß mich das Fehlen dieser Schlüssel in Schwierigkeiten hätte bringen können.

Wie Burschi die Atom-Sirene abtransportiert hatte oder besser gesagt: abtransportieren hatte lassen, ist mir rätselhaft. Allein konnte er es nicht bewerkstelligen. Ich nehme an, daß er vorsorglich schon einen Trupp seiner Insurgenten irgendwo in dem Buschland der wieder wilden Isar hatte warten lassen. Ich überlegte, ob ich, um gleich schon einmal den Verdacht von mir abzulenken, den Diebstahl mit großem Geschrei selber melden solle. Aber ich wollte Burschi und seinen Leuten Vorsprung vor eventueller Verfolgung (die dann gar nicht angeordnet wurde) verschaffen. So entdeckte einer meiner Unter-Inspektoren das Fehlen der Sirene nach knapp drei Wochen.

Aber nicht, weil der Verdacht wegen Mitwisserschaft

oder Beihilfe zu diesem Diebstahl gegen mich sich verdichtet hätte, sondern aus ganz anderen Gründen wurde ich verhaftet. Zunächst wurde mir gar nichts gesagt; von den bereits getroffenen, äußerst geheimen Maßnahmen erfuhr ich nichts, weil ich ja nicht mehr zu den *Besprechungen* hinzugezogen wurde.

Ich ging an dem betreffenden Tag nichtsahnend von einer Kartenpartie im *Hirschgarten* nach Hause, da erwarteten mich zwei Magistrats-Wachen und hielten mir die Spitzen ihrer Hellebarden vor die Nase. Mein Licht-Bursche ließ die Laterne fallen und lief davon.

Meine Behandlung im Gefängnis war nicht schlecht. Ich verhungerte nicht wie der unglückliche Magistratsschreiber. Tante Jessica, die mein davongelaufener Lichtbursche verständigt hatte, immerhin, kam noch am gleichen Abend. Als Staats-Witwe und Medizinfrau war es ihr nicht schwer, zu mir vorzudringen. Auch sie wußte allerdings nicht, warum ich verhaftet worden war. Sie brachte mir aber einige persönliche Sachen zu meiner Bequemlichkeit und vor allem ein paar Bücher, mein Schachspiel und Patience-Karten – unentbehrliche Dinge für einen Gefangenen, wie ich jetzt lernte. Tante Jessica bohrte ihren schwarzen Schamanenblick in das Auge des Wärters und des Wärterchefs und schärfte ihnen ein, daß ich gut zu behandeln sei. Das half zusätzlich, denn ohnedies war es bei unserer mittelalterlich gewordenen Gesellschaftsstruktur und der nur noch sehr sporadisch vorzufindenden Rechtsstaatlichkeit so, daß ein heutiger Gefangener morgen Befehlshaber sein konnte. Da sahen sich Gefängnisaufseher vor.

Ich bat Tante Jessica, Wörgler zu verständigen, der dann auch am übernächsten Tag kam. Er verscheuchte – kraft seines Amtes als Richter – die Wache von der Tür und sagte, er übernehme für die Zeit seiner *Anwesenheit* die Verantwortung für mich. Die Wache salutierte und verzog sich, vermutlich nicht ungern, auf ein Bier im Schloßkeller.

»Anwesenheit« hatte Wörgler betont gesagt, nicht »Besuch«, um der Sache einen offiziellen Anstrich zu geben. Es war aber ein privater Besuch.

»Ich kann dir nicht helfen, Menelik«, sagte Wörgler, »es ist der Teufel los.«

»Welcher Teufel?«

»Du weißt nichts?«

»Nein.«

»Gar nichts?«

»Hm. Burschi war vor gut drei Wochen bei mir.«

»Sie haben losgeschlagen.«

»Aha. Mit der Atom-Sirene?«

»Sie haben es fertiggebracht, innerhalb ganz kurzer Zeit vier weitere Atom-Sirenen nachzubauen. Drei davon funktionieren sogar. Der Lärm muß infernalisch sein. Sie ziehen, es sollen ihrer Zehntausende sein, mähend durch die Goldenen-Heiligen-Haufen.«

»Bügeln nieder.«

»Wie?«

»Ein Ausdruck von Burschi. Aber: was weiter?«

»Es müssen schon Hekatomben von Goldenen Heiligen zu lächerlichem Fett-Ruß zerfallen sein. Die anderen weitum zwitschern in heller Verzweiflung, viele sind in heller Flucht begriffen.«

»Mein Mitleid hält sich in Grenzen.«

»Red nicht so, wenn es dir nicht eines Tages leid tun soll.«

»Es hört ja niemand zu.«

»Ich hoffe. – Rolf ist auch äußerst besorgt.«

»Es hat ihn also noch nicht erwischt?«

»Nein. Die Horden mit einem Pilz und der Fahne an der Spitze – so Seelewig wörtlich – ziehen zur Zeit brüllend in einem großen Bogen über Slowenien in die Steiermark, wo eine besonders dichte Ansammlung Goldener Heiliger liegt.«

»Dann werden sie vielleicht auch noch hierher kommen. Was habe *ich* damit zu tun?«

»Der junge Seelewig hat die Botschaft von Rolf überbracht: wir sind die einzigen, die die Goldenen Heiligen retten können.«

»Und der Jungheinrich ist so blöd und sagt: sein Wunsch ist mir Befehl?«

»Hast du etwas anderes erwartet?«

»Natürlich nicht. Nur: wieviel Mann bringt Groß-Menzing noch auf die Beine? Die Stadt hat keine fünfund-zwanzigtausend Einwohner mehr, waffenfähige Männer, wie man so sagt, vier-, fünftausend. Davon sind zwei Drittel Treutling-Leichen und nicht zu gebrauchen...«

»Achthundert Mann«, unterbrach mich Wörgler, »sie sind gestern ausgerückt.«

»Achthundert Mann gegen Burschis Zehntausende?«

»Unseren achthundert Mann macht der Lärm nichts aus, im Gegensatz zu den Goldenen Heiligen.«

»Aber die Spieße und Stangen und vielleicht auch noch Säbel und Gewehre der Armee Burschis werden ihnen was ausmachen.«

»Wir haben die Waffen der Goldenen Heiligen.«

»Was ist das?«

»Die Kreissägestrahlen. Zwei Dutzend Stück. Der junge Seelewig hat sie gebracht; Leihgabe von Rolf. Es sind nur so kleine Kästchen. Wenn du wieder herauskommst, wirst du zwangsläufig als Mauerinspektor sehen, was man mit diesen Kästchen unwillentlich angerichtet hat. Beim An-lernen hat nämlich einer zu früh auf den Knopf gedrückt. Zum Glück hatte er das Ding nur auf die Stadtmauer ge-richtet. Die ist daraufhin ein paar hundert Meter der Würm entlang wie wegrasiert eingestürzt. Nur noch Staub ist davongeflogen.«

Man kann sich vielleicht denken, was ich jetzt überlegte. Wörgler saß mir gegenüber. Wir schwiegen.

»Glaubst du«, fragte ich, »daß du mich irgendwie hier herausbringen kannst?«

»Unmöglich«, sagte er. »Der Groß-Admiral persönlich hat verfügt, daß du ganz besonders scharf bewacht wirst. Man traut dir nicht über den Weg. Aber wenn der Feldzug vorbei sein wird, dann passiert dir weiter nichts. Du bleibst sogar Mauer-Inspektor. Man kann dir nichts nachweisen. Bei der Durchsuchung deines Hauses hat man festgestellt, daß kein einziger der Schlüssel fehlt.«

4

Mara kam in jenen Gefängnistagen wieder, nach sieben Jahren. Einer der Gefängniswärter erzählte mir davon, daß er heute abend zum Glück frei habe und zur Vorstellung eines Zauberers gehen könne, der gestern in die Stadt gekommen sei. Wenige Nachfragen genügten, damit ich wußte: es konnte nur Rivano sein. Man kann sich meine Verzweiflung ausmalen. Ich rüttelte – im übertragenen Sinn – an den Gittern. Den Wärter hier, überlegte ich, zu bestechen, daß er einen Zettel mit einer Nachricht für Mara hinausschmuggeln möge, war zu gefährlich. Dieser Wärter, mit dem ich sogar ab und zu Schach spielte, war nicht dumm, aber außerordentlich ängstlich. Womöglich lieferte er meinen Zettel bei seinem Chef ab, und dann wäre nicht nur alles verdorben, auch Rivano käme in den Verdacht der Konspiration.

Tante Jessica! fiel mir ein. Oder Wörgler? Tante Jessica war besser für so etwas. Wörgler würde sich ungern exponieren. Ich bat also, was unverdächtig war, weil quasi legal, daß man Tante Jessica einen Brief von mir überbringe, selbstverständlich einen unverschlossenen, in dem nichts anderes stand als: *Bitte komm, sobald es geht. Dein dich liebender Neffe M.*

Der Wärter versprach, den Brief morgen auf dem Dienstweg zu besorgen.

»Heute! Bitte!«

»Heute ist im Büro niemand mehr da. Morgen.«

Er ging, nachdem er abgelöst worden war. Der neue Wärter war ein kleiner, fast runder Mensch, der so stumpfsinnig schaute, daß Fensterscheiben anliefen, wenn er zu nahe kam. Bei ihm versuchte ich es.

»Du!«

»Zu mir sagt man Sie.«

»Ja, gut. Brauchen Sie Geld?«

»Brauchen Sie was?«

»Geld. Goldstücke.«

Er lachte laut.

»Pst. Nicht so laut. Sie können Geld von mir haben. Viel Geld.«

»Höhö!«

»Doch.«

»Gefangene haben kein Geld.«

»Manche Gefangene schon; ich zum Beispiel.«

Es war mir klar, daß es ein verzweifelter Versuch war, aber das Herz wäre mir zersprungen, wenn ich ihn nicht gewagt hätte.

»Zeig.«

»Erst wenn du mich rausläßt.«

»Zu mir sagt man Sie.«

»Erst wenn Sie mich rauslassen.«

»*Ich? – dich?*«

»Logisch. Du – Verzeihung: *Sie – mich*. Nur für zwei Stunden.« Der Kerl war vielleicht so blöd, daß er mir glaubte. »In zwei Stunden komme ich wieder. Niemand hat etwas gemerkt, und du bist um hundert Goldfüchse reicher.« Sein monatlicher Lohn, das wußte ich, betrug 15 Goldstücke.

»Hundert Goldfüchse?«

»Ehrlich.«

»Nö.«

»Wieso nicht?«

»Der Pointner hat gesagt: das darf ich nicht. Leider.«

»Wer ist der Pointner?«

»Der Pointner, was mein Chef ist, schläft jetzt schon.«

»Nur zwei Stunden. Hundert Goldfüchse.«

»Nö«, sagte er, drehte sich um und ging hinüber zu seiner Bank, um zu dösen.

Ich wurde fast wahnsinnig in der Zelle. Ich rüttelte wirklich an den Gittern am Fenster. Draußen, nicht weit weg, war Mara, und die sieben Jahre waren vergangen. Ich drückte meinen Kopf zwischen die Stäbe... sinnlos, selbst wenn ich den Kopf durchgezwängt hätte, wäre ich noch nicht draußen gewesen. Das Blut toste mir in den Ohren. Mara. Ihr nicht zurufen zu können. Sie meint womöglich, ich hätte sie vergessen. Ich rief noch einmal den dummen Kerl. Ich wiederholte den Versuch, ihn zu bestechen. Ich wollte ihn veranlassen, wenigstens Tante Jessica zu holen, aber er blieb unbewegt. »Ich bin krank!« schrie ich. »Ich brauche einen Arzt.«

»Morgen«, sagte er dumpf.

»Morgen bin ich tot!« rief ich.

»Das macht nichts, hat der Pointner gesagt.«

Die Qualen des in den engen Käfig gesperrten Raubtieres können nicht schlimmer sein. Ich spürte, wie ich langsam erstickte. Ich war lebendig begraben.

Und doch schlief ich ein. Ich träumte von Mara. Was sollte ich sonst träumen? Mara war achtzehn Jahre alt geworden. Mara war eine Frau von einer Schönheit, die der keiner anderen gleichkam. Die schwarzen gewellten Haare waren diesmal hinten zusammengebunden. Die Augen waren so groß wie damals, und die Adern pulsierten in dem schlanken weißen Hals. Sie trug eine schwarze Bluse und eine schwarze Hose und war barfuß.

»Die Schuhe habe ich draußen gelassen, damit man mich nicht hört.«

Sie stand in meiner Zelle.

Zu blöd, dachte ich mir, was hätte es den Traum gekostet, wenn er uns in einen schönen Park bei Mondschein versetzt hätte? Normalerweise weiß ich im Traum nicht, daß ich träume. Ich *lebe* für die Zeit des Traumes im Traum, aber diesmal wußte ich es.

Ich stand von meiner Pritsche auf, auf der ich gesessen war. Mara kam zu mir her, ich umarmte sie.

»Du hast mich nicht vergessen?« fragte sie.

»Nicht in sieben und nicht in siebzig Jahren«, sagte ich.

Draußen vor der Zellentür, die offen stand, knurrte ein Hund.

»Das ist kein Hund«, sagte Mara, »das ist der Wärter. Der Knebel im Mund ist ihm wohl unangenehm.«

Noch nie in meinem Leben hatte ich einen so deutlichen Traum. Ich fühlte Mara. Ich geniere mich nicht zu gestehen, daß ich, während ich sie umarmte, auch gewisse Veränderungen ihrer Anatomie feststellte und wie deutlich sie in jeder Hinsicht auch körperlich eine Frau geworden war.

»Mich würde jetzt eins interessieren«, sagte ich, »träumst du in diesem Moment das gleiche wie ich?«

»Ja«, sagte sie. Ich spürte ihren Kuß auf dem Mund. »Aber jetzt sollten wir fort, bevor sie unten meine Schuhe finden.«

Der Wärter, der, von seinen Hosenträgern gefesselt, auf einer Bank saß, der einen Socken als Knebel im Mund hatte, rollte die Augen, als wir vorbeischlichen, und knurrte wieder.

Mara und ich schlüpften durch eine kleine Tür in den Garten und schlichen uns durch Nebengassen und ruinöses Gebiet zu meinem Haus. Es war tiefe Nacht. In aller Eile erzählte ich Mara das Wichtigste von den neuesten Ereignissen und von Burschi. Mara hatte schon davon gehört, aber nichts Genaues. Übrigens kannte sie Burschi. Es kannten sich mehr oder weniger alle, die draußen herumzogen. Vom Gegenangriff der Groß-Menzinger Marionetten wußte Mara freilich nichts.

»Wir können die geschundene alte Erde retten«, sagte ich, »wenn wir Burschi warnen.«

»Geht uns die Welt etwas an?« fragte Mara.

»Ja«, sagte ich.

»Wenn du meinst, dann *ja*«, sagte Mara.

Wir erreichten mein Haus. Ich hatte keinen Schlüssel,

der war in Verwahrung im Gefängnis mit allem anderen, was Gefangene abliefern müssen. »Macht nichts«, sagte ich. Ich schlug ein Fenster ein. Meine Hühner (die neu angeschafften nach der Pips-Katastrophe) schliefen in ihrem Verschlag, nur mein Hahn – er hieß Ramses – schaute verschlafen auf und blusterte die Federn.

Mara badete diesmal nicht.

Mein Hahn krähte. Ich wachte auf. Es war noch dämmrig. Mara war wach.

»Hast du nicht geschlafen?« fragte ich.

»Doch«, sagte sie, »aber ich wache immer einen Augenblick, *bevor* der Hahn kräht, auf.«

»Wie hast du mich gefunden?«

»Hast du irgendeinen Zweifel gehabt, daß ich dich finde? Ich habe zwar nicht damit gerechnet, daß du im Gefängnis bist, aber das hat mich nicht daran gehindert, zu dir zu kommen. Jetzt. Nach sieben Jahren. Wo es soweit ist.«

Sie beugte sich noch einmal zu mir herüber. Sie lachte: »Wo es soweit *war*.«

»Du gehörst offenbar zu den Frauen, die Gitterstäbe durchbeißen, wenn es nicht anders geht.«

»Ich brauche es nicht. Ich kann ja zaubern. So ein Tölpel von Wärter ist einer wie mir nicht gewachsen. Ich habe ihm zuerst die Hosenträger weggezaubert, dann habe ich ihm Eier aus den Ohren geholt und ein – falsches – Goldstück aus der Nase, dann habe ich ihm suggeriert, daß der Boden heiß wird, er ist gehüpft wie ein Tanzbär und hat sich dabei selber mit seinen Hosenträgern gefesselt. Alles sehr einfach. Ja – und als Knebel habe ich ihm dann einen von seinen eigenen Socken in den Mund gestopft. Strafe muß sein, nachdem er dich gequält hat.«

Wir standen auf. Mara begann sich zu frisieren.

»Du bist schön«, sagte ich.

»Es freut mich, wenn ich dir gefalle«, sagte sie, »aber du wirst wieder zurück ins Gefängnis gehen. Ich allein werde Burschi warnen. Ich habe mir das so überlegt. Es ist besser.«

Ich wollte, die Gründe, die sie mir auseinandersetzte, hätten mir nicht eingeleuchtet, und ich hätte sie nicht allein gehen lassen.

Sie argumentierte: man werde selbstverständlich merken, daß ich aus dem Gefängnis entsprungen sei. Man werde uns nachsetzen, man werde uns finden.

»Man wird uns *nicht* finden«, sagte ich. »Wir sind wie eine Stecknadel im Heuhaufen.«

»Der Groß-Menzinger Haufen mit seinen Mord-Kästchen hat einen Vorsprung von mehr als einer Woche. Wenn wir Burschi noch warnen wollen, müssen wir den geradesten Weg gehen. Für Versteckenspielen ist keine Zeit. Ich *allein* bin unverdächtig und schneller.«

So ging ich – leider – ins Gefängnis zurück. Mara blieb noch eine halbe Stunde dort bei mir. Etwa eine Viertelstunde, bevor der dicke, runde Wärter abgelöst wurde, ging sie weg.

»Ich mache ihm einen Knoten«, sagte sie, »der in zehn Minuten von alleine aufgeht.«

Sie kam noch einmal zurück.

»Im Falle der Fälle«, sagte sie leise: »im nächsten Leben warte bitte auf mich.«

Wenn man so alt ist wie ich jetzt, berührt einen, habe ich oben geschrieben, nichts mehr, *fast* nichts mehr. Wenn ich an Mara denke...

... es ist mir sehr schwer gefallen, das alles zu schreiben, schwerer, als den Untergang unserer Welt zu schildern. Damals war ich sicher, daß Maras Argumente richtig waren, und ich freute mich sogar an dem komischen Nachspiel vor meiner Zellentür.

Tatsächlich löste sich nach zehn Minuten der fesselnde Hosenträger. Der dicke Wärter spuckte seinen Socken aus und begann zu fluchen. Die Ablösung kam, mit ihr der Ober-Wärter, der immer am Morgen kontrollierte.

»Er ist...«, keuchte der Dicke und zeigte auf mich, »entflohen.«

Der Ober-Wärter schaute zweifelnd in meine Zelle. Ich grüßte lächelnd.

»Aber er ist doch noch da.«

»Er ist entflohen und wiedergekommen.«

»Wie? Was?«

»Ein junger barfüßiger Mensch ist gekommen, wirklich, Herr Chef, hat den Fußboden geheizt, ich sage Ihnen: der ganze Fußboden ist glühend heiß geworden. Das ist entsetzlich! Das wünsche ich meinem schlimmsten Feind nicht. Und dann habe ich Eier gelegt. Mit den Ohren. Es war entsetzlich. Und mein Hosenträger hat mich gefesselt.«

Der Ober-Wärter schaute die Ablösung und dann mich stumm an. Ich zuckte mit den Schultern.

»Und nachdem mich der Hosenträger gefesselt hatte, ist *er* mit dem langhaarigen Menschen davon.«

»Und wiedergekommen?«

»Aber erst heute in der Früh. Hier sind die Eier, die ich gelegt habe. Ich will sie nicht, ich möchte sie nie essen. Ich esse keine Eier, die ich selber gelegt habe.«

»Hm«, sagte der Ober-Wärter, »und wie kommt es, daß du gar nicht gefesselt warst vorhin?«

»Der Hosenträger hat von alleine nachgelassen.«

»Von alleine?«

»Von alleine.«

»Hast du das öfters, oder ist es zum ersten Mal aufgetreten?«

»Herr Chef«, jammerte der Dicke, »ich weiß genau, wer der Mensch mit den langen Haaren war. Das war kein Mensch, das war wer anderer. Aber ich sag' es nicht. Ich sag's nicht.«

»Abtreten«, sagte der Ober-Wärter, kontrollierte das Schloß meiner Zellentür, das Mara natürlich versperrt hatte, und ging davon. Der dicke Wärter kam ins Narrenhaus zu den Treutling-Süchtigen im letzten Stadium in Dr. Vorbesser-Maitingens ehemalige Schule. Es wäre besser für ihn gewesen, die Goldfüchse anzunehmen.

5

Burschis Psalm, der 91. Psalm, sein Psalm, er kannte ihn auswendig. Er konnte viele Stücke aus den Psalmen auswendig rezitieren, aber vollständig konnte er nur den einundneunzigsten. Ein anderer seiner Lieblingspsalmen war der, dessen Anfang ungefähr lautet wie: »Selig der Mensch, den der Herr in der Frühe schlafen läßt…« Heute, wo ich hier sitze und diese Zeilen in den Computer hauche – man braucht nicht mehr zu tippen –, gibt es kein Buch mit Psalmen mehr. Die Dort, die Herren Goldenen Heiligen, haben ihre eigenen Psalmen. Das werden infernalische sein, ich möchte sie nicht kennen. Unsere Psalmen gibt es nicht mehr. Alles, was wir gedacht und erfunden haben, ist auf den Universums-Müll gekippt worden. Unbrauchbar. Auch die Psalmen. Ich kann also nicht mehr nachschlagen, um festzustellen, was für ein Psalm das war, der andere Lieblingspsalm Burschis: »Selig der Mensch, den der Herr in der Frühe schlafen läßt…« Vielleicht hat ihn Burschi aber auch nur erfunden. Ich traue es ihm zu. Das frühe Aufstehen war nicht seine Sache. Aber den einundneunzigsten Psalm gibt es – oder gab es? nein: solang es noch *mich* gibt, den letzten Groß-Menzinger, gibt es noch unsere Welt, gibt es noch die Psalmen, den 91. Psalm – reduziert auf mich.

Burschi hat den 91. Psalm so oft rezitiert, daß ich ihn heute noch streckenweise auswendig weiß: »Du brauchst dich vor dem Schrecken der Nacht nicht zu fürchten/noch vor dem Pfeil, der am Tag dahinfliegt…« und: »Fallen auch tausend zu deiner Seite,/dir zur Rechten zehnmal tausend,/so wird es doch dich nicht treffen…«

Es hat ihn aber getroffen. Es hat alle getroffen. Sie waren, auch wenn sie ihrer Zehntausende waren, gegen die *Adler* machtlos. *Legion Gold-Adler:* der Ehrentitel, den Die Dort dem rohen Haufen von achthundert Groß-Menzingern unter Anführung des jungen Pauli (Sohn des ehemaligen Groß-Admirals) verliehen hatten. Der neue General-Konsul Onko Seelewig hatte – angeblich – im Auftrag Rolfs die Urkunde mit dem Ehrentitel überbracht. Das Einverständnis Rolfs mit Onko Seelewig war ungetrübt und setzte bruchlos die innige Übereinstimmung Rolfs mit dem alten Tobias Seelewig fort. Offensichtlich trug Onko Seelewig dem Rolf nicht nach, daß er sich – wie behauptet wird: versehentlich – auf den alten General-Konsul, seinen Erzeuger, wälzte, was dieser nicht überlebte.

Legion Gold-Adler: den rohen Haufen von achthundert disziplinlosen und zudem von Treutling-Abusus zermürbten Groß-Menzingern hätte Burschis Armee durch Sonne und Mond gejagt, wenn sie, die stolze Legion Gold-Adler, nicht die verheerenden Kreissägestrahlen gehabt hätten, gegen die kein Kraut gewachsen war – auch kein Psalm.

Ob Burschi, die Fahne mit dem Pilz in der Hand, den Psalm singend, ja: brüllend, vor seinen tosenden Heerscharen herzog, deren vieltausendfache Blaskapellen auf der Welt noch nie gehörten Lärm erzeugten, übertönt noch von den vier Atom-Sirenen, deren Geheul den Himmel spaltete? Es half nichts, kein Psalm, kein Lärm. Zwar zog der Heerwurm sengend und brennend durch die Agglomerationen der Goldenen Heiligen: wie mit heißem Messer durch die Butter, wenn man so sagen kann. Die Dort ergriffen die Flucht, gerieten in Panik, zerdrückten einander, zerfielen rechts und links des Heerzuges in lächerlichen Fett-Ruß, der nach Karbid stank. In der ehemaligen Ungarischen Tiefebene, die die Goldenen Heiligen beim Herannahen ihres Feindes rasch vorübergehend geräumt hatten, traf Burschis Armee auf die kümmerliche, stark alkoholisierte, aber mit achtzehn Kreissägestrahlern bewaffnete Legion Gold-Adler. In weniger als einer Viertelstunde – nicht einmal so lang, wie die berühmte Schlacht bei Culloden, die Schande Englands, gedauert hat – war die Sache, wie man so sagt, erledigt.

Ich erfuhr das alles selbstverständlich nicht, als ich noch

im Gefängnis saß. Ich will meine Ängste und Zweifel nicht schildern, ich will nicht damit langweilen zu beschreiben, wie ich oft nächtelang, erstickt in Unfreiheit, in meiner Zelle auf und ab ging, krank vor Selbstvorwürfen: hätte ich doch Mara nicht allein gehen lassen! Wo ist sie? Wann kommt sie endlich zurück, um mir zu sagen, daß Burschi gewarnt ist?

Burschi, der schlaue Burschi: gewarnt, würde er eine keltische Kriegslist erfinden, würde vielleicht einen Teil seiner Armee eine Schein-Offensive führen lassen, während eine auserlesene Gruppe, ohne Zweifel unter eigener Führung Burschi-Vercingetorix des Eisernen, den blöden Groß-Menzingern in den Rücken fällt, ihnen – vielleicht in einem nächtlichen Überfall, bei Neumond, während die Wachen treutling-trunken an den Palisaden lehnen – die Kreissägestrahler wegnehmen und sie gegen sie selber richten. Dann könnten die Herren Goldenen Heiligen nur noch ganz kleine Beträge auf die Groß-Menzinger wetten und auf ihr eigenes Verbleiben auf unserer, ja: *unserer* Erde. Unsere Erde: ja, unsere Erde, auch wenn wir sie geschunden, gequält und mißhandelt haben, die schöne Erde mit dem blauen Himmel über dem griechischen Meer, in dessen Anblick der unsterbliche Homer seine Verse gesungen…

Wir wären sauber gewesen. Gut: das Ozonschild hatte ein unverschließbares Loch, das – für Menschen, nicht für Goldene Heilige – große Teile der Südhalbkugel unbewohnbar gemacht hätte, der Treibhauseffekt ist zwar heute durch das Verschwinden der Menschheit nicht mehr weiter fortgeschritten, aber die Folgen sind geblieben, das Meer ist gestiegen, zwanzig Meter. Ich weiß nicht, wieviel Prozent des ehemaligen Festlandes dadurch unter Wasser geraten sind, aber ich weiß, daß unwiederbringliche Schätze der Kultur buchstäblich untergegangen sind. Durch die Sixtinische Kapelle schwimmen – vermutlich vergiftete – Fische. Den Goldenen Heiligen macht das nichts. Sie atmen Gestank, und sie fressen

Dreck, und inzwischen klumpen sie sich auch auf dem Meeresboden.

Wenn Burschi gesiegt hätte, wenn wir – ich erlaube mir, *wir* zu sagen: Burschi und die Seinen und Mara und ich – die Goldenen Heiligen von unserer, wenngleich beschädigten Erde vertrieben hätten, wären wir *sauber* gewesen, hätten gewußt, was wir nicht wiederholen dürfen.

Aber es ist anders gelaufen. Zwar ist Burschi anfangs »über Löwen und Nattern geschritten«, aber dann hat ihn Gott nicht mehr erhört, obwohl er seinen Namen kannte. Oder hat ihn Gott erhört? Nur: hatte Gott keine Macht über die Goldenen Heiligen? Haben Die Dort ihren eigenen Gott, der mächtiger ist als unserer? Was heißt aber: *erhört?* Wir meinen, Gott erhöre unsere Gebete, wenn das eintritt, was wir wollen. Vielleicht erhört uns Gott dann wirklich, wenn er unsere eigensüchtigen Wünsche *nicht* erfüllt. Das *wohlverstandene Interesse.* Das ist ein juristischer Ausdruck. Wir stellen uns Gott ja ohnedies als einen Juristen vor, einen Weltenrichter, der das Gute belohnt und das Böse bestraft, der darüber wacht, daß Verträge eingehalten werden und vor allem selber mit gutem Beispiel vorangeht und Verträge einhält. Er, Gott, kennt also auch das *wohlverstandene Interesse:* das Interesse, das nur der da oben *wohl* versteht, wir da unten nicht. Er weiß es besser. Natürlich weiß er es besser, er ist ja allwissend. Es ist in unserem wohlverstandenen Interesse, daß unser Gebet so erhört wird, wie Gott es für gut befindet, und das ist: daß unser Gebet nicht erhört wird. Unser wohlverstandenes Interesse ist, daß wir von der Erde vertilgt werden. Unser wohlverstandenes Interesse ist: die Nicht-Existenz. Also ist Burschis Gebet erhört worden, weil es nicht erhört wurde?

Aber Mara. Mara und ich – wir hätten niemanden sonst gebraucht auf der Erde. Was macht es dir aus, Gott, uns fünfzig Jahre, lächerliche fünfzig Jahre auf der

Erde zu lassen – fünfzig Jahre… Wir kämen schon durch, und wir würden versprechen, uns nicht zu vermehren, damit das Gewurstel nicht wieder von vorn anfängt…

Schau, daß du weiterkommst, du da draußen. – Sie gehen am äußeren Zaun entlang – also: *gehen* ist nicht der richtige Ausdruck. Sie wälzen sich oder rollen, oder wie man das nennen soll. Dutzende, jeden Tag. Ich weiß nicht, ob sie Eintritt zahlen müssen – vielleicht einen holländischen Holzschuh pro Dickarsch. Ich drehe mich um; wenn sie dann immer noch glotzen, schiebe ich meinen Computer ins Haus und schreibe dort weiter. –

Die Wärter, die mich bewachten, waren offensichtlich instruiert, mir keine Nachrichten zukommen zu lassen. Wenn Tante Jessica oder Wörgler mich besuchten, war seit Beginn des *Feldzuges* immer einer der Wärter dabei und paßte auf, daß das Gespräch harmlos blieb. Keiner von beiden wußte von Mara, und deswegen konnte keiner von beiden wissen, welche Unruhe mich quälte. Sie führten meinen immer zerrissener werdenden Zustand auf meine Unfreiheit zurück. Aber ein paarmal erkundigte ich mich nach der »Groß-Wetterlage«. Wörgler sagte: »Gut, sogar sehr gut«, Tante Jessica sagte: »Mies.«

Da wußte ich soviel wie vorher. Erst als ich – das war am 12. September – entlassen wurde, erfuhr ich, daß die *Groß-Wetterlage* sowohl sehr gut als auch mies war – je nachdem, von welcher Seite aus man die Sache betrachtete.

Meine Entlassung ging so vor sich, daß der Ober-Wärter kam, der diensthabende Wärter, der vor der Tür döste, aufsprang, über seine Hellebarde stolperte, salutierte, der Ober-Wärter mit Schlüsseln klirrte, aufsperrte, hereintrat und sagte: »Herr Mauer-Inspektor, Seine Exzellenz, der Herr Groß-Admiral, wollen Sie sprechen.«

Ich zog meine Schuhe an, ging hinaus und wandte mich zur Stiege. Nach ein paar Schritten merkte ich, daß weder der Ober-Wärter noch der Hellebardier mir folgten. Ich drehte mich um und zog fragend die Brauen hoch.

»Sie kennen den Weg, Herr Mauer-Inspektor«, sagte

der Ober-Wärter mit einer kleinen Verbeugung. Er stand –
sofern ich nicht Gefangener war – im Rang einige Stufen
unter mir.

»Ach so«, sagte ich.

Da wußte ich, wie die Groß-Wetterlage beschaffen war.
Geahnt hatte ich es in all den furchtbaren Nächten.

Ich hatte es längst geahnt, und die Hoffnung war erstickt. Sie war so erstickt und niedergedrückt, daß ich fast
völlig ruhig geworden war in den letzten Tagen. Ich war
zwar nur noch der halbe Mensch, aber im alltäglichen Sinn
überlebensfähig. Der Groß-Admiral empfing mich aufgeräumt und freundlich, entschuldigte sich dafür, daß ich
verhaftet worden sei: »– aber Sie müssen das verstehen.
Ihre enge Freundschaft mit diesem Burschi... und... an
und für sich waren wir ja Ihrer Loyalität sicher, nur...«

»Sicherer waren Sie, wenn ich hinter Schloß und Riegel
saß.«

Er lachte. »Ja, ja. Aber Sie wurden doch korrekt behandelt? Außer dem bedauerlichen Fall mit dem wahnsinnig
gewordenen Wärter...«

»Wie ist der Feldzug ausgegangen?«

»Die Nicht-Genug-Zu-Verehrenden sind vollkommen
mit uns zufrieden. Die Belohnung wird großartig sein. Wir
gehen herrlichen Zeiten entgegen.«

»Und Burschi? Und Burschis Leute?«

»Gefangene wurden nicht gemacht. Bis auf ungefähr
fünfhundert sehr dicke, die für – wie soll ich sagen – für
Sonderbehandlung vorgesehen sind.«

»Wer behandelt sie *sonder*?«

»Nicht wir natürlich«, sagte der Groß-Admiral, »die
Nicht-Genug-Zu-Verehrenden.«

»Also ist niemand übriggeblieben?«

»Niemand.«

»Und die anderen Ansiedlungen? Dort, wo Burschi
seine Armee rekrutiert hat?«

»Aufgelöst.«

»Das heißt –?«

»Aufgelöst heißt aufgelöst. Wie Salz in Wasser. Und ins Meer geleitet, damit die Rückstände nicht das Land verschmutzen.«

»Also gibt es keine Menschen mehr außer uns?«

»Den Herrn General-Konsul und seine Familie – und unsere tapferen Krieger von der Legion Gold-Adler, die auf dem Marsch nach Hause sind. Der Herr General-Konsul läßt auf Wunsch Rolfs auf eigene Kosten einen Triumphbogen aufführen. *Sie* jammern doch immer so über die verlorenen Kulturwerte. Da müssen Sie sich doch über den Triumphbogen freuen?«

»Ich kann es kaum erwarten, ihn zu sehen. – Und sonst lebt niemand mehr?«

»Na ja – es könnte schon sein, daß hie und da ein Wilder in den Wäldern entwischt ist. Das ist nicht unsere Sache.«

So steht man in einem hohen, kahlen Raum dem gegenüber, was unausweichlich ist. Stürzt die Welt zusammen? Nein, sie stürzt nicht zusammen. Verliert die Seele den Halt? Die Seele gibt es nicht mehr. Das Herz schlägt, blöd und sinnlos außerhalb der Seele. Das Leben ist seitlich weggebogen, ich stehe ohne Leben da, weil ich weiß, daß es Mara nicht mehr gibt. Langsam zerbröselt in mir die Existenz, ich spüre, daß ich nur noch eine Hülle bin. Wie zäh man trotzdem an dem klebt, was kein Leben mehr ist! Ich denke: hoffentlich faßt er da, der Groß-Admiral, mich nicht an, weil er die papierdünne Hülle Menelik Hichter eindrücken würde.

»Was ist? Ist Ihnen nicht gut? Sie sind so grün im Gesicht?«

»Pardon«, sagte ich, »es geht schon wieder.«

Er verlieh mir dann den Groß-Menzinger Sternen-Orden Zweiter Klasse für meine Verdienste.

»Was für Verdienste?« fragte ich.

»Daß Sie im Gefängnis gewesen sind und nichts verraten haben.«

»Ich bin nicht freiwillig gesessen.«

»Es sind auch nicht alle freiwillig mit der Legion mitgegangen, die jetzt einen Orden kriegen.«

Das leuchtete mir ein.

Ich hängte den Orden in meinen Hühnerstall.

6

Die Belohnung war in der Tat großartig, und die Zeiten,
denen wir entgegengingen, so herrlich, wie wir sie uns
nicht in den kühnsten Träumen ausgemalt hatten.

Jedem männlichen Groß-Menzinger wurde ein Bein abgebissen. Selbst beim Groß-Admiral wurde keine Ausnahme gemacht.

Das war, sagte Onko Seelewig, eine verständliche Sicherheitsmaßnahme seitens der Nicht-Genug-Zu-Verehrenden, denn, so Onko Seelewig nach Äußerungen Rolfs,
wie die jüngste Vergangenheit gezeigt habe, sei kein Verlaß
auf die Vertragstreue der bisherigen Erden-Bewohner.

»Wieso Vertragstreue?« fragte ich.

»Wieso: wieso Vertragstreue?!« sagte mein angeblicher
Halb-Bruder Onko. »Die Nicht-Genug-Zu-Verehrenden
haben uns schließlich und endlich die Welt abgekauft.«

»Konnten wir etwas verkaufen, was uns nicht gehört?
Zumindest: nicht allein uns gehört?«

»Es ist nicht angebracht«, sagte Onko, »im Zusammenhang mit den Nicht-Genug-Zu-Verehrenden in so klein-
karierten Dimensionen zu denken.«

Eine Sicherheitsmaßnahme also. »Unserer Verdienste
um die Befriedigung der Beziehungen zwischen den
Nicht-Genug-Zu-Verehrenden und uns unbeschadet –«,
so Herr General-Konsul Onko Seelewig wörtlich –, müsse
Vorsorge getroffen werden, daß sich eine Insurrektion
nicht wiederhole. Einbeinige könnten zwar schreien und
Trompeten und Tuben blasen, aber nicht mehr ausrücken
in Kampf und Krieg. Außerdem habe es auch Vorteile für

uns, sagte Onko, nur *ein* Bein zu haben: man brauche in Zukunft nur noch einen Schuh.

Ganz kurze Zeit sah es nach der Rückkehr der Legion Gold-Adler so aus, als würden wir letzten Mohikaner und Groß-Menzinger uns doch noch eines Besseren besinnen. Die Reue, sich nicht Burschis Armee angeschlossen zu haben und statt dessen Denen Dort beigesprungen zu sein, wäre zwar zu spät gekommen, vielleicht nicht aber das Zusammenraffen des letzten Mutes. Wer weiß – wir kannten ja das Mittel, wogegen Die Dort machtlos waren –, womöglich wäre es uns gelungen, wenigstens einen kleinen Teil unserer Erde für uns und – ich wage das Wort kaum niederzuschreiben – unsere Ehre zu retten, und wenn es nur die Würde des Widerstandes gewesen wäre.

Der Plan mit dem Abbeißen je eines Beines wurde natürlich nicht publik gemacht. So idiotisch waren Die Dort und Rolf und Onko Seelewig auch wieder nicht. (Onko Seelewig und seine Sippe wurden selbstverständlich von der Einbeinisierung ausgenommen; die Begründung war: sonst könne der General-Konsul nicht schnell genug zu uns gelangen, um – zu unserem Heil und unserer Freude – die segensreichen *Anregungen* Rolfs zu überbringen. Eine Zeitlang hoffte ich durch die Halb-Verwandtschaft mit dieser Sippe der Einbeinisierung zu entkommen. Ich schäme mich nicht einzugestehen, daß ich in dieser Zeit in Gedanken sogar das sonst von mir verwendete Epitheton *angeblich* vor dem Begriff Halb-Bruder wegließ, daß ich sogar gewisse Anbiederungen vornahm – was tut man nicht alles für ein zweites Bein.) Die Einbeinisierung war also ein Geheimplan. Nur der Magistrat, zu dem ich als Mauer-Inspektor gehörte, wußte davon, sollte die Aktion einleiten. Um bei uns keine Opposition hervorzurufen, tat Seelewig so, als ob die Magistratsangehörigen von der Einbeinisierung ausgenommen wären.

Zunächst war an Amputation gedacht, und tatsächlich wurden ein paar Dutzend Männer um ein Bein erleichtert – ohne Narkose und unter mittelalterlichen Umständen.

Das Gebrüll der Gemarterten war so groß, daß Seelewig fürchtete, Die Dort könnten Schaden nehmen. Außerdem sickerte dadurch der Plan durch, und keiner der Amputierten überlebte mehr als vierzehn Tage.

So beschlossen die Herren Goldenen Heiligen, die zu entfernenden Beine abzubeißen.

»Es geht so schnell«, sagte Onko Seelewig, »daß man praktisch gar nichts spürt. Außerdem könnt ihr euch aussuchen, welches Bein.«

Zu der Zeit war klar, daß auch der Magistrat und selbst der Groß-Admiral von der Regel nicht ausgenommen werden sollten. »Warum nur Männer?« fragte der junge Pauli.

»Weil – ja ... weil«, sagte Onko Seelewig.

»Eine großartige Antwort«, sagte ich.

»Meine Familie«, sagte Seelewig, »meint Rolf, sucht sich die Frauen hier bei euch aus. Und wir wollen keine einbeinigen Frauen. Ist ja auch unschön.«

»Meint Rolf«, sagte ich.

»Wie bitte? Ach so, ja. Meint Rolf. Und es ist ja in eurem Interesse, daß die Verbindung Rolf-Seelewig-Groß-Menzing für alle künftigen Generationen erhalten bleibt.«

Kurze Zeit, wie eingangs des Kapitels erwähnt, schaute es so aus, als ob die Meinung in Groß-Menzing sich ändern würde. Als nach jener Unterredung der General-Konsul den Rat verließ und außer Hörweite war, sprang der junge Pauli auf, eben noch Generalissimus der Goldenen-Heiligen-Hilfstruppen und höchstdekorierter Offizier, so daß sein Stuhl hintenüber polterte, und schrie: »Und das lassen wir uns nicht gefallen. Wenn ich das gewußt hätte, wären wir zur Pilz-Fahne übergegangen.«

Aber dann kam die Belohnung, die ganz großartige Belohnung, die General-Konsul Seelewig im Auftrag Rolfs in Aussicht gestellt hatte, und diese Belohnung war in der Tat für die überwältigende Mehrheit der Groß-Menzinger so begehrenswert, daß sie nicht nur ein, sondern sogar zwei Beine dafür hergegeben hätte: Groß-Menzing bekam das Rezept zur Herstellung von Treutlingen.

7

Ich will die, letzten Endes vor allem demütigende Prozedur, der sich dann, wie alle Groß-Menzinger, auch ich mich unterziehen mußte, nicht schildern, vor allem, weil ich mich nicht daran erinnern will. Ich besinne mich nur auf den Abend vor dem mich betreffenden Aufruf. Er kam spät. Seit Wochen und besonders in den letzten Tagen sah man fast nur noch Humpelnde. Am schlimmsten waren natürlich die kleinen Buben dran. Ich sah einen vielleicht Sechsjährigen. Sein Vater oder wer hatte ihm eine primitive Prothese hergestellt, mit der er aber nicht zurechtkam. Der Bub schaute mich an. Denen, die vor hundert Jahren unsere Welt zu zerstören begonnen haben, den Sündern an unserer Welt, wurden keine Beine abgebissen. Wehe den Enkeln!

Daß ich erst ziemlich zum Schluß drankam, verdankte ich, wenn das überhaupt etwas Dankenswertes war, meiner – ich sage wieder: angeblichen – Verwandtschaft mit General-Konsul Seelewig. Natürlich dachte ich an Flucht. Manche flohen tatsächlich, aber sie kamen entweder nicht weit, weil sie von Onko Seelewigs Leibgarde wieder eingefangen wurden (danach wurde ihnen strafweise auch ein Arm abgebissen), oder sie gingen als Wilde in den Savannen einer ungewissen oder besser gesagt nur zu gewissen Zukunft als Frühstück für Bären oder Wölfe entgegen.

Auf den Straßen nur noch Humpelnde. Als Zweibeiniger wurde man schon scheel angesehen, oder man erntete gehässige Zurufe: »Lang hast du es auch nicht mehr...« Die Krücke war schon geliefert – kostenlos, eine Zuwendung seitens der Nicht-Genug-Zu-Verehrenden – und stand bereit. Ich ging das letzte Mal mit zwei Beinen spazieren, schaute immer mein rechtes Bein an… ich schäme mich nicht zu gestehen, daß ich geweint habe. Man hängt an seinem Bein.

Nach ein paar Tagen humpelte ich das erste Mal an meiner Krücke zum Dienst. Die Schmerzen waren gräßlich. Wie nicht anders zu erwarten, war die Äußerung Seelewigs, daß die Amputation nicht weh tue, eine Lüge gewesen. Aber die andere Wunde war schmerzhafter. Mara. Ich rettete mich, indem ich mir wenigstens eine Ungewißheit konstruierte, an die ich ab und zu sogar glaubte: vielleicht war Mara zu spät in die Gegend von Burschis Armee gekommen, die kurze Schlacht tobte schon, eine Warnung war sinnlos geworden. Vielleicht hatte Mara von einem Hügel aus, durch Gebüsch gedeckt, mit ihren scharfen, wilden Augen hinunter gesehen und erkannt, daß die Chance verspielt war. Vielleicht hatte sie sich in die Wälder gerettet.

Ab und zu glaubte ich an dieses mein eigenes Märchen. Aber *draußen* war für uns jetzt tot. Niemand mehr kam von draußen, kein Wünschelrutengänger, kein Zahnzieher, kein Zauberer. Keine Mara.

So humpelte ich durch die Gassen. Es ging alles viel langsamer. Ich brauchte keiner höhnischen Zurufe mehr gewärtig zu sein.

Nicht nur ich bewegte mich langsamer. Alle bewegten sich naturgemäß langsamer. Die Zustände wurden, wenn man so sagen kann, noch mittelalterlicher. Verheerend waren die Brände. Es ist merkwürdig, aber bei näherem Hinsehen nur logisch, daß in einer Stadt von Einbeinigen erstens öfters Brände ausbrachen und die ausgebrochenen Brände schlimmere Folgen zeitigten: wenn eine Kerze heruntergebrannt war, eine Petroleumlampe umfiel, ein Funke aus dem Kamin gegen den Vorhang wehte, wenn die Frau nicht grad da war, stand längst das Haus in Flammen, bis der Mann sich aufraffte, seine Krücke suchte und hingestolpert war. Und über die Geschwindigkeit einer einbeinigen Feuerwehr brauche ich wohl kein Wort zu verlieren. Der einbeinige Magistrat beschloß schließlich, die Feuerwehr aus den Frauen zu rekrutieren. Das dämmte die verheerenden Folgen etwas ein. Sehr effektiv war das aber nicht, weil General-Konsul Seelewig verfügte, daß – um die Jungen und Schönen nicht zu gefährden – nur Frauen über sechzig zur Feuerwehr eingezogen werden dürften.

Einzig Diebstähle gingen etwas zurück, weil die Diebe nicht mehr so schnell laufen konnten und verfolgende Weiber fürchteten. Bei neugeborenen Knaben waren die (zwei noch verbliebenen) Hebammen verpflichtet, sofort nach der Geburt ein Bein nach Wahl der Mutter zu amputieren. (Wahrscheinlich bissen Die Dort den Neugeborenen das Bein nicht ab, weil sie ein so schlechtes Augenmaß hatten. Sie fürchteten, das ganze Kind zu verschlucken und dann noch Schlimmeres als Aids zu kriegen.) General-Konsul Seelewig ließ es sich nicht nehmen, diese Maßnahme bei den Säuglingen persönlich zu überwachen. »Gerade das muß ganz scharf eingehalten werden«, sagte er, »denn: man stelle sich vor, es wächst unter euch ein Zweibeiniger heran. Der wird wie von selbst ein Tyrann.« Es geschah also wieder einmal in unserem wohlverstandenen Interesse.

Oft kam die grausige Operation gar nicht mehr vor. Es kamen nicht mehr viele Kinder zur Welt. Die Zeugungslust hatte abgenommen in Groß-Menzing. Zu verwundern ist das wohl nicht.

Aber ein Triumph blieb uns: Die Dort schnitten sich in einem Punkt ins eigene – wenn man so sagen kann – Fleisch, mit dem Bein-Abbeißen. Genauso wie es der Inquisition und den anderen Verfolgern nicht gelungen ist, durch Verbrennen Häresie und Hexerei auszurotten, genausowenig war es uns gelungen, Aids zu ersticken. Es mag der Umstand mitgewirkt haben, daß unsere mittelalterlich gewordenen Diagnosen nicht gerade die ausgefeiltesten waren. Die Fehlerquoten waren nicht unbeträchtlich. Aidserkrankungen gingen zwar zurück oder wurden jedenfalls nicht erkannt. Die Sterbeursachen interessierten überhaupt zunehmend weniger. Entweder lebte einer, oder er war tot. Basta. Wenn einer erkrankte, umtanzte ihn Tante Jessica, und dann wurde er gesund oder auch nicht. Im übrigen meinte Onko Seelewig, daß es in unserem Interesse sei – so auch die Ansicht Rolfs –, wenn unsere Zahl nicht überhandnehme. Je geringer die Einwohnerzahl Groß-Menzings, desto leichter seien die *Infrastrukturen* aufrechtzuerhalten. Es war vielleicht das letzte Mal, daß dieses Wort auf Erden gebraucht wurde. (Ich schlug übrigens bei dieser der nun im halbjährlichen Turnus stattfindenden General-Konsuls-Konferenzen im Magistrat eine Umbenennung Groß-Menzings vor in *Einbeiningen*. Onko Seelewig zog den Mund zusammen wie ein Beutel mit Schnur und fand den Vorschlag nicht lustig. – Ob ich Rolf beleidigen wolle? Der Vorschlag wurde abgelehnt.)

Es gab Aids also noch, kryptisch in den Adern des einen oder anderen Groß-Menzingers pulsierend. Ab und zu wurde auch noch einer oder eine verbrannt, bei dem oder der die Hebamme im Auge Aids erkannt hatte. Durch die geschwundene Geschlechtslust, von welchem Phänomen schon die Rede war, war die Ausbreitung der Krankheit auch behindert. Aber die Goldenen Heiligen bekamen Aids, selbstverständlich durch das Bein-Abbeißen.

Wie das ging und warum das möglich war, daß Die Dort Aids bekommen konnten, wo sie doch alles andere als menschliche Lebewesen waren, darf man mich nicht fragen. Vielleicht sind die Aids-Viren oder -Erreger oder was immer von vornherein sozusagen eine intergalaktische und universelle Teufelei gewesen. Jedenfalls gönnten wir es ihnen.

Konsul Seelewig kam und berief eine außerordentliche Konferenz ein, auf der er Tränen vergoß. Es sei, sagte er, kaum mitanzusehen, wie die Nicht-Genug-Zu-Verehrenden zu Dutzenden, ja bald Hunderten dahinsiechten, es drücke einem das Herz ab – was wir uns dabei gedacht hätten? Gar nichts, antwortete er sich selber, natürlich gar nichts. Leichtfertiges Gesindel. Es genüge uns, wenn die Nicht-Genug-Zu-Verehrenden Tag und Nacht an unser Wohlergehen dächten, an uns, die wir selber nicht in der Lage gewesen seien, unseren Planeten ordentlich zu bewirtschaften, und jetzt nicht einmal mehr imstande, unser Gemeinwesen aufrechtzuerhalten, es genüge uns, die Zuwendungen der Nicht-Genug-Zu-Verehrenden entgegenzunehmen – und wie vergälten wir die Güte? Indem wir ihnen Aids an den Hals brächten.

»Haben sie einen Hals?« fragte ich.

»Das ist doch eine ganz unqualifizierte Frage«, tobte mein angeblicher Halb-Bruder, »eine bessere Frage ist: was gedenkt ihr zu tun?«

»Tante Jessica könnte sie umtanzen«, sagte ich.

Da platzte Onko Seelewig. Er schrie herum, ballte die Fäuste, vergoß wiederum Tränen und krächzte zuletzt, nachdem er vor Geschrei heiser geworden war: »*Ich* war der Meinung, daß ihr unverzüglich alle versaftet werden sollt, damit ein für allemal Ruhe ist, aber Rolf in seiner mir schon unverständlichen Güte hat verfügt, daß ihr uns aus den Augen zu verschwinden habt. Es geht euch zu gut hier. Außerdem der Lärm. Ihr macht immer noch Lärm.«

»Wir? Lärm? Wir haben doch alle Trompeten weisungsgemäß eingeschmolzen und alle Trommeln vernichtet –?«

»Unlängst ist Kuno, ein junger Vetter Rolfs, draußen vorbeispaziert, um sich von seinen schweren Arbeitslasten zu erholen...«

»Wie schön für ihn«, sagte ich.

Seelewig warf mir einen Messer-Blick zu, fuhr fort: »Da standen dort zwei Schulbuben auf der Mauer und haben ihre Krücken gegeneinander geschlagen – ein fürchterlicher Lärm. Grade, daß sich Kuno durch einen Sprung außer Hörweite retten konnte. Und die Hörweite ist sehr groß, denn die Nicht-Genug-Zu-Verehrenden haben weithin reichende Hörorgane. Rolf kann zum Beispiel jedes Wort hören, das hier in dem Raum gesprochen wird.«

»Hallo, Rolf!« schrie ich, »wie geht's immer so, Sportsfreund?«

»Ich kenne deine Ansichten«, sagte Seelewig, »ich gehe der Allgemeinheit zuliebe nicht weiter darauf ein.« Er wandte sich wieder an alle: »Ihr müßt also außer Hörweite. Es ist ein Reservat vorbereitet. Morgen geht's los.«

Aha. Selbst der Groß-Admiral stand mit offenem Mund da. Der Vize-Admiral sank nach hinten, seine Krücke entglitt ihm. Grade, daß ihm ein Magistratsdiener noch einen Stuhl hinschieben konnte.

»Und darf man fragen, wo sich das Reservat befindet?«

»In den Bergen«, sagte Seelewig, »in einer landschaftlich reizvollen Gegend, wo Alpenrose und Edelweiß blühen. Da könnt ihr schreien, soviel ihr wollt, die umstehenden Gebirge werden den Schall abhalten.«

»Und von Alpenrose und Edelweiß ernähren wir uns in Zukunft?« fragte ich. »Oder wächst dort was anderes auch noch? Und überhaupt: gedeihen dort Hühner?«

»Die Nicht-Genug-Zu-Verehrenden werden euch zukommen lassen, was ihr zum Überleben braucht, sofern ihr eure Zahl nicht über, sagen wir, viertausend vermehrt.«

»Den Rest sollen wir umbringen?«

»Vielleicht…«, er räusperte sich, »…harmonisiert sich euer Bestand durch den Umzug von allein auf das Maß, das Rolf vorschwebt.«

8

Rolfs Vorstellungen wurden erfüllt. Das, was er oder besser: Herr General-Konsul Onko Seelewig – der sich, aus welchem geheimnisvollen Grund immer, seitdem General-Konsul *Dr.* Onko Seelewig nannte – euphemistisch als *Umzug* bezeichnete, war nur geringfügig weniger als Massenmord.

Schau, daß du weiterkommst. Mehr als meinen Rücken siehst du nicht. Die Fütterung des zahnlosen alten Raubtiers ist für heute vorbei. Nicht sehr groß das Interesse heute. Nur einer. Nein: da kommen noch zwei. Das Raubtier frißt abends nichts mehr. Wirft der doch tatsächlich eine Gurke herein. Selber Gurke.

Der Weg war abgesteckt. Wir brauchen nur, hatte Herr Dr. Seelewig verkündet, den Wegmarken zu folgen. Was wir mit unseren Sachen machen sollen? Das Gerümpel ist eh nichts wert, ließ uns Rolf ausrichten. Was sollten wir mit alten Standuhren und schweren Tuchenten anfangen? Das Vieh, hieß es, sollten wir schlachten, das Fleisch einpökeln als Reiseproviant. Also drehte ich meinen Hühnern den Kragen um. Tante Jessica allerdings weigerte sich, mehr als zwei ihrer drei Ziegen schlachten zu lassen. Ihre Lieblingsziege, einen Bock namens *Shura*, beschloß sie mitzunehmen.

Wie in der Geschichte von Sodom und Gomorrha stand Tante Jessica, hadesfarbig gekleidet, einen schwefelgelben Hut auf dem Kopf, dürr und siebzigjährig, den Bock Shura an der Leine, auf der Höhe des Isarabhangs, dort, wo früher Grünwald gewesen war, und blickte zurück auf das brennende Groß-Menzing, erstarrte aber nicht zur Salzsäule. Der großartige Rolf hatte verfügt, daß sorgfältig vor der restlosen Vernichtung der Stadt jedes Haus durchsucht würde, damit ja nicht irrtümlich ein zurückbleibender Bewohner mitverbrannte.

»Ihr sollt«, sagte Konsul Dr. Onko Seelewig, »nicht an die Stadt eurer Schande erinnert werden. Deshalb wird sie vom Erdboden vertilgt.«

»Also zu unserem besten«, sagte ich.

Seelewig schaute mich an. »Langsam kommst du auch dahinter«, sagte er; allerdings, wie mir schien, zweifelnd.

Der Elendszug zog sich zunehmend auseinander. Die üblichen winterlichen Sandstürme (wir mußten Ende November 2036 aus Groß-Menzing abziehen) fegten über die Savanne, die das ehemalige Oberbayern bedeckte. Erschöpfung, Hunger und Krankheiten dezimierten die Emigranten. Tote und Sterbende säumten den Weg. Glücklich der, der am Tag starb. Wer sterbend zurückgelassen werden mußte und den Abend erlebte, den holten die Hyänen und Schakale.

Wir gingen zu dritt: Tante Jessica, der Pfarrer Jadelin und ich. Bock Shura wäre noch dazuzuzählen. Pfarrer Jadelin hatte immer schon nur ein Bein gehabt, durch einen Unfall in seiner Jugend hatte er eins verloren. Als die Beinabbeißung verfügt wurde, meinte zwar Herr General-Konsul Seelewig, daß es eben Pech des Pfarrers sei und es werde keine Ausnahme gemacht. Wenn einer nur ein Bein zum Abbeißen habe, dann sei das die Sache des Betreffenden und nicht die der Goldenen Heiligen.

Pfarrer Jadelin aber war schlauer. Er hatte in der Einverständnis-Urkunde *links* angekreuzt. (Wir unterschrieben alle eine Einverständnis-Urkunde; so wahnsinnig korrekt waren die Nicht-Genug-Zu-Verehrenden.) Sein linkes Bein aber war kein Bein, sondern seine Prothese. Der Nicht-Genug-Zu-Verehrende, der den Pfarrer *behandelte*, stutzte zwar, schluckte, merkte aber weiter nichts.

»Nur schade um die gute Prothese«, sagte der Pfarrer.

Pfarrer Jadelin, nicht viel jünger als Tante Jessica, war einer der letzten Priester, die geweiht wurden, bevor sich die Hierarchie der katholischen Kirche aufgelöst hatte. Er war später von jenem Pfarrer von Namen Jesu, der sich selber zum Bischof unter Vorbehalt päpstlicher Bestätigung ernannt hatte, auf dem Totenbett zum Nachfolger eingesetzt worden, führte aber nie den Titel. Es gab auch nur noch wenige Gläubige. Schon lange vorher, schon damals, als alle und allen voran Tante Jessica und meine Mutter an das herangebrochene Wassermann-Zeitalter glaubten, hatte die Kirche zu zerbröckeln begonnen. Es lag daran, daß – ich rede von der katholischen – die Kirche zwei Hasen mit einer Hand gleichzeitig fangen wollte: einesteils modern werden und andernteils eine altertümliche Moral (oder was sie dafür hielt) aufrechtzuerhalten. Es spitzte sich zuletzt auf die Sexualfrage zu. (Auf den schon hoffnungslos rückständigen Johannes Paul II. war Innozenz XIV., der letzte Papst, gefolgt, der nur drei Jahre regierte, und zwar in Assisi, weil Rom samt dem Vatikan zu der Zeit schon im Meer verschwunden war; er war noch bornierter als sein Vorgänger.) Die letzten Päpste und die Kurie postulierten Sexual-Codices, die kein Mensch mehr ernst nahm, und trieben damit förmlich die Gläubigen aus der Kirche. Die evangelischen, lutherischen und protestantischen Kirchen, um das am Rand zu erwähnen, waren schon vor der Jahrtausendwende praktisch bedeutungslos geworden. Sie schämten sich ja damals schon lang, das Wort *Gott* überhaupt noch in den Mund zu nehmen.

Aber auch der Wassermannismus überlebte die *Entdeckung* nicht lang. Als der letzte Bonze, der sich durch Zufall nach Groß-Menzing gerettet hatte, gestorben war, verlief sich seine Gemeinde in die allgemein um sich greifende Agnosie. Nur der Aberglaube blieb oder das, was man früher verschämt als *Volksfrömmigkeit* bezeichnete. Pfarrer Jadelin, der so um das Jahr 2020 aufhörte, die Messe zu lesen, lebte davon, daß er kranke Tiere heilte, und zwar nicht durch Umtanzen bei Neu- oder Vollmond, sondern durch bewährte Hausmittel, die er von seiner Mutter her kannte.

Ich war – abgesehen von Shura – der jüngste unserer Gruppe, dennoch war es nicht so, daß ich die anderen mitzog, vielmehr war es umgekehrt. Pfarrer Jadelin, der einen befreundeten Tischler eine neue Prothese hatte machen lassen, war an die Behinderung durch Einbeinigkeit weitaus besser gewöhnt als ich; Tante Jessica verfügte über zwei Beine und eine alles niederringende dürre Zähigkeit. Wir kamen rascher vorwärts als die meisten anderen, und das rettete mir vielleicht das Leben. Schon Mitte Dezember gelangten wir dorthin, wo die fürsorglichen Goldenen Heiligen die Zelte aufgestellt hatten, in denen wir künftig wohnen sollten.

Es war das ein hoch gelegenes Tal, in dem, so erinnerte sich meine Tante, vor Zeiten eine Stadt gelegen war, von der auch in der Tat noch spärliche Reste zu sehen waren. Als es im Winter noch Schnee gab, taten sich die Bewohner dieses Landstriches dadurch hervor, daß sie auf Skiern die verschneiten Hänge herabrutschten. Davon lebten sie. Schon wenige Jahre nach unserer *Entdeckung*, als es infolge der stetigen Erwärmung endgültig zu schneien aufgehört hatte, verließen die Einwohner jenes an sich unwirtlichen Landstriches ihre Behausungen und zogen fort. Das Tal verödete. Selbst die Flüchtlinge, die damals aus den überschwemmten Gebieten herbeiströmten, vermieden die felsige, wenig ansprechende Gegend.

Ein großer Zaun aus Stacheldraht – »... zu eurem Schutz vor wilden Tieren«, sagte Dr. Onko Seelewig – war um ein großes Rechteck im Talgrund gezogen. In mehreren langen Reihen standen Zelte. Der General-Konsul, der sich von da ab General-Konsul Prof. Dr. Onko Seelewig nennen ließ, ordnete den Zuzug. Sein Ordnungstalent war nicht überragend. Es gab großes Durcheinander, Geschrei und allerhand Streit bei der Verteilung der Zelte, und wenn nicht der Umstand, daß die elenden *Umsiedler* in ganz auseinandergezogenen Zeiträumen eintrafen, dem *Professor* zu Hilfe gekommen wäre, hätte es Mord und Totschlag gegeben.

Tante Jessica und mir wies Halb-Bruder Professor ein abseits und daher angenehmer gelegenes Zelt zu, außerdem eins, das dem Anschein nach etwas weniger brüchig war als die anderen: die letzte Gunst, die wir aufgrund der – angeblichen – Verwandtschaft erfuhren. Für mich war die Vorzugsbehandlung von zweifelhaftem Vorteil, denn Tante Jessicas Ziegenbock Shura wohnte auch bei uns. Auf mein Bitten hin wurde Pfarrer Jadelin zusammen mit zwei Familien im nächstgelegenen Zelt eingewiesen. Es war ein größeres Zelt als unseres, was auch deswegen notwendig war, weil die beiden Familien zwar insgesamt nur drei Kinder, aber mehr als dreißig Stallhasen hatten. Pfarrer Jadelin ertrug es mit Geduld und Humor.

Außer dem Ziegenbock Shura hatte Tante Jessica anfangs auch einen zweirädrigen Handkarren mitgeführt, auf den sie ihre Bücher geladen hatte. Ein hartnäckiger, mehrere Tage dauernder heißer Wolkenbruch durchnäßte die Bücher aber derart, daß nur noch ein leimverkrusteter grauer Brei übrigblieb. Tante Jessica fluchte zum Himmel und streckte ihre dürren Finger gegen die Goldenen Heiligen aus, was selbstverständlich überhaupt nichts half. Wie gut, sagte Pfarrer Jadelin, daß er das, was ihm an Geistesgut nötig, im Kopf habe. Das waren mehrere Gebete und vor allem eine unermeßliche Anzahl von Witzen. Er erzählte uns während des ganzen *Umzugs* Witze, jeden Tag zwei, drei Dutzend, ohne sich je zu wiederholen.

Ich schob, nachdem Tante Jessica ausgeflucht hatte, den Karren mit dem Bücherbrei an den Rand einer Schlucht, um ihn hinunterzukippen, aber Tante Jessica schrie auf: »Nein!«

»Willst du den Brei mitschleppen?«

»Der Wagen könnte uns noch nützlich sein.«

»Dann räumen wir den Brei weg.«

»Meinetwegen.«

Ich faßte mit der Hand hinein. Wie Teig blieben die ehemaligen Bücher haften. Ich nehme an, die zähe Konsistenz war dem Umstand zuzuschreiben, daß es sich bei den zu Brei geweichten Büchern ausschließlich um Werke esoterischen Charakters gehandelt hat.

Ich stand da, der Brei hing schwer von meinen Händen, ließ sich nicht abschütteln. Nun fluchte ich. Da kam Shura. Er roch am Brei, schleckte, schleckte mehr, fraß, fraß mir alles von den Händen und machte sich dann über den Rest im Karren her. In weniger als einer halben Stunde hatte er die ganze ehemalige esoterische Bibliothek Tante Jessicas gefressen. Wir zogen, da es zu regnen aufgehört hatte, weiter. Ich erwartete, daß Shura tot umfallen würde, aber offenbar schadete ihm die Esoterik nicht. »Wenn ich es nicht selber gesehen hätte«, sagte Pfarrer Jadelin, »würde ich es nicht glauben.«

9

Unter den – buchstäblich – auf der Strecke Gebliebenen befanden sich nicht nur mein Freund Wörgler, sondern auch der Groß-Admiral. Der war zwar nicht verhungert oder erfroren, wie die meisten, sondern ein Opfer seiner Privilegien geworden. Er war der einzige, dem Die Dort einen ihrer fabelhaften Transportstrahlen zur Verfügung stellten, weil er, den Auszug der Groß-Menzinger und danach die restlose Vernichtung Groß-Menzings überwachend, als letzter die ehemalige Stadt verlassen mußte, und dadurch sollte ihm – so fürsorglich dachten Die Dort – kein Nachteil erwachsen. Aber irgend etwas ging dabei schief. Die einen sagten, er sei infolge seiner Körperfülle seitwärts aus dem Strahl herausgefallen und zweihundert Meter tief in eine Schlucht gestürzt, was auch ein Sportler wie der Groß-Admiral nicht überlebt. Die anderen munkelten, daß er, entgegen den Empfehlungen Prof. Seelewigs und damit Rolfs, zu viel von seinen Besitztümern mitgenommen habe, unter anderem einen schmiedeeisernen Kronleuchter und seinen ausgestopften Lieblings-Schäferhund, und das alles miteinander sei zu schwer geworden, und er sei aus dem Strahl gekippt. Ich für meine Person vermute, daß das tödliche Ende des letzten Groß-Admirals kein Unfall, sondern Absicht entweder Seelewigs oder Rolfs war, denn als Prof. Seelewig uns nach erfolgtem Umzug und Bezug der Zelte die *traurige* Nachricht hinterbrachte, fügte er hinzu, daß Rolf der Meinung sei, eines neuen Groß-Admirals bedürfe es nicht mehr. Wir seien nur noch so wenige, daß ein Magistrat überflüssig geworden sei. Er selber, Prof. Dr. Onko von Seelewig-Lustheim, übernehme das wenige, was an Verwaltung erforderlich sei, und wir sollten nur einen *Ältesten* wählen, der jeweils mit ihm, Seelewig, korrespondiere.

Wir wählten Tante Jessica.

Täglich um fünf Uhr nachmittags, immer sehr pünktlich, das muß man einräumen, kam die Lebensmittellieferung. Ein Transportstrahl der Goldenen Heiligen stellte einen Container vor das Tor, das gegen das ehemals *Wilder Kaiser* genannte Gebirge hinausging. Tante Jessica – ein–, zweimal in der Woche in ihrer Stellvertretung Pfarrer Jadelin – begab sich dorthin und überwachte die Verteilung. Das war nicht sehr schwierig, denn es gab genug, und die meisten Bewohner des Reservats zogen es ohnedies vor, sich die Treutlinge ins Gemüt rieseln zu lassen, die wir nunmehr in der glücklichen Lage waren, selber herzustellen, was in einer Baracke am Schattberg genannten Westabhang geschah, dem einzigen Gebäude des Ortes. Die Treutling-Süchtigen lagen Tag und Nacht auf den Wiesen, im Staub, selbst im Unrat herum und suhlten sich innerlich wohlig im Treutling-Kot. Draußen, vor dem Zaun, wälzten sich die Nicht-Genug-Zu-Verehrenden auf und ab und schauten uns an. Sie mußten Eintritt zahlen. Wir *gehörten*, erfuhr ich, Rolf.

Das war übrigens das letzte, was ich von Prof. Dr. Onko Freiherrn von Seelewig-Lustheim erfuhr. Das dürfte – wir rechneten längst schon nach keinen Jahreszahlen mehr – zehn Jahre nach unserem *Umzug* ins Reservat gewesen sein. (Einen eigentlichen Namen hatte unsere Zeltstadt nicht. Es rentierte sich nicht, hatte Seelewig gemeint.) Wie schon erwähnt, konferierte Seelewig mit unserem *Ältesten*, das heißt mit Tante Jessica, zweimal im Jahr *Allfälliges*. Tante Jessica, die inzwischen wohl wirklich unsere Älteste war und so dürr wie ein Zaunpfahl, ging zu diesen sozusagen feierlichen Gelegenheiten in ihrem besten krähenfarbenen Kleid zum Wilden-Kaiser-Tor. Ich begleitete sie fast immer, trug das *Journal*, in das sie das eingetragen hatte, was sie den Seelewig fragen wollte, und dann das eintrug, was Seelewig an *Wünschen* und *Anregungen* –

sprich: Befehlen – Rolfs übermittelte. Nur noch zu diesen Gelegenheiten trug sie ihren schwefelgelben Hut. Selbst ihr Schädel war dürrer geworden. Der Hut hing ihr über die Ohren. Sie war zu der Zeit weit über achtzig und so krank und leidend wie eh und je.

Und dann, eines Tages also, gingen wir, Tante Jessica voraus, ich humpelnd hinterher, vergeblich zum Wilden-Kaiser-Tor. Kein Seelewig war da. Es war Sommer, noch heißer als sonst. Der ständige heiße Wind trieb den Staub auf. Nur wenige Goldene Heilige glotzten von ihrer Kirchturmhöhe auf uns herunter. Einer, der aus Ton gebrannte kleine einbeinige Männchen als Andenken an Die Dort verkaufte, war über seinem Bauchladen eingeschlafen.

Tante Jessica und ich setzten uns und warteten. Wir warteten zwei Tage und zwei Nächte, Seelewig kam nicht mehr.

»Wahrscheinlich ist er gestorben«, sagte ich. »Vielleicht hat sich auch auf ihn einer von Denen Dort draufgesetzt.«

»Ich weiß nicht, ob ich diesen Schicksalsschlag überlebe«, sagte Tante Jessica, »aber dann verstehe ich nicht, wieso Rolf nicht einen anderen schickt.«

»Vielleicht«, sagte ich, »ist ein Erbfolgestreit über die General-Konsuls-Würde ausgebrochen, und sie haben sich gegenseitig ausgerottet.«

»Du könntest recht haben«, sagte Tante Jessica, »aber was liegt da neben dem Stein?«

Tante Jessica erhob sich ächzend, ihre Knochen klapperten. Sie stieß mit ihrem Stock gegen das, was neben dem Stein lag: es war ein Treutling, aber er war *gelb*.

»Aha«, sagte Tante Jessica, »heb ihn auf, ich kann mich nicht mehr bücken.«

Obwohl sich ein sechzigjähriger Einbeiniger mit dem Bücken schwerer tut als eine zweibeinige Achtzigjährige, hob ich den Treutling auf und gab ihn Tante Jessica. Tante Jessica drehte den Kopf und richtete das eine weniger weitsichtige Auge auf den Treutling, murmelte dann etwas, steckte den gelben Treutling in eine Tasche ihres unergründlich faltigen Kleides und sagte: »Es hat keinen Zweck mehr, länger zu warten; wir gehen.«

10

Wir gingen die Straße zu unserem Zelt hinauf. Der heiße Wind hatte sich für den Augenblick gelegt. Vor dem einzigen Zelt, das hier auf dieser Seite noch bewohnt war, stand eine nackte, dicke junge Frau und wusch einige Fetzen in einem Trog voll brauner Brühe. Sie grüßte, Tante Jessica nickte zurück. Ein einbeiniger Bub von vielleicht drei Jahren spielte im Dreck. Er hieß, erinnere ich mich, Arthur und war das letzte Kind, das im Reservat zur Welt kam.

Tante Jessica blieb stehen, richtete sich auf, ächzte wie ein knorriger Baum und schob ihre Faust ans Rückgrat. »Wenn du wüßtest«, sagte sie vorwurfsvoll, »was für vegetative Störungen mich heute wieder quälen. Und kalte Füße habe ich auch.«

Ich hatte mir seit Jahren schon eine ebenso boshafte wie wirkungsvolle Taktik gegen solche Äußerungen zugelegt: »Ich glaube«, sagte ich, »ich schaffe die paar Schritte nicht mehr. Mein Sonnengeflecht schwillt.«

Meist fauchte sie daraufhin nur und ging weiter, diesmal aber fuhr sie mich an und giftete: »Du sollst nicht auch noch so zwitschern.«

»Ich zwitschere nicht.«

»Natürlich zwitscherst du, wer sonst?«

»Die Nackte dort«, sagte ich.

»Unsinn!« Sie wandte sich um und schrie zur Nackten zurück – wir waren schon einige Schritte vorbei – : »Sei ruhig!« Die Nackte erstarrte, nur ihr sehr großer Busen schwappte noch etwas nach.

»Dein Sohn soll auch ruhig sein!«

Die Nackte pfiff ihr Kind an, worauf auch dies erstarrte.

Tante Jessica schnaubte durch die Nase und stützte sich mit beiden Händen auf ihren Stock.

»Und natürlich zwitscherst du.«

»Vielleicht mein Sonnengeflecht. Es schwillt, habe ich schon gesagt.«

»Ein Sonnengeflecht zwitschert nicht. *So* nicht.«

Ich ging näher an Tante Jessica heran. Jetzt hörte ich das Zwitschern auch.

»Es kommt aus deiner Hüfte«, sagte ich.

»Was für ein unanständiger Blödsinn«, kreischte Tante Jessica, so laut, daß der kleine Arthur zu weinen anfing. »Und das muß man sich von seinem leiblichen Neffen gefallen lassen.«

Sie stieß ihren Stock gegen den Boden, rüttelte mit der anderen Hand ihren schwefelgelben Hut zurecht und stapfte weiter. Sie ging schnell, der Weg führte kurz bergauf, ich konnte nicht so rasch folgen. Als ich endlich auch oben war, war sie schon in ihrem Zelt verschwunden. Pfarrer Jadelin steckte den Kopf aus seinem Zelt und fragte: »Was hat sie denn heute?«

»Ihre Hüfte zwitschert«, sagte ich, »und außerdem ist Seelewig nicht mehr gekommen.«

Im Zelt legte Tante Jessica ihr Gewand ab. Sie trug darunter ein so gut wie gleiches Gewand, allerdings nicht in Schwarz, sondern in stark dunkler Zwetschgenfarbe. Sie schrie völlig überflüssigerweise: »Huch!« und bedeckte sich mit einem torffarbenen Morgenmantel.

Ihr Oberkleid, das seitlich auf einer Kommode lag, zwitscherte. Ich ging der Sache nach – »Was suchst du da?« schrie Tante Jessica – und stellte fest, daß das Zwitschern von dem gelben Treutling kam, der in der hüfthoch angebrachten Tasche steckte.

Ich zog ihn heraus. Ich hielt den gelben Treutling ans Ohr.

»Es ist Hämmele«, sagte ich.

Ob es wirklich Hämmele war, also der Prophet aus Backnang, der sich Nostradamus-Zwo genannt hatte und nach irdischer Rechnung jetzt über hundert Jahre alt sein mußte, oder ob man sich nur seiner aufgezeichneten Stimme bediente, die in Silben und Laute zersplittert zu mosaikisch wieder zusammengesetzten Mitteilungen verwendet wurde, habe ich nie herausgefunden, ist letzten Endes auch gleichgültig. Die Kommunikation ging nur in *eine* Richtung. Wir konnten Hämmele, wenn er es war, hören, Hämmele uns nicht.

Die Mitteilung, die wir abhörten, bestand aus mehreren Teilen, dauerte an die zwei Stunden und wurde dann fort und fort wiederholt. Tante Jessica vergaß, daß sie ihrer Meinung nach nur in indezente dunkle Zwetschge gekleidet war, setzte sich auf den einen Sessel, ich mich auf die Lehne, ich hielt den gelben Treutling zwischen unseren Köpfen. Jeder drückte ein Ohr daran.

Eugen Hämmele, mein nun wirklich nicht mehr als angeblicher und allenfalls Adoptiv-Vater, schwätzte von sittlicher Verantwortung der Goldenen Heiligen, auch tränenreich davon, daß bei der *Besiedlung* der Erde gewisse Fehler gemacht wurden und daß nicht alle Goldenen Heiligen so dächten und so wären wie die ersten Eroberer.

»Die Kunde oder Sage oder Vermutung, daß es außer ihrer Welt noch eine andere bewohnte Welt gäbe, war bei den Goldenen Heiligen seit Urzeiten verbreitet. Niemand aber wagte es, sich auf die gefährliche Reise zu machen, um diese Welt zu suchen. Erst der Große Goldene Heilige Columbus wagte es. Das kam so: bei einem Festgelage anläßlich des Geburtstages der Königin der Goldenen Heiligen gelang es Columbus, eine Wette zu gewinnen, und zwar wettete Columbus gegen alle anderen Festteilnehmer, daß er ein Ei auf die Spitze stellen könne. Columbus nahm erstens ein gekochtes Ei, das also nicht mehr auslaufen konnte, und zweitens drückte er beim Niedersetzen die Spitze ein, so daß das Ei natürlich stehenblieb.

Die Königin der Goldenen Heiligen war begeistert und rief: ›Das ist unser Mann! Der entdeckt uns auch

die bisher unbekannte Welt.‹ Wobei selbst die Goldenen Heiligen nicht verschweigen, daß der Wunsch der
Königin nicht purem Entdeckerdrang entströmte, sondern auch handfeste finanzielle Hintergründe hatte.
Durch zu großen Aufwand des Hofes – etwa durch or-
giastische Festlichkeiten, und vielleicht auch, weil kostbare Nahrungsmittel wie Eier nicht zum Essen gebraucht, sondern für nichtsnutzige Experimente ver-
geudet wurden – war die Königin bis über den Hals
(würden wir sagen, die Goldenen Heiligen haben ja keinen Hals) verschuldet, und sie hatte großes Interesse
daran, neue Geldquellen aufzuspüren. Die Legende von
der Neuen Bewohnten Welt, die seit Menschen- oder
besser Goldenen-Heiligen-Gedenken dort zirkulierte,
besagte auch, daß diese Neue Bewohnte Welt von sa-
genhaftem Reichtum sei. Unermeßliche Schätze von ge-
schnitzten Holzschuhen lägen dort auf der Straße
herum und bräuchten nur aufgehoben zu werden.

Also rüstete die Königin der Goldenen Heiligen drei
Schiffe aus, ein großes und zwei kleine, Columbus
stellte eine Mannschaft zusammen und ließ sich – nach
irdischer Zeitrechnung – am 3. August 1992, einem
Montag, ins All schleudern.

Der Flug schien zunächst von einem Unstern über-
schattet, denn schon am dritten oder vierten Tag trat ein
Defekt an einem der kleineren Schiffe auf, und der Goldene Heilige Columbus mußte auf einem von den Goldenen Heiligen schon kolonisierten winzigen Nachbar-
planeten namens Mogare vier Wochen die Fahrt unter-
brechen, bis der Defekt behoben war. Am 6. September
– immer nach unserer (damaligen) Zeitrechnung –
konnte sich Columbus neuerdings schleudern lassen.
Der 6. September war ein Sonntag.

Der Goldene Heilige Columbus flog also ins All hinaus auf der Suche nach der Neuen Bewohnten Welt, auf
der Suche nach uns. Das All war dunkel, aber Columbus voll Zuversicht. Nicht so seine – aus 120 Goldenen

Heiligen bestehende – Mannschaft. Zwar stimmt die vielverbreitete Nachricht, daß nach zwei Wochen eine Meuterei unter der Mannschaft ausgebrochen sei, nicht, aber es stimmt, daß Columbus falsche, nämlich zu niedrige Entfernungszahlen in den jedermann zugänglichen Bordcomputer abgespeichert hat, damit die Verzagtheit über die große Entfernung zur Heimat nicht zu heftig werde. In sein geheimes Bordbuch trug Columbus die wahren zurückgelegten Lichtjahre ein.

Am 7. Oktober, einem Mittwoch, glaubte Columbus aus gewissen Anzeichen zu erkennen, daß er sich einem Milchstraßensystem näherte. Am darauffolgenden Sonntag, 11. Oktober, stellte Columbus Funken auf seinem Steuer-Sensor fest, Funken, die auftauchten und wieder verschwanden und die den sofort angestellten Berechnungen nach nicht von Asteroiden oder gar Kometen oder anderen im Weltraum herumschwirrenden Gegenständen stammen konnten. In der folgenden Nacht um zwei Uhr sah der wachhabende Goldene Heilige Anatri Ed Rigorod von einem der kleineren Schiffe das erste Mal unsere Erde, und als am Morgen des Tages hier die Sonne aufging, stand Columbus an jener berühmten Stelle im Teutoburger Wald, die heute ein Wallfahrtsort für alle Goldenen Heiligen ist, stampfte mit dem Fuß auf, pflanzte die Heilige Goldene Fahne und nahm uns im Namen seiner Königin in Besitz.«

»Probier einmal«, sagte Tante Jessica, »ob man das Ding nicht irgendwie weiterdrehen kann oder vorspulen. Ich möchte wissen, was er uns *wirklich* zu sagen hat.«

Aber es ließ sich nichts vorspulen. Wir mußten die ganzen Reden Nostradamus'-Zwo anhören.

... Solche *Leute*, wenn man der Einfachheit halber erlaube, diesen Ausdruck auch auf Goldene Heilige zu beziehen, wie Rolf und Konsorten – so Nostradamus-Zwo oder wer immer mittels seiner Stimme sprach – seien nicht repräsentativ für die Mehrheit der Goldenen Heiligen. (Nostradamus- Zwo benutzte tatsächlich nur die Bezeichnung Goldene Heilige und nicht Die-Nicht-Genug-Zu-Verehrenden. Er benutzte auch wirklich das abwertende Epitheton »... und Konsorten ...«) Zu uns spreche, durch seine Nostradamus-Zwo Vermittlung, der Goldene Heilige *Jupp*. Der Goldene Heilige *Jupp* heiße natürlich nicht wirklich Jupp, sowenig wie jener, inzwischen seiner gerechten Bestrafung zugeführte Rolf Rolf geheißen habe, der wirkliche Name Jupps sei wie jener Rolfs ungeeignet, durch irdisch-akustische Wellen geformt zu werden, weshalb *Jupp* gewählt wurde, was ungefähr den *Stellenwert* (Nostradamus-Zwo gebrauchte dieses zu seiner Zeit geläufige, inzwischen längst ausgestorbene Modewort) des wahren Namen Jupps habe.

Als erstes, so Jupp laut Nostradamus-Zwo oder laut dessen Stimme, müßten wir unserem Aberglauben abschwören. Die Goldenen Heiligen seien zwar zugegebenermaßen nicht aus missionarischem Eifer, sondern aus fehlgeleiteter Geldsucht auf unserer Erde gelandet, aber wie immer nach den Gesetzen des Weltgeistes, die auch in dem fernen Universum der Goldenen Heiligen gälten, brächten selbst verbrecherisch begonnene Unternehmungen auf ihrer Kehrseite positive Chancen mit sich, die zu nutzen er, Jupp, nicht zögere.

Die positive Chance sei, so Jupp, darin zu sehen, daß der Weltgeist mit unserer Entdeckung durch die Goldenen Heiligen die Möglichkeit eröffnet habe, uns die Erlösung zugänglich zu machen, und wenn wir, zwar spät, aber nicht zu spät, diesen Heils-Strohhalm ergriffen, sei der ursprünglich zu verwerfende Zweck der Entdeckungsfahrt jenes Gold-Columbus durch überholende Kausalität in einen förmlich edlen verwandelt.

»Das geht den Pfarrer an«, sagte Tante Jessica, »geh ihn holen, ich horche inzwischen weiter.«

Ich stolperte hinüber in Jadelins Zelt und holte ihn. Er erzählte mir im Zurückstolpern einen Witz, den ich allerdings vergessen habe, vermutlich, weil ich gleichzeitig ihn von dem Vorgefallenen unterrichtete.

Wir horchten nun zu dritt am Treutling. Tante Jessica hatte dem Pfarrer den Sitz eingeräumt. Sie und ich saßen auf der Lehne.

»Was hat er inzwischen geschwätzt?« fragte ich.

»Ihr habt nichts versäumt«, sagte Tante Jessica.

… Unser irdischer Hauptfehler sei es gewesen oder sei es, leider, noch, daß wir an einen Gott oder an Götter geglaubt hätten oder glaubten und diese *oben* ansiedelten. Ein *Oben* gäbe es, universal gesehen, nicht, und auch Gott gäbe es nicht, insofern es ihn gäbe. Gott sei das Nichts, das es aber nicht nicht gäbe. Das sei zugegebenermaßen äußerst schwierig, zumal für solche kümmerlichen Hirne wie die unseren, aber wenn wir schlichtweg kindlich glaubten und jeden Tag andächtig Klee kauten, dann käme auch das Heil zu uns, wir würden zwar nicht geradewegs Goldene Heilige, aber ihnen ähnlich.

»Wer weiß«, sagte Pfarrer Jadelin, »vielleicht bläht uns der Klee soweit auf.«

»Pst«, zischte Tante Jessica.

… Gott sei eigentlich nicht Gott, fuhr Nostradamus-Zwo fort, Gott sei das dem Universum den Rücken kehrende Nicht-Prinzip…

»Was? Habe ich immer gesagt: das Licht-Prinzip…«

»*Nicht*-Prinzip, Tante Jessica, nicht Licht-Prinzip.«

… denn nur aus dem Nichts, das aber nicht nicht existiere, sondern nur nicht nicht nicht-existiere, habe sich durch den Knall der Ur-Energie das Existierende entwickeln können, das somit die Existenz Gottes, die in Wahrheit eine Nicht-Existenz des nicht-nichtendenden Nichts sei…

»Man merkt«, sagte Pfarrer Jadelin, »daß der Nostradamus-Zwo ein Landsmann Heideggers war.«

»Pst«, zischte Tante Jessica.

… in Frage gestellt habe, was sozusagen das Nichts der Existenz oder besser gesagt, die Existenzierung des Nichtens sei.

»Wessen Nichte?« fragte Tante Jessica.

»Pst«, zischte Pfarrer Jadelin.

... jedenfalls, so Nostradamus-Zwo, oder Jupp, kauet Klee! Kauet Klee!

Die Mitteilung war offenbar zu Ende. Es trat eine Pause ein, und dann begann der Vortrag von vorn. Wir legten den Treutling hin.

»Verstehen Sie das?« fragte Tante Jessica den Pfarrer.

»Selbst wenn ich folgen könnte«, sagte der Pfarrer, »würde ich mich weigern, es zu verstehen. Kennen Sie übrigens den: kommt Moische zum weisen Rabbiner und fragt: Rebbeleben, wemenem soll ich schlachten, mein' Hahn oder mein Huhn...?«

»Ich glaube«, sagte Tante Jessica streng, »es ist jetzt nicht Zeit für Ihre Witze. Es erhebt sich die Frage: kauen wir Klee oder nicht?«

11

Es gab welche, die kauten Klee, und es gab welche, die kauten keinen. Meine Katze, die mir um diese Zeit zulief – weiß Gott (welcher? der mit Kleekauen anzubetende?), woher sie kam, kaute keinen Klee, selbstverständlich. Ich selber muß einräumen, daß ich kaute. Mir wurde regelmäßig schlecht davon. Tante Jessica war die erste, die Klee kaute, und ihr machte es überhaupt nichts aus; freilich: wenn man bedenkt, was sie schon alles an Naturheilmitteln und Rohkost in ihrem Leben vertilgt hatte. Pfarrer Jadelin gehörte zu denen, die nicht kauten. Wie viele wirklich aus Überzeugung kauten, wie viele nur aus Opportunismus, um der neuen Segnungen durch Jupp teilhaftig zu werden, mag ich nicht entscheiden. Ich, schäme ich mich nicht zu gestehen, gehörte zu den Opportunisten.

Nein – ihr da draußen, ich kaue nicht mehr Klee zu Ehren eures Gott-Nicht-Gottes! Ich kaue nicht mehr. Der letzte alte Einbeinige kaut keinen Klee mehr, und wenn er je solchen gekaut hat, was leider wahr ist, so bereut er es zutiefst.

Gehen sie weg?

Ja, sie gehen weg. Es kommen nicht mehr viele. Ein einzelner, alter, zahnloser Einbeiniger, der nicht einmal mehr kleine bemalte Ton-Abbilder der Angehörigen seiner untergegangenen Rasse verkauft, ist keine Attraktion.

Es hatte Vorteile, sich dem Klee-Kauen anzuschließen. Man muß es Tante Jessica lassen, sie filterte aus Nostradamus'-Zwo oder Jupps Predigt, nachdem sie sie einige Male angehört hatte, die in ihr enthaltenen Drohungen, aber auch Versprechungen heraus. Sie missionierte sodann, allerdings auch nur, indem sie die Drohungen und Versprechungen so verschlüsselt weitergab, wie wir sie empfangen hatten, und pochte auf Überzeugung. Tante Jessica war eine gute Missionarin: sie war so schwerhörig geworden, daß sie Gegenargumenten unzugänglich war.

Jupp war zufrieden. Als etwa die Hälfte der zu jener Zeit vielleicht noch siebenhundert Einwohner unseres Reservats sich zum Klee-Kauen bekehrt hatten, fand Tante Jessica einen neuen gelben Treutling vor ihrem Zelt, der wieder eine lange Mitteilung aus dem so salbungsvollen wie schwäbischen Munde des vielleicht mit ewigem oder zumindest sehr langem Leben begnadeten oder aber nur in seinem akustischen Erdenrest konservierten Eugen Hämmele enthielt. Tante Jessica hörte um diese Zeit schon nahezu nichts mehr richtig, und ich mußte die Nostradamus-Zwote oder Juppische Botschaft abhören und dann Tante Jessica ins Ohr brüllen.

Jupp war, wie gesagt, zufrieden. Er lasse uns, soweit wir uns – wie Nostradamus-Zwo wörtlich sagte – »aufgeschlossen« gezeigt hatten, ein großes aus Trans-Universal-Masse hergestelltes Klee-Blatt nächstens übersenden. Außerdem Schokolade und Geräuchertes. Es folgten dann sehr lange theologische Ausführungen über das existierende Nichts und den Urknall hinter Gottes Rücken, über die Energie, die sich selber aufhebt oder vielmehr sich dann aufhebt, wenn sie sich vervielfacht, über das Heil, das *unten* zu suchen ist, und sie schlossen mit Ermahnungen, brav Klee zu kauen und diejenigen, die sich hartnäckig der Bekehrung widersetzten, recht zu ärgern.

Wir bekamen mit einem Transportstrahl das Klee-Blatt, das in der Mitte des Reservats aufgerichtet wurde. Auch kamen Schokolade und Geräuchertes und vieles mehr. Danach wurde es für Tante Jessica immer leichter, die neue Lehre zu verkünden, wie sich denken läßt. Nach einigen Jahren blieb keiner mehr übrig, der nicht Klee kaute, bis auf Pfarrer Jadelin. (Die Einwohnerzahl war auf etwa 250 gesunken.) Ich nahm Jadelin in mein Haus auf (wir bekamen auch wieder Häuser), um ihn vor gottgefälligem Ärger zu schützen, und gab ihm, was weder Tante Jessica noch Jupp erfahren durften, von meiner Schokolade und meinem Geräucherten ab. Er lebte nicht mehr lange. Eines Tages im Herbst, das Jahr könnte ich nicht mehr nennen, es war aber, als meine Katze Mara schon mehrere Jahre bei mir lebte, erzählte er den letzten Witz und verstarb.

Es ist die Frage, ob es pietätvoll oder aber pietätlos wäre, diesen letzten Witz Pfarrer Jadelins hier niederzuschreiben. Allein, ich brauche diese Frage nicht zu entscheiden, denn entweder hat der Pfarrer den Witz nicht zu Ende erzählt, oder aber ich habe ihn nicht verstanden. Er hatte keine Pointe, womit der vermutlich letzte Witz, den die Menschheit machte, unbelacht verhallte.

Und zuletzt kam Jupp selber.

12

Jupp kam nicht unangemeldet. Mittels Nostradamus'-Zwo Stimme kündigte er Tante Jessica sein Kommen an. Es war dies eine vertrauliche Mitteilung, und Tante Jessica behielt sie auch wirklich für sich. Weder mir noch Arthur erzählte sie davon. Erst viel später, als Jupp Order gab, sei-

nen nunmehr unmittelbar bevorstehenden Besuch kund-
zugeben, sagte sie es mir, und Arthur und ich errichteten
auf ihre Weisung einen Triumphbogen, den wir am nördlichen Tor aufstellten, der allerdings mehr von unserem guten Willen als von architektonischem Talent zeugte.

Zu jener Zeit traten in großen Mengen rote Läuse im Reservat auf. Wir wußten nicht, woher sie kamen, sie waren
auch nicht giftig oder sonst schädlich, nur waren sie lästig.
Wir versuchten alles mögliche, um dieser Plage Herr zu
werden, es half aber nichts. Arthur kam auf die Idee, die
Läuse mit Honig auf flache Teller zu locken und so einzu-
sammeln. Er zerquetschte sie dann und gewann eine schön
leuchtende rote Farbe daraus. Tante Jessica färbte zur
Feier der Ankunft ihren vormals schwefelgelben, inzwischen schon stark verblaßten Hut damit neu ein, der nunmehr, meinte Arthur, so weithin leuchtete, daß Jupp das
Reservat von weitem ausmachen könne, wenn er nicht ohnedies, wie alle Goldenen Heiligen, genau wüßte, wo es
sei.

Tante Jessica, die zu der Zeit kränklich, hinfällig, stets
unter hervorragend schmerzvollen Krankheiten leidend
munter auf ihren hundertsten Geburtstag zuschritt, verriet
zwar, wie erwähnt, weisungsgemäß nichts von der An-
kündigung des hohen Besuches, aber die Veränderung in
ihrem Wesen war unverkennbar. Sie raunte: sie wisse
mehr, als sie sagen dürfe. Vielleicht sei das Wassermann-
Zeitalter doch angebrochen, nur ganz anders, als man früher gemeint habe.

Arthur und ich saßen oft an den Abenden in ihrem
neuen Haus und hörten ihrem Raunen zu. Sie erwähnte
schon Besonderheiten aus ihrer – wenn man so sagen kann
– Korrespondenz mit Jupp, nicht aber, daß er kommen
wolle. Sie erzählte, daß eine grundsätzliche Wende in den
Ansichten der Goldenen Heiligen über uns eingetreten sei.
Die Art, wie wir früher behandelt worden seien, daß man
uns die Beine abgebissen, Leute in die Luft geschleudert
und aus Ziel-Übungsgründen abgeschossen habe und der-

lei, das billige die Mehrheit der Goldenen Heiligen nicht mehr. Vielmehr interessiere sich eine bedeutende Mehrheit der Goldenen Heiligen für uns und unsere Kultur. Kleine Goldene Heilige vertrieben sich die Zeit damit, *Erden-Mensch* zu spielen. Manche Goldenen Heiligen versuchten irgendwie, das Aussehen von uns Menschen nachzuahmen. Einige seien dabei, unsere akustische Sprechweise zu erlernen, und so fort. Aids allerdings, so Jupp, grassiere immer noch, sei unter Goldenen Heiligen nicht auszurotten, und das trügen uns manche nach. Dagegen würde uns hoch angerechnet, daß wir inzwischen alle Klee kauten.

Arthur, der damals etwa vierzehn Jahre alt war, hörte mit offenem Mund zu. Er war von Tante Jessica ins Haus aufgenommen worden, nachdem seine Eltern gewagt hatten, aus dem Reservat auszuwandern und in höher gelegenen Wäldern sich ein Leben auf eigene Faust einzurichten. Der Versuch war tödlich geendet. Arthur, in vielen Dingen sehr geschickt, war zwergenwüchsig, was vielleicht auf die so brutal wie miserabel ausgeführte Beinamputation nach der Geburt zurückging.

Lange Diskussionen erforderte die Frage, welche Inschrift der Triumphbogen für Jupp tragen sollte.

»Heil Jupp!« meinte Arthur.

»Die Einbeinigen grüßen Jupp und das Weltall«, schlug ich vor.

»Was Arthur meint, klingt mir zu... wie soll ich sagen... zu knorrig. Und was du sagst, ist wohl nicht ernst gemeint. Es wäre förmlich ein Affront, wenn wir Jupp als erstes die Sache mit den Beinen entgegenschleudern würden.«

Tante Jessica versuchte, die Bevölkerung des Reservats über die, wie sie es nannte »Begrüßungsadresse« abstimmen zu lassen. Sie rief alle zweihundertfünfzig zusammen, das heißt, sie schickte Arthur durch die Gasse, der ausschrie, daß in einer Stunde alle auf dem Hügel, wo früher die zwei Kirchen gestanden waren, erscheinen sollten. Es kamen auch fast alle, aber es stellte sich heraus, daß nicht das mindeste Interesse an der Sache bestand. Hundertfünfzig von den zweihundertfünfzig starrten nur dumpf vor sich hin, weitere gut hundert ließen die Unterlippe hängen, fragten, wann sie wieder heimgehen dürften, ein einziger machte einen Vorschlag, der aber nicht brauchbar war. Der Vorschlag lautete: »Bitte das Geräucherte in Zukunft nicht so salzig.«

Ein gewisser Salvermoser, einer der letzten Veteranen des Krieges gegen die violetten Goldenen Heiligen, traf mit der Bemerkung: »Warum soll ich nachdenken, wenn es ohne auch geht?« sehr genau die allgemeine Stimmung.

Wir – also Tante Jessica, Arthur und ich – einigten uns dann darauf, überhaupt auf eine Inschrift zu verzichten. Ich formte aus Lehm ein Relief symbolischen Gehalts: ein Goldener Heiliger (in Form einer Pyramide) reicht der Göttin der Vernunft (in Form von Tante Jessica, soweit mir das gelang) einen Palmzweig. Ob Jupp die Aussage verstand, weiß ich nicht, leider spülte einer der seltenen Wolkenbrüche das Lehmrelief wenige Tage nach Jupps Besuch weg.

Jupp saß draußen vor dem Tor, kirchturmhoch, nach unten hin etwas zusammengesackt, perlmuttfarben – irisierend. Zwischen sich und uns – Tante Jessica mit läuserotem Hut, Arthur und mich – hatte er einen weißen Treutling gelegt. Ein paar Männer in Schürzen, die Frauen meist nackt, standen in einiger Entfernung im Halbkreis hinter uns.

»Vom Feinsten«, sagte die Stimme Nostradamus'-Zwo, »ein weißer Treutling; darf nur bei besonderen Anlässen verwendet werden. Er gestattet Gespräche in beide Richtungen.«

Wir verbeugten uns und erklärten, daß uns Jupps Besuch eine hohe Ehre sei.

»Jupp bedauert es«, sagte Nostradamus-Zwo, »daß er sich seinerseits nicht verbeugen kann, weil er dann nämlich nach vorn rollen könnte, und was dann mit euch, die ihr vor ihm steht, passiert, dürft ihr euch ausmalen.«

»Danke«, sagte ich, »ich kenne das Schicksal Seelewigs senior.«

»Ach, Gott«, seufzte Nostradamus-Zwo, »der alte Seelewig. Wie lang ist das alles her?!«

»Ich könnte mich noch schöner verbeugen«, sagte Arthur und kniff den Mund etwas ein, »wenn ich zwei Beine hätte statt einem.«

»Es ist nicht möglich, alles zu übersetzen«, sagte Nostradamus-Zwo, »es dreht sich ja hier nicht um die Übersetzung aus einer Sprache in die andere, sondern um die Übersetzung in ein völlig anderes Intelligenz-System.«

»Aha«, sagte Arthur.

Jupp hielt uns dann einen schönen Vortrag. Er lobte unsere Kultur, erklärte, daß man in seiner Welt – leider etwas spät, müsse er einräumen – hinter die Werte unserer geistigen Errungenschaften gekommen sei. Jetzt, nach knapp fünfhundert Jahren –

»Wie? was?« fragte Arthur, »es sind doch, soviel ich gehört habe, keine hundert Jahre vergangen?«

»Sie haben auch ein anderes Zeitsystem«, sagte Nostradamus-Zwo, »aber jetzt, bitte, unterbrich nicht weiter.«

– nach knapp fünfhundert Jahren also befasse man sich intensiv mit der Erforschung unserer Vergangenheit. Namhafte wissenschaftliche Kapazitäten seien mit der Sichtung der Quellen beschäftigt, Theorien würden aufgestellt und wieder verworfen, so zum Beispiel, daß wir – die ehemaligen Erdenbewohner – womöglich sogar von den Goldenen Heiligen abstammten, sozusagen nur geschrumpfte Goldene Heilige seien. Unser Denksystem erfreue sich aufmerksamer Betrachtung, und manchmal sei es fast schon so, daß die Beschäftigung mit uns und unserer ehemaligen Welt förmlich eine Modeerscheinung geworden sei und nachgerade groteske Auswüchse zeige. Das nur nebenbei, dafür könnten wir selbstverständlich nichts, aber im übrigen sei das alles doch sehr schön für uns, und er – Jupp – habe gehört, daß uns die Schokolade und das Geräucherte schmeckten, und er bitte um ungenierte Äußerungen, was uns fehle, ob die Häuser in Ordnung seien und die Ventilatoren nicht zu laut.

Wir hatten keine Einwendungen und Wünsche, nur jener Erwähnte motzte darüber, daß das Geräucherte zu salzig sei. Warum, wollte dann Jupp wissen, nennen wir sie, Jupp und seine Artgenossen, *Goldene Heilige?* Sie seien doch nicht aus Gold und farblich gesehen, eher perlmutt-irisierend für unsere Augen?

»Daran ist meine Schwester schuld«, sagte Tante Jessica und hielt ihren Hut fest, denn wieder einmal erhob sich ein Wind von der kahlen Paßhöhe herab, »und im übrigen weißt du es viel besser als ich, Eugen.«

»Das kann ich nicht übersetzen«, sagte Nostradamus-Zwo.

Es mache auch nichts, sagte Jupp freundlich, und ob wir Fragen hätten?

»Ja«, sagte ich, »was haben Sie mit den ganzen holländischen Holzschuhen gemacht?«

Der weiße Treutling zischte eine Weile, dann ertönte wieder Nostradamus'-Zwo Stimme: »Die Frage konnte ich übersetzen, aber die Antwort läßt sich im logischen Raster der Menschen-Sprache nicht wiedergeben.«

So plauderten wir eine Zeitlang. Jupp ließ sich alles mögliche zeigen: meinen Rasierpinsel, Arthurs Läusepresse, und Tante Jessica gab eine kurze Probe ihres Schamanentanzes (er war nicht mehr so geschmeidig wie früher). Zum Schluß ließ uns Jupp wissen, daß er an Büchern interessiert sei. Eine der wissenschaftlichen Kapazitäten habe eine Technik entwickelt, mit Hilfe derer man unsere Bücher in das paralogische Denksystem der Goldenen Heiligen übertragen könne. Eine Kommission sei dabei, die die Erde bedeckenden Goldenen Heiligen dazu zu bewegen, zeitweilig etwas zur Seite zu rücken, damit unter ihnen nachgesehen werden könne, ob sich in den ehemals von uns besiedelten Gebieten in Gebäuderesten und dergleichen Bücher erhalten hätten. Es seien schöne Funde erzielt worden. Zum Beispiel: ›Die Geier-Wally‹ von Wilhelmine von Goethe, ›Der Gottesstaat‹ von Franz Resl, ›Das is’ a’mal, da hat a’mal‹ von Huston Stewart Chamberlain und so fort. Falls bei uns Bücher vorhanden seien, so sei die Wissenschaft sehr stark daran interessiert. Selbstverständlich würden uns die Bücher wieder zurückgegeben, nachdem sie kopiert seien.

»Ja – leider«, sagte Tante Jessica und hielt ihren Hut jetzt mit beiden Händen fest, denn der Wind artete wieder einmal in einen Staubsturm aus (die wenigen Neugierigen hinter uns verzogen sich). »Ich hätte eine Menge ganz besonders interessanter Bücher gehabt, aber die hat Shura gefressen.«

Ich versprach aber nachzusehen, ob nicht doch irgendwo noch Bücher herumlägen, und diese dann zu sammeln.

Zum Schluß bat Jupp Tante Jessica, die ja zu denen gehörte, die von allem Anfang an in – bedauerlicherweise nicht immer erfreulichem – Kontakt mit den Goldenen Heiligen gestanden hatte, ihre Erinnerungen niederzuschreiben. Es interessierte die Wissenschaft brennend, die Dinge auch einmal aus *unserer* Sicht dargestellt zu sehen.

Der Staubsturm war so stark geworden, daß Tante Jessica nur noch: »Ich werde es versuchen!« brüllen konnte, womit dann die erste Unterredung mit Jupp ihr etwas unprotokollarisches Ende fand.

Der Staubsturm dieses Tages tobte besonders schlimm. Die Häuser unten an der Ache wurden vollkommen zugeweht, und da vierzehn davon noch bewohnt gewesen waren, kamen einige Dutzend Leute darin um.

Die Suche nach Büchern war nicht recht erfolgreich. Eine alte Frau, fast so alt wie Tante Jessica, hatte ein Gebetbuch, was sie aber nicht hergab. In einem der schon unbewohnten Häuser, deren Eingang Arthur und ich freischaufelten, fanden wir einen Band der Memoiren Konrad Adenauers und den Guide Michelin für Italien aus dem

Jahre 1987, die als Stütze eines Nähmaschinen-Gestells gedient hatten. Bei der Witwe des letzten Groß-Admirals fand ich sechzehn Hochglanz-Farbbände von den letzten stattgehabten Fußball-Weltmeisterschaften mit Geleitworten von Harry Valerien. Ich übergab das alles Jupp bei seinem nächsten Besuch und sagte, er könne es behalten.

Wir haben, sage ich, an unserer Erde viel gesündigt. Aber ob wir *den* Nachlaß verdient haben?

13

Manchmal gab es noch einen schönen Tag, und die Hänge am Rand unseres Reservats schimmerten in grünem Laub. An bestimmten Stellen, in einem kleinen Wäldchen oberhalb eines Felsens, gab es noch eine Wiese, und wenn man Glück hatte, sah man einen Schmetterling.

Wenn so ein schöner Tag kam, humpelten Arthur und ich den schmalen Steig hinauf und legten uns oben ins Gras. Die Wolken zogen, als gäbe es keine Goldenen Heiligen.

»War die ganze Welt früher so schön?« fragte Arthur.

»Was für Fragen ein Zwerg stellt«, sagte ich, »die Welt hat Mara hervorgebracht, also war die Welt schön.«

»Mara, deine Katze?«

»Nicht Mara, die Katze, sondern Mara, die Frau.«

»Ach die. Du hast mir von ihr erzählt. Die dich findet, wenn sie noch lebt. Aber sie lebt nicht mehr.«

Ich reckte mich hoch aus dem Gras. »Woher weißt du das?«

»Weil du deine Katze *Mara* genannt hast. In dem Augenblick ist Mara, die Frau, gestorben.«

»Ich glaube nicht an Seelenwanderung. Die Katze hat mit Mara nichts zu tun, außer daß sie – aus Verehrung oder wie du es nennen willst – den gleichen Namen trägt.«

»Ist schon gut, reg dich nicht auf. Wahrscheinlich hast

du recht. Wohin sollen die Seelen schon wandern. Höchstens noch in die roten Läuse.«

Wir schauten einem Raubvogel zu, der über den Bäumen kreiste. Er schien uns zunächst für Beute zu halten, taxierte uns aber dann als zu groß ein und schwang sich in den blauen Himmel hinauf.

»Gehen wir«, sagte ich.

Als wir das Haus betraten, roch ich den Tod. Ich könnte den Geruch nicht beschreiben – es ist ein heller Geruch, ein Geruch zwischen Gelb und Hellbraun... ich weiß, daß das gar nichts besagt und daß jeder unter einem Geruch, der zwischen Gelb und Hellbraun hin und her schwankt, sich etwas anderes vorstellt, aber ich muß es eben dabei belassen. Der Geruch hat das Haus seitdem nicht mehr verlassen.

Tante Jessica oder besser gesagt: der irdische Rest dessen, was Tante Jessica, Frau Jessica Hichter war, saß in dem violett-geblümten Ohrensessel, in Schwarz gehüllt, den läuseroten Hut nicht auf dem Kopf, sondern auf den Knien mit beiden Händen haltend. Sie wirkte noch dürrer – nein: sie wirkte wie die Hülle eines ausgetrockneten Insekts.

Arthur zimmerte einen Sarg. Wir legten sie hinein und trugen sie, schwer humpelnd, in den Garten des längst nicht mehr bewohnten Nebenhauses. Arthur schaufelte ein Grab. Danach schaufelte er daneben noch ein Grab.
»Es geht in einem Aufwaschen«, sagte er.

»Für mich?« fragte ich.

»Für den nächsten«, sagte er.

So kam Tante Jessica nicht mehr dazu, ihre Erinnerungen, um die sie Jupp gebeten hatte, aufzuschreiben. Ich weiß nicht, ob sie überhaupt damit angefangen hatte. Ich durchsuchte ihre Sachen nur oberflächlich, ich scheute mich, in den Dingen herumzuwühlen. Ich fand nichts.

Jupp – mittels der seifigen Stimme Eugen Hämmeles vulgo Nostradamus-Zwo – drückte mir sein Beileid aus und meinte, daß ich, Menelik Hichter, doch fast genauso in die Abfolge der Ereignisse verwickelt gewesen sei wie meine verstorbene Tante und daß ich die Erinnerungen schreiben solle.

»Schreiben Sie alles, was Sie für wichtig halten«, ließ Jupp sagen, »nehmen Sie keine Rücksicht. Selbst wenn Sie Ihrer verständlichen Verbitterung freien Lauf lassen, soll Ihnen das unbenommen sein. Wollen Sie mit der Hand schreiben? Mit Schreibmaschine? wollen Sie es Ihrem jungen Freund diktieren?«

»Mein junger Freund kann überhaupt nicht schreiben«, sagte ich, »aber wenn ein Schreib-Computer zu haben wäre?«

Sie scheuten, wie man so sagt, keine Kosten. Nach einigen Tagen stand in der Nähe des Nordtores ein großes Haus mit Marmorstufen zum Eingang hinauf. Ein Computer stand im Arbeitszimmer, ein tragbares, leichtes Gerät lag bereit für den Fall, daß ich vor dem Haus oder im Garten schreiben wollte.

Und so schreib ich seit einigen Jahren und lebe dahin. Nach Jupps Meinung geht es mir großartig, denn mir fliegen die gebratenen Tauben in den Mund. Nein, nicht ganz: Arthur holt meine Sonderrationen jeden Tag zweimal draußen ab, wo ein Transportstrahl sie abstellt. Hervorragende Küche, alles in Warmhaltepackungen. Gelegentlich Champagner. Woher die Goldenen Heiligen den hatten? Aus den noch nicht zerdrückten Kellereien von Reims und Umgebung, von früher, wie ich auf den Etiketten feststellen konnte. Ausgezeichnete Creszenzen. Selbstverständlich werden die Vorräte eines Tages zu Ende gehen, aber für meinen Lebensabend reichen sie.

Die anderen im Reservat bekommen nach wie vor ihre Schokolade und ihr Geräuchertes. Im zweiten Jahr meiner Niederschrift (ich schreibe exakt jeden Tag eine Seite, nicht mehr und nicht weniger) ließ ich Arthur die Einwohner zählen. Es waren noch sechzehn.

»Warum schreibst du nur eine Seite am Tag, Onkel Menelik?«

»So halt.«

»*So halt* ist keine Antwort. Ich weiß, warum du nur eine Seite schreibst.«

»Dann weißt du mehr als ich.«

»Aus Aberglauben.«

»Halt den Mund.«

»Weil du nämlich meinst, daß du stirbst, wenn du die letzte Seite geschrieben hast.«

»Was für ein Unsinn. Da bräuchte ich nur nicht weiterschreiben und würde ewig leben.«

»Du willst nicht ewig leben.«

»Was für Dummheiten ein Zwerg alles redet. Geh jetzt hinaus und schau nach, ob mein Abendessen schon da ist.«

Ob alles wahr ist, was ich schreibe? Wie zuverlässig ist das Gedächtnis? Dokumente, Urkunden und dergleichen Zeugnisse kann ich nicht zu Rate ziehen, das ist alles dahin. Ich kann niemanden mehr fragen, denn es gibt keinen, der älter ist als ich, ich, der letzte Mohikaner.

In der ersten Zeit glotzten die zerlumpten oder halbnackten oder ganz nackten Einbeinigen und ihre Weiber durchs Fenster herein, wenn ich schrieb. Ich machte mir nicht die Mühe, ihnen zu erklären, was ich mache, sie hätten es nicht verstanden. Tief getroffen hat mich der Tod Arthurs. Er ist keine zwanzig Jahre alt geworden. Diese blöden, polierten Marmorstufen: bei Regen – der zwar selten genug, aber doch ab und zu kam – wurden diese Stufen glatt wie Eis. Schon ein Zweibeiniger hätte sich, überrascht von der Glätte, kaum aufrecht halten können. Arthur schlug hin, schlug mit dem Genick auf die Stufenkante und war sofort tot.

Als ich nach einem Nachfolger für Arthur suchte, also einen oder eine, die mir meine Sonderration hereinholen würde, stellte ich fest, daß nur noch drei Frauen und ein Mann lebten, der aber schon so gut wie hinüber war. Die eine der drei Frauen stellte ich, wenn man so sagen kann, als Haushälterin an, aber schon am ersten Champagner-

Tag ließ sie die Flasche fallen. Ich jagte sie davon und mußte mich von da an selber behelfen.

Daß ich überhaupt der letzte Lebende war, bemerkte ich längere Zeit überhaupt nicht. Erst als ich sechs Wochen lang keinen Einbeinigen und keine Frau mehr gesehen hatte, wurde ich unruhig und ging von Haus zu Haus.

Ich rief, aber es antwortete niemand mehr.

Neulich träumte ich, daß Mara wiedergekommen sei. Sie war elf Jahre alt und sagte: sie träume die Welt weiter, ich könne beruhigt sein. Mara war viele hundert Jahre alt und splitternackt. Sie trug Tante Jessicas läuseroten Hut. Die Goldenen Heiligen, sagte Mara im Traum, die träume sie nicht weiter. Die Welt ist ein silbernes Gespinst aus Maras Träumen. Ich bin beruhigt.